W G
41 51 71
16·8 89

£ 4 - 25

suhrkamp taschenbuch 714

Das Buch ist entstanden aus dem Alltag des Con-Drobs Langzeitzentrums Schloß Pichl bei Augsburg. Die Autoren sind ehemalige Drogenabhängige und Mitarbeiter des Schlosses, aber auch Freunde und Beteiligte von anderswo.

Die Diskussion über Drogen (harte Drogen) und Abhängigkeit wird, soviel ist vorhersagbar, wieder sterben, wenn das Problem »professionalisiert« werden kann und die ermüdete veröffentlichte Meinung sich an dramatische Todesfälle gewöhnt hat wie an die Inflationsrate. Aber noch lebt diese Diskussion eines Themas, das in den Medien den Terrorismus abgelöst zu haben scheint und das die Psychologen und Sozialisationstheoretiker beschäftigt. Bei allen Bemühungen, die Faszination von Drogen als gesellschaftliches Symptom, als Versuch narzißtischer Befriedigung oder »Selbstheilung« zu begreifen, bleibt ein schaler Geschmack von Hilflosigkeit einer Auseinandersetzung gegenüber, die von sogenannten Fachleuten über die Köpfe der Betroffenen hinweg geführt wird, mit gelegentlicher Einbeziehung von autobiographischen Berichten, die als Belege für diese oder jene Meinung benutzt werden.

In diesem Band nun versuchen sich die Beteiligten zu verständigen, indem sie ihre subjektive Erfahrung mitteilen und im Schreiben ein Ausdrucksmittel entdecken, das eine neuartige Auseinandersetzung mit Drogen und Sucht erlaubt. Hier geht es nämlich weniger um die autobiographische Abhandlung von Drogenkarrieren als vielmehr darum, sich über die zentralen Erfahrungen, besonders den Kampf mit der Sucht, der bleibenden Sehnsucht nach einer »Insel des ewigen Glücks« (so der Titel eines Märchens) zu verständigen, sich verständlich zu machen.

Komm schwarzer Panther, lach noch mal

Verständigungstexte über
Drogen und Abhängigkeit

Herausgegeben von
Rudolf Müller-Schwefe
und Eva Schott

Suhrkamp

suhrkamp taschenbuch 714
Erstausgabe
© Suhrkamp Taschenbuch Verlag Frankfurt am Main 1981.
Alle Rechte vorbehalten, insbesondere das
des öffentlichen Vortrags, der Übertragung
durch Rundfunk und Fernsehen
sowie der Übersetzung, auch einzelner Teile.
Satz und Druck: Ebner Ulm · Printed in Germany
Umschlag nach Entwürfen von
Willy Fleckhaus und Rolf Staudt

komm, schwarzer panther, lach noch mal
gleich wird der tod dich holen,
noch bist du schön, trotz deiner qual
du kannst sie all' verhöhnen –

mit deinem lachen tief in mir
will ich dann weiterkämpfen
und wenns auch noch so sinnlos ist
den haß kann ich mit dämpfen –

die blinde wut, die in mir wohnt
kann welten nicht versetzen
doch rächen kann ich deinen tod
die üble brut zerfetzen –

komm, schwarzer panther, lach noch mal
dann geht die sonne unter
ob sie noch einmal aufgehn wird
ich glaube nicht an wunder –

komm, schwarzer panther, lach noch mal
vielleicht kann ich dann weinen
um zu vergessen was mal war
die scherben neu zu leimen
nur noch dein lachen will ich sehn . . .

rudolf klehr

Wir haben davon abgesehen, die Dramatik von Drogenkarrieren zu beschwören, und versucht, die Empfindungen, Gefühle und Gedanken auszudrücken, die den Alltag bestimmen, da eine Verständigung über Sucht und Abhängigkeit wohl kaum über die Höhepunkte der Beschaffungskriminalität stattfinden kann.

Zum anderen glauben wir, daß diese Verständigung am besten in einem *drogenfreien* Rahmen stattfinden kann, da z. B. die Sehnsucht, die zu Drogen führt, durch diese zugedeckt wird. Und schließlich war ein zentraler Gedanke die Einbeziehung von Beratern, Therapeuten, Mitarbeitern, kurz: »Nichtsüchtigen«, nicht nur, weil uns die Frage, warum denn jemand *nicht* süchtig wird, zentral erscheint, sondern auch, weil die Mitarbeiter oft eine Faszination zu ihrer Arbeit bewegt, die sich in sensationslüsterner Plattheit auch in der Öffentlichkeit bemerkbar macht.

Wir haben das Buch in fünf Themenbereiche gegliedert, nämlich

I die Wahrnehmung der Gesellschaft
(Mach dich nicht schmutzig)
II die Auseinandersetzung mit der »Drogenkarriere«
(Spuren in der Welt)
III der Ausdruck von Emotionen und Empfindungen
(Was bist du nur für ein Mensch)
IV die Verarbeitung von Drogenerfahrungen in Märchen und Geschichten
(Geschichten)
und
V die Reflexion über Drogen, Abhängigkeit und Drogen»arbeit«
(Wenn ich dich retten könnte).

Wir hoffen auf Resonanz. Unsere Verständigung ist nicht abgeschlossen, weder inhaltlich noch persönlich.

Inhalt

I Mach dich nicht schmutzig

Karin Schiwik
Mach dich nicht schmutzig! 17

Walter Herzensfroh
Der Melonenfresser 18
Die Morgennachrichten 18
Komm her 19
Daß du mir ja 19
Geh und kauf Fische im Laden 19
Ein Licht ist heiß 20
Zuckende Blitze 20

Sylvia Rupp
Weihnachtsdepressionsmarkt 21
Manipulierte Träumereien 22
Zeit 22
Wie Vögel 23

Eva Schott
Menschen 24
Hunger 24
Moral 24
Begnadigung 25

Bettina von Wrangel
U-Bahn-Fahrt 26

II Spuren in der Welt

Sylvia Rupp
Regentropfen 29

Michael Vogel
Jedesmal 30

Kurt Blesinger
Verloren 38
Während ich im Frühling 38

Gabriela Wolf
Und da passierte was 40

Kurt Blesinger
Der Kampf 68

Eva Schott
24 Stunden auf der Scene 69

Gerhard Schneider
In Sachen der Petra T. 75

Eva Schott
24 Stunden im Knast 98

Regina Bouzon
El perro de ramon . . . 104

Petra Burger
Wochenberichte 107

Kurt Blesinger
Geborgen 128
Der Therapieschuß 128

Eva Schott
24 Stunden Therapie 129
Mumien 136

Rudolf Klehr
Es gibt kein Zurück 137

Regina Bouzon
Träume mit Featuring Eisenherz 138

Eva Schott
Heimatlos 140
Überleben 79–81 140

Kurt Blesinger
Abschied 141

III Was bist du nur für ein Mensch

Walter Herzensfroh
Du weißt nichts 145
Städte, gehalten von Spinnweben 145

Eva Schott
Fünf Gedichte 146
Worte 147

Karin Schiwik
Warum fragst du mich denn jeden Tag 148

Anette Raabe
Gefühls-Moment-Aufnahmen 149

Kurt Blesinger
Liebe 157
Leere 157
Angst 158
Sehnsucht 158
Ruhe 158
Einsam 159
Willenlos 159

Eva Schott
Innenleben 160
Ich will 160

Rudolf Müller-Schwefe
Selbstgespräch 161

Karin Schiwik
Ruhig liegt es da 168
Am Anfang 168

Ilona Landsmann
Folge der reinen Natur 169
Viele Augen sind auf mich gerichtet 169

Sylvia Rupp
Manchmal wünschen wir 170
Auf dem dunklen, stinkenden Wasser 170
Dein Schatten in den Sonnenstrahlen 171
Wasser 171

Karin Schiwik
Die Sonne 172

Ilona Landsmann
Möchte liegen, möchte sterben 173

Sylvia Rupp
Sonderangebot 174
Meine Gefühle zu dir 174

Eva Schott
Offenheit 175
Schonzeit 175

IV Geschichten

Walter Herzensfroh
Sturm ballte sich auf 179

Kurt Blesinger
Die Insel des ewigen Glücks 180

Sylvia Rupp
Der Wald 185

Regina Bouzon
Ich bin entzückt 191

Eva Schott
Eine lange Fahrt 199

Rudolf Müller-Schwefe
Die Schöpfung ist anders 205

Sylvia Rupp
Die Suche 209

V Wenn ich dich retten könnte

Eva Schott
Brief an meine Mutter 213
Im Namen des Volkes 220

Ilona Landsmann
So sind wir im Leben 221
Das Licht 221

Rudolf Müller-Schwefe
Schneemensch 222
Wie geht es euch, mir geht es so 222

Almut Ladisich-Raine
Mein Weg zu einer kreativen, demokratischen
Therapeutischen Gemeinschaft, Teil I 224

Rudolf Klehr
Gedanken zu einer Frau 230

Almut Ladisich-Raine
Mein Weg, Teil II 231

Nachwort 235

Die Autoren 243

I Mach dich nicht schmutzig

Karin Schiwik

Mach dich nicht schmutzig!
Sei anständig!
Steh auf, wenn der Wecker
klingelt!

Zieh dich fein an,
aber mach dich nicht
schmutzig!

Falls du fortgehst,
achte darauf,
wie du dich bewegst und was
du sagst!

Bereite uns keinen Kummer!

Ansprüche – Verfall,
Ansprüche – Ruin,
Heroin?

Walter Herzensfroh

Der Melonenfresser

Dort vorne schabt einer an einer saftigen Melone rum.
Ihr – oder ich – oder wie ihr wollt – seht ihr ihn?
Daneben, eine starr vor sich hinblickende Frau –
des Melonenfressers – ihr kennt sie – so eine – naja – genau.
Das ganze Jahr Fließband –
Abends Fernsehn –
Ja, endlich Urlaub –
Das ganze Jahr gespart, nächstes Jahr bleiben wir
wieder zuhause.
Eine selige Ruhe überrascht und reißt den –
Naja – ihr wißt schon.
Auch er hat Gedanken – der Melonenfresser.

Dort drüben, siehst du sie,
Ja, seht ihr sie denn nicht?
Ihr kennt sie alle!
Fünf Meter von euch weg – ah, diese Drecksläuse.
Diese Frechheit! Diese asoziale Schicht!
Arbeitsscheues Gesindel! Rauschgiftsüchtiges Pack!
Ihr kennt sie bestimmt – diese jungen Leute!
Gammler – schreit der Melonenfresser – ich will meinen Frieden.

Des Melonenfressers Frau berührt das Ganze nicht.
Sie versteht die Welt nicht mehr.
Schraube zu – Mutter drauf – Schraube zu – Mutter drauf –
und sie fahren wieder nach Hause.

Die Morgennachrichten

Zähflüssige Lava entspringt aus portweinzerfressenen Gehirnen.
Strangulierte Neurotic Drugs Beamte
werden zu Grabe getragen.
Der Hundefänger von Katmandu macht seinen ersten Fang

im Morgengrauen.
Fehlgeschlagene Testobjekte der Pharmacie
dienen als Magenbläher für die Dritte Welt.
Der Ripper von London schlägt erneut zu.
Er fickt eine 65jährige Hafennutte zu Tode.
Stop . . . stop . . . stop . . . stop . . .

Komm her und laß dich streicheln.
Für dich und meinesgleichen.
Komm her und laß dich ficken.
Es ist so schön – wer will es schon verbieten.
Gott Vater verteilt die Hiebe,
damit wir uns erquicken
und elend daran ersticken.

»Daß du mir ja in die Kirche gehst,
und den Pfarrer bittest, dir eine aufs Maul zu hauen,
weil du immer tust, was deine Mutter sagt.«
»Amen.«

»Geht und kauf Fische im Laden!«
»Was bringst du denn da?«
»Das sind ja kleine Monster, mit drei Augen
und einem Schornstein als Rückenflosse!«
»Ja, Mama, die im Geschäft wissen auch nicht,
was das ist. Sie sagten nur:
›Junge, wenn du da vorbeischwimmst, wo die Fische
geschwommen sind, bist du auch so fertig, wie die,
und du kannst nichts dagegen machen.‹
Was machen wir jetzt mit den Fischen, Mama?«
»Wir essen sie natürlich. Ich hab im Fernsehn gesehen,
daß man sich da keine Sorgen machen braucht.«
»Ja, Mama, und wenn doch etwas passiert?«
»Junge, bei der heutigen Technik!«

Ein Licht ist heiß

Ein Licht ist heiß.
Aus Erfahrung zu sagen,
ihr wißt, was es heißt, zu heiß?
Nahe zu ran – ihr werdet greis.
Das ewige Licht euch nicht gewiß.
Allein ihr werdet sein,
gestützt vom Sargnagel,
geschmiedet aus Uran-Jod-Zweifelsfragen.
Nicht irgendein Licht, gemeint ist Atomlicht.
Ihr wißt, was das heißt – und es wird bald zu heiß,
daß euch das Blut in den Venen wird weiß.
Bestimmt kann man machen auch Farbe daraus,
mit der ihr könnt schreiben, wenn übrig noch einer,
auf Häuserruinen und Wäschemaschinen.
Wir haben's gewußt und euch doch nicht geglaubt.
So sehr wir geblendet, uns ging's doch sehr gut.
Warum sollten wir hören, auf einen Bio-Zug?
Nein danke – jetzt ist es zu spät.
Weil – wir waren ja so blöd!

Zuckende Blitze spenden Erlösung vor der Ruhe.
Wahnsinniger, erschütternder Zusammenbruch eines Clowns.
Es ist nicht leicht, ein Clown zu sein,
aber er ist es, wie der Klang einer Geige,
wie der abklingende Schmerz eines abgerissenen Fingernagels.
Das Krabbeln der Heuschrecke auf einer Gitarrensaite,
das die Kinder zum Lachen bringt.
Wanzen tanzen in angespannter Stellung Tango,
emporblickend zu einem tomatenähnlichen Vollmond,
der ein außerirdisches, unerklärliches Wonnegefühl ausstrahlt.
Er – der Clown – sitzt auf einem Schlagzeug,
umweht vom nächtlichen Geschrei einer Katze,
die Angst hat, sich einem kleinen Kind zu nähern,
weil dessen Ausstrahlung Klänge, wie eine Geige, von sich gibt.
Es ist nicht leicht ein Clown zu sein,
aber er ist es, das Kind.

Sylvia Rupp

Weihnachtsdepressionsmarkt

Weihnachtsdepressionsmarkt,
mit Kerzenlicht und unantastbarem Flair.
Harmonie im Kanon,
gesungen
von zum Tode verurteilten Depressionsengeln.
Ein Pfund Weihnachtsstimmung,
bitte mit Ketchup.
Es gibt dem Ganzen seinen blutigen Touch.
Halleluja, singen die Konzernchefs,
und fahren mit ihren Jachten nach Indien,
um hungrige Kinder zu füttern.
Es ist ja Weihnachten.
Mit gefalteten Händen und verbundenen Augen
treten Mütter mit ihren Stöckelschuhen
Löcher in ungläubiges Fleisch.
Oh, du Fest der Liebe, du Dreitagetraum einer heilen Welt,
mit Säure sollte dich die heuchlerische Frömmigkeit vernichten.
Du bist blind!

Weihnachtsdepressionsmarkt,
Hochkonjunktur auf der Selbstmordabteilung.
Viele sind es.
Wer feiert das Fest schon gern alleine?
Herzkatheter, Kanülen in Nasenlöchern und Venen.
Medikamente,
zum besseren Verständnis des Sinns vom Liebesfest.

Weihnachtsdepressionsmarkt,
mit Heiligenschein und unantastbarer Liebesstimmung.
Sprechpuppen singen auf Knopfdruck »Oh, Tannenbaum«.
Kindesmißhandelnde Eltern,
mit ihren blutüberströmten, zu Krüppeln geschlagenen Engeln
stehen vor der Krippe
und beten die Geburt eines kleinen Kindes an.
Und die Träumer, die einst an das Fest der Liebe glaubten,

tanzen im Heroinrausch auf dem Altar, zur Christmette.
Und Alles läuft so perfekt wie im letzten Jahr.
Fast Alles.

Manipulierte Träumereien und Bedürfnisse
Große Freiheitsillusion
Was damals der tödliche Mühlstein am Bindfaden war
ist jetzt der Fernseher am Bindfaden
dort über Dir
Aber alles ist so hübsch farbig und flimmernd
Außerdem weißt Du ja, was Du willst
und die freie Marktwirtschaft weiß es auch
Hübsch farbig und flimmernd
schmieren sie Dir
den durch Röhren fließenden Schleim
um die Augen
und in langen Gierfäden
hängt Dir die Spucke zu Boden
wird zu einem glitschigen Teppich unter Dir
Sei vorsichtig, sonst rutschst Du aus.
Und der Fernseher am Bindfaden wird reißen
und die stahlharte Schleimröhre könnte dich erschlagen
und mit Dir
Deine kariert-bespritzten Träume und Bedürfnisse
Aber das alles wäre gar nicht so schlimm
beängstigend ist dabei nur der Verlust
eines Freiheitsillusionsbetäubten
für die freie Marktwirtschaft!

Zeit

Die Zeiger der Uhr sind gebrochen,
und doch hält die Zeit nicht an.
Sie wird weiter zerhackt, in dünne Scheiben.
Nur weißt du nicht,
hinter welcher Zeitscheibe du gerade sitzt.
Die Zeiger der Uhr sind gebrochen.

Wie Vögel

Wie Ikarus, wolltet ihr schon immer Vögel sein.
Mit Federn im Haar und in den Händen
habt ihr versucht zu flattern
und kamt nie höher als einen Sprung von der Erde.
Gepiepst, geschnattert und gezwitschert habt ihr,
habt gegurrt wie Tauben
und geklappert wie ein Storch.
Und Alles, was euch geblieben ist,
von dem Versuch wie Vögel zu sein,
ist der Nachruf,
komische Vögel zu sein.

eva schott

menschen

menschen
– erstarrt
– verkleidet
– maskiert

menschen
– mich friert . . .

hunger

alles
was du gibst –
in stücke geschnitten
portionshäppchen

alles
zu seiner zeit
am rechten ort
den richtigen leuten –

du vergißt
daß ich
je länger desto hungriger werde . . .

moral

du mußt vernichten
die großen, die breiten gefühle
die füller
die dich leben lassen
deinen motor speisen

du mußt ausmerzen
die kleinen und die großen ängste
die unsicherheiten
die dich leben spüren lassen
deinen motor speisen

du mußt anbeten, bejubeln und hochhalten
die moral
die alles tötet
die aushöhlerin von gottes gnaden
die dein leben zum stillstand bringt
deinen motor explodieren läßt

die moral:
hoch soll sie leben

begnadigung

sie führten sie
zur bank des schlächters
jeden tag

sie hoben die axt
und begnadigten sie
an der bank des schlächters
jeden tag

sie entließen sie
aus dem kerker des schlächters
eines morgens

metzelten sie
auf offener straße nieder
eines mittags

und
überließen die blutigen
fetzen dem schlächter
eines abends

Bettina von Wrangel

U-Bahn-Fahrt: Sprechendes Schweigen

Die Menschen quetschen
und drängen sich rein,
und jeder will der
Erste sein.
Ich seh' es,
mir graut's,
doch auch ich muß hinein.

Wie starr und verbissen sie mir scheinen.
Ich kann mir nicht helfen –
ich fang an zu weinen.

Sie starrten mich voller Neugier an,
so daß es in mir zu zittern begann.

Da treffe ich eines Menschen Blick,
und dessen Augen sagen zurück:
»Ja, ich weiß, ich kann Dich verstehn,
auch ich muß durch ähnliche Qualen gehn.

Wir müssen schweigen,
doch behalt' Dein Gesicht,
auch ich sprech' ihre Sprache nicht.

Die Sprache von uns soll'n die Augen sein,
paß auf sie auf –
und halt' sie geheim –
sie wird uns noch eine Hilfe sein.«

Nun ist sie auch mein
– und –
Danke, ich weiß jetzt,

– ich bin nicht allein –.

II Spuren in der Welt

Sylvia Rupp

Regentropfen fallen vom Himmel,
hinterlassen ihre Spuren an der Fensterscheibe.
Dann verschwinden sie,
und die Erde saugt sie auf.

Menschen werden geboren,
hinterlassen ihre Spuren in der Welt.
Irgendwann sterben sie,
und die Erde saugt sie auf.

Michael Vogel

Jedesmal

jedesmal, wenn der sinn einer diskussion, eines aufsatzes oder berichts, von dem grundlegenden wert des begriffs »nützlich« abhängt, d. h. jedesmal, wenn wichtige probleme der menschlichen gesellschaft behandelt werden, kann man sagen, daß eine solche diskussion, ein solcher aufsatz, ein solcher bericht grundsätzlich verfehlt ist und die entscheidende frage umgangen wird, ganz gleich, wer sich da zu wort meldet, wer da schreibt und welche meinungen da vertreten werden. angesichts der mehr oder weniger divergierenden auffassungen darüber ist es nämlich unmöglich, exakt zu definieren, was für den menschen nützlich ist. diese verlegenheit äußert sich meiner meinung nach darin, daß man ständig auf grundsätze zurückgreifen muß, die jenseits von nutzen und lust liegen. das problem, mein problem, welches ich hier zu papier bringen will, wurde in der vergangenheit schon oft beschrieben, verfilmt, ausgeschlachtet, vermarktet, verkauft. mein problem ist die drogenabhängigkeit, speziell die heroinsucht. mein problem scheint aussichtslos und unheilbar. dieser gedanke drängt sich auf, wenn ich auf 13 jahre kampf gegen die sucht, die bereits hinter mir liegen, zurückblicke. was ich in diesen jahren erlebt habe und warum ich trotz alledem wieder eine chance sehe weiterzumachen, versuche ich hier zu schildern. warum ich überhaupt zur feder greife, ist schnell erklärt. ich sehe im schreiben ein geeignetes instrument, meine mangel-erfahrung zu beantworten. vor allem aber gibt mir das schreiben die lizenz, vom eigenen zerdepperten »ich«, das ich zusammenflicken will, reden zu können. ich halte es für wertvoll und nützlich, wenn ein mensch in meiner situation seine mangelhaftigkeit nicht nur leidend hinnimmt, sondern in den beschädigungen das beschädigende zu erkennen sucht und anderen mitteilt.

1966 ging die ehe meiner eltern auseinander. irgendwo machte mir das nicht viel aus, ich konnte ja ohnehin nie mit ihnen über das reden, was mich betraf, hielt mich meistens bei meinen großeltern auf, wir erlebten uns kaum und wußten nichts voneinander. für mich, damals gerade 14jährig, tat sich durch die trennung meiner eltern ein erfreulicher aspekt auf. ich hatte plötzlich die größtmögliche freiheit, konnte ohne rechenschaft ablegen zu müssen tun und lassen was ich wollte. d.h. im klartext, daß von diesem zeitpunkt an keiner mehr bereit war, sich um mich zu kümmern. zwar konnte ich nach wie vor zu den großeltern gehen, doch das war nicht das, wonach mir der sinn stand. durch das gymnasium, auf dem ich war, hatte ich bereits erste kontakte zu leuten, die ich zum damaligen zeitpunkt als ersatzfamilie verstand. diese leute hatten faszination, waren ungeheuer interessant für mich, vielleicht auch deshalb, weil es die einzigen menschen waren, mit denen ich reden konnte – über mich reden konnte. daß diese leute alle wesentlich älter waren als ich, störte mich insofern nicht, als ich ja von ihnen akzeptiert wurde. irgendwann machte ich bei ihnen mit, obgleich ich nicht in der lage war, das zu begreifen, was da getan wurde, um was es überhaupt ging. das was man mir in diesem kreis vorlebte, sah ich sehr bald als das einzig wahre für mich an. zum ersten mal wurde mir klar, daß das leben außerhalb dieser gruppe für mich formen annahm, mit denen ich nichts mehr zu tun haben wollte. von diesem zeitpunkt an, das war so im märz 1967, war ich auch mit meinem begreifen dabei, stand plötzlich voll hinter den kommunegeschichten, hinter unseren dropouts, hinter dem blues und den haschrebellen, hinter meiner ersten drogenerfahrung. was sich dadurch für mich auftat, war eine neue sensibilität und zärtlichkeit, war das intensive eingehen auf den anderen. zu diesem zeitpunkt klammerte ich mich an eine frau, die ca. 10 jahre älter war als ich und harte drogen nahm. unter dem begriff harte drogen konnte ich mir damals nichts vorstellen, über ihre auswirkungen wußte innerhalb der gruppe auch keiner bescheid. was ich damals zu wissen glaubte, war (schlicht und ergreifend) das, daß es sicherlich nichts schlechtes sein konnte, was carola da tat. ich wollte es auch ausprobieren, fragte danach und bekam es. von nun an ging ich jeden tag los, um mir morphium (heroin war damals in der brd noch nicht verbreitet) zu besorgen. vielleicht muß ich hier kurz einfügen, daß der preis für eine spritze damals noch so gering war, daß ich sie ohne weiteres von meinem taschengeld finanzieren konnte. ein halbes jahr nach meinem einstieg in die droge löste sich die gruppe auf. die einen rutschten in die frankfurter polit-scene ab, die anderen schlossen sich der gesellschaft an, manche gingen auf die diversen unis und wenige sahen die droge als die geeignetste alternative an. die trennung von der gruppe machte mir zu diesem zeitpunkt nicht mehr viel aus. ich brauchte sie ja nicht mehr, hatte ich doch einen guten ersatz gefunden. der beginn meiner drogenabhängigkeit war eine durchaus schöne zeit für mich, zumal ich mit keiner idee wußte, daß dieser befreiende rauschzustand jemals negative folgen haben könnte. ich erinnere mich da an eine begebenheit, die ich vielleicht hier kurz einbauen möchte. etwa ein halbes jahr nach meinem einstieg war kein morphium zu bekommen, weil carola im urlaub war. ich hatte wahnsinnige schmerzen, schweißausbrüche, durchfall und mußte mich ständig übergeben. was ich nicht wußte, war das naheliegendste, eben, daß die ersten entzugserscheinungen auftraten. vielmehr dachte ich an eine schwere grippe, legte mich zuhause ins bett, um sie auszukurieren. auch der arzt, der wegen meiner schmerzen von meinem vater gerufen wurde, sprach von einer lebensmittelvergiftung. ich blieb ungefähr eine woche im bett. der erste weg, nachdem ich wieder auf den beinen war, führte mich zu carola. noch heute weiß ich genau, daß ich den weg nicht normal ging, sondern regelrecht rannte. in dieser art und weise lief es noch zwei jahre. als carola im spätsommer 1969 starb und ich erfuhr, daß sie an einer überdosis morphium umgekommen war, gingen mir zum ersten mal die augen auf. ich spürte den wahnsinnigen verlust, spürte die lücke, die sie hinterließ, und ich spürte mich, den total ausgelaugten körper. sofort wollte ich die ganze scheiße stoppen, es ging nicht. das einzige, was mir gelang zu diesem zeitpunkt, war, daß ich die bisher übliche dosis rauschgift um das dreifache steigerte. ich schmiß die schule, ein jahr vor abitur, und lebte nur noch mit dem gedanken an den nächsten schuß. auch jetzt war die beschaffung der droge noch ohne schwierigkeit, ja, man bekam sie noch leichter als vorher. irgendwann in dieser zeit fiel meinem vater mein schlechter körperlicher zustand auf, er bemerkte meine ziellosigkeit, meine totale unruhe und fing plötzlich an, sich um mich zu kümmern. in meinem damaligen gefühl der totalen gleichgültigkeit konnte ich jedoch dieses eingehen auf mich nicht akzeptieren und folglich nicht mit ihm über mich reden. er erfuhr auf anderen wegen von dem, was ich tat. noch heute sehe ich seine betroffenheit, noch heute höre ich seine frage: »was habe ich falsch gemacht.« es war nichts da außer einer totalen hilflosigkeit mir gegenüber. wie sollte er sich auch verhalten, jetzt ging alles schlag auf schlag. erste krankenhausaufenthalte, erste therapie ohne motivation, in lausanne am genfer see. als ich im frühjahr 1970 nachhause zurück kam, hatte ich eigentlich nichts dazugelernt. zwar hatte ich an gesundheit und körpergewicht zugenommen, doch in der alten umgebung bot sich das alte bild, die alte situation, ursächlich. da die therapie damals in der schweiz, das weiß ich heute, nichts anderes als eine bessere verwahrung war, weil die problematik des einzelnen nicht angegangen wurde, hatte ich natürlich keine wirkliche chance über die runden zu kommen. allein, ohne freunde, gerade 18 jahre alt, stand ich im alten dreck und wußte nichts mit mir anzufangen. trotzdem gelang es mir, weiß der teufel wie, drei jahre ohne droge auszukommen. das ist eine sehr lange zeit. in dieser zeit machte ich eine berufsausbildung, machte die gesellenprüfung, lernte neue menschen kennen, kurz gesagt, ich schien mich zu fangen. als mein chef von meiner vergangenheit erfuhr, das war kurz nach der gesellenprüfung, entließ er mich fristlos. zunächst noch konnte ich darüber lachen. daß ich danach keinen arbeitsplatz bekam, war aber sehr bald schon frustrierend und drängte mich in die alte verhaltensweisen. immer öfter ging ich an das grab von carola und suchte die freunde vergangener tage. zwischenzeitlich wurde auch noch energie in mir wach, die ich nutzen konnte. zum beispiel ging ich ab und zu zum arbeitsamt oder versuchte, so arbeit zu finden. ich sollte mich bei einem supermarkt als aushilfe vorstellen. das hieß: ich sollte die regale auffüllen, fußböden wischen, gänge fegen etc. ich hatte keine große lust dazu, aber nach monaten der arbeitslosigkeit hat man nicht mehr viel illusionen. ich stellte mich bei einem kleinen mann vor, oder versuchte es zumindest. »ich habe schon jemanden eingestellt«, sagte der, »und jemanden wie sie kann ich so oder so nicht gebrauchen.« das war es also, ich war nicht mal mehr zum scheißhausputzer geeignet. ich fuhr sofort und ohne groß zu überlegen nach frankfurt und kaufte mir heroin. (1973 gab es im gegensatz zu früher kein morphium mehr.) zunächst schreckte mich die drogenscene ab. da waren alle in einem park versammelt und mußten warten, auf den dealer. kurz erinnerte ich mich an frühere tage, an die situation vor 1970, wo alles noch ruhiger, privat und vielleicht auch menschlicher ablief. jetzt kostete die droge bereits 50 mark pro schuß, doch auch das war mir egal. mir war überhaupt alles egal. bereits nach einer knappen woche war ich dem heroin total verfallen, ging nicht mehr nachhause und gammelte in stinkenden fixerbuden herum. um meine sucht finanzieren zu können, mein kleines guthaben war sehr schnell verbraucht, begann ich betrügereien und diebstähle zu begehen. ich hätte auch die möglichkeit gehabt zu dealen, aber carolas tod stand nach wie vor mit ungeheurer beredsamkeit vor mir. ich konnte es nicht und wollte nicht, daß andere menschen in die gleiche lage kommen, durch mich. 1974 kam ich ins gefängnis, wurde zu einem jahr ohne bewährung verurteilt. erst jetzt begann die schlimmste zeit in meinem leben. selbstmordversuch, verlust jeglichen echten gefühls wie sommer, sonne, liebe, freude, freunde – ich vegetierte in meinem schattenreich. daß meine eltern, meine geschwister zu mir hielten, war der einzige lichtblick. während der haftzeit nahm ich über den anstaltspfarrer kontakt zu einer drogenberatungsstelle auf, ohne jedoch einen wirklichen sinn zu erkennen oder in gedanken und gefühl dahinterzustehen. eher aus einer absoluten resignation heraus entschloß ich mich zu einer erneuten therapie. der feste wille, die motivation, zwei wichtige faktoren also, fehlten mir gänzlich. als ich nach der haft die therapie antrat, war ich am ende meiner kraft und wollte diesem beschissenen dasein eigentlich nur noch ein ende setzen. ich tat alles automatisch, wie ein roboter willenlos. sehr bald jedoch merkte ich, daß mir diese therapie etwas brachte, und ich lebte auf. da waren plötzlich wieder menschen um mich, mit denen ich reden konnte, die mich verstanden und mochten. die mitarbeit fiel mir von diesem zeitraum an leicht. es gab viel für mich zu lernen, und ich setzte alle energie in das lernziel – für die zukunft glücklich und drogenfrei leben zu können. nach der therapie, die sechs monate andauerte, fuhr ich optimistisch zurück in meine heimatstadt. alles lief gut, ich fing an zu leben, hatte eine arbeit, die mir spaß machte, lernte neue leute kennen. den erneut aufkommenden problemen im elternhaus hatte ich das gelernte aus der therapie entgegenzusetzen. damals baute ich mir eine gute beziehung zu einem mädchen auf, die, das vorweg, bis heute anhält. etwa im herbst 1975 trat ein psychologe, den ich von früher kannte, an mich heran mit der bitte, die drogenberatungsstelle meiner heimatstadt zu übernehmen. ich sei allein durch meine erfahrung mit der sucht dazu geeignet. mit begeisterung willigte ich ein, endlich lief alles konstruktiv. als ich meine arbeit in der drogenberatungsstelle aufnahm, zeigten sich gleich die ersten erfolge.

zwei leute bekamen durch meine vermittlung einen therapieplatz nebst kostenträger. in der stadt sprach sich bald herum, wer die beratungsstelle leitete, und viele leute kamen, weil man sich doch einiges davon versprach. ursprünglich waren die sprechzeiten nur an einem tag in der woche, von 18–21 uhr. ich nahm vier weitere stunden ins programm. eines tages sagten meine freunde zu mir: »merkst du eigentlich nicht, daß du dich total veränderst.« »geh da raus, hör mit der drogenberatung auf, die reißt dich mit.« natürlich spürte ich nichts, fühlte mich nach wie vor supergut, war total verbissen, engstirnig. heute ist mir klar, daß die ständige konfrontation mit drogensüchtigen und der droge in jedem falle rückfall bedeutet. man darf sich diese bestätigung nicht erlauben, man muß die plätze, die leute meiden, um eine wirkliche chance zu haben. viele abhängige, die nach einer therapie sauber sind, bilden sich ein, sie müßten sich zum apostel der anderen süchtigen machen, müßten ihnen helfen. sie verkennen dabei die totale gefahr, den explosivstoff, den ein solches denken und tun beinhaltet. im januar 1977 war es dann erneut soweit. durch einen klienten meiner beratungsstelle bekam ich heroin angeboten und spritzte es, von einer sekunde auf die andere. die sucht hatte mich wieder eingeholt, heimtückisch. warum? mir ging es in dieser zeit sehr gut, ich hatte alles und vergaß, das in der therapie gelernte gegen meine probleme einzusetzen. ich fühlte mich so sicher, daß ich der meinung war, es ginge alles von selbst. »wenn es dem esel zu wohl wird, geht er aufs eis« – ist verdammt wahr. der teufelskreis begann sich erneut zu schließen. schon in den ersten vier wochen des rückfalls brauchte ich zur finanzierung meines verbrauchs 600 dm pro tag. ich seilte mich von meinen freunden ab, deren hilfe ich brutal abschlug, beschimpfte sie, wahrscheinlich aus scham, und tauchte in mein schattenreich, in die illegalität ab. mit dem gedanken, im süden indiens meine letzten tage zu verbringen, machte ich einen groß angelegten betrug, hatte ausreichend geld in der hand, konnte mich jedoch zum aufbruch nicht entschließen. mittlerweile war haftbefehl gegen mich erlassen, und eine schier wahnwitzige flucht begann. zu keinem menschen hatte ich mehr kontakt, lebte in verschiedenen städten in hotels und versteckte mich total. im juni 1977 war ich am ende. von der droge zermürbt, 48 kilogramm schwer, brach ich im frankfurter bahnhofsviertel zusammen. nach dreitägiger bewußtlosigkeit wachte ich in einer gefängnisklinik auf, wo ich mit vitaminen und tabletten für die justizvollzugsanstalt tauglich gemacht wurde. stumpfsinnig verbrachte ich meine tage in der untersuchungshaft, registrierte nichts, mir war alles egal, bis sich meine freunde, meine freundin, meine familie meldeten. sie alle schrieben mir briefe, besuchten mich, so oft es ging, und halfen mir wieder auf die beine. sie zeigten mir liebe und zuneigung, verurteilten mich nicht und gaben mir so die einzig mögliche chance. als ich von einer bayerischen strafkammer zu drei jahren gefängnis ohne bewährung verurteilt wurde, hatte ich bereits kraft genug, um dieses urteil anzunehmen. hinter gittern arbeitete ich viel an mir, immer vor augen, daß es menschen gibt, die zu mir halten, denen ich etwas bedeute, trotz alledem. als ich im mai 1980 aus der haft entlassen wurde, begab ich mich erneut auf therapie. den therapieplatz hatte ich mir schon während der haft und diesmal selbständig besorgt. seit fünf monaten bin ich nun in schloß pichl bei augsburg, und sicherlich drängt sich bei dem einen oder anderen leser dieser erzählung die frage auf, warum ich es überhaupt nochmal versuche, mein leben von der droge abzulösen. nicht allein die tatsache, daß ich bis zum heutigen tag überlebt habe, ist maßgebend, sondern die gedanken an meine zukunft mit den menschen, die mir etwas bedeuten. ich habe im gegensatz zu früher konkrete ziele vor augen, ich will mich im gegensatz zu früher nach der therapie gänzlich aus der drogenproblematik raushalten, um sie besser bewältigen zu können. für mich heißt lebensplanung solange: »wann stehe ich morgen auf in der provence schafe züchten.« ein wunschtraum von mir, meinen leuten. inwieweit er zu verwirklichen ist, ist eigentlich in dieser form in keiner weise maßgeblich. allein die idee an eine alternative lebensform hellt die zukunft für mich auf. und außerdem gibt es ja heute für mich menschen, die dieses ziel gemeinsam mit mir erreichen möchten. natürlich wäre es falsch zu glauben, dies alles ließe sich nach der therapie, sozusagen »von heute auf morgen«, verwirklichen. nein, ganz sicher nicht. es wird viel mühe und kraft in anspruch nehmen, auf die erfüllung meines traumes hinzuarbeiten. ich will es gerne tun, allein deshalb, weil ich das dringende bedürfnis habe, endlich einmal etwas für mich zu erreichen. ich muß ausgefüllt sein mit dingen, die mir spaß machen, um für alle zukunft der droge zu entgehen. das ist mit ein grund, warum ich mir dieses ziel gesetzt habe, warum ich mich für dieses ziel entschieden habe. jeder bekommt eigentlich die zukunft, die er herbeiführt. aber man muß zu anstrengender arbeit an sich selbst bereit sein. nach jahren der drogenabhängigkeit, in denen nichts lief, kommt plötzlich eine starke energie in mir hoch, die ich nutzen möchte. außerdem kann ich heute von mir sagen, daß ich zu jenen arbeitenden menschen gehöre, die hier und jetzt zu träumen verstehen, und zu jenen träumern, die zu anstrengender arbeit bereit sind. früher habe ich die tage, an denen es was zu erfüllen gab, taub übergangen. das heroin gab mir die kurz aufkommende befriedigung, den druck der anforderung los zu sein. außer bloßen klischees war da nichts anzutreffen. jedenfalls möchte ich für die zukunft nicht nur fakten abreißen, sondern in erster linie etwas erleben, verwirklichen. ich möchte mehr nähe zu kleinigkeiten, die zum erlebnis werden können. der wichtigste punkt, dem rückfall zu entrinnen, ist aber das gespräch, die freundschaft zu menschen, zu denen ich vertrauen habe und die mich verstehen. ich denke da an frühere tage, in denen ich mich abgekapselt habe, meine probleme einfach geschluckt habe und vor selbstmitleid bald zerflossen bin. mein geliebter spruch diesmal zynisch: »ich war traurig, weil ich keine schuhe hatte. da sah ich jemanden, der hatte keine füße.« das habe ich zum glück ausgestanden. solch ein unabgeklärter quatsch kann bestenfalls aufforderung zum einhalten, besonnenerem aufstehen sein. ich kenne ein ehepaar in der schweiz, beide waren jahrelang drogenabhängig, beide hatten mehrere therapien erfolglos hinter sich gebracht. ihre letzte gemeinsame therapie 1974 hatte erfolg. ihr plan nach der therapie war ein alternativer bauernhof. jahrelang haben sie dafür gekämpft, oft drohte resignation oder rückfall, weil die hürden der ämter, gerichte usw. fast unüberwindlich waren. gegenseitig gaben sie sich immer und immer wieder mut zum weitermachen, gaben nicht auf. seit drei jahren leben sie nun auf ihrem bauernhof zusammen mit guten freunden. nicht aufgeben, etwas für sich tun, reden, gefühle zeigen und zulassen, kämpfen – vielleicht ist das die gesuchte lösung.

Kurt Blesinger

Verloren

Mit letzter Kraft rannte ich davon,
einfach los,
immer schneller und immer weiter,
wollte flüchten vor der Hölle,
welche man Leben nennt.
Vor gierigen Chefs,
die aus Gutmütigkeit Lehrlinge einstellen,
dann die sogenannten Auszubildenden ausbeuten
bis zum letzten Pfennig.
Mir war das zuviel,
ich wollte kein Mittel zum Zweck sein,
meine Würde als Mensch war mir heilig.
So rannte ich davon,
immer schneller und immer weiter.
Kraftlos, mit ungleichmäßigen Stichen ins Herz
sank ich zu Boden,
dachte, jetzt bist Du alle Sorgen los.
Ich schaute zurück, um mich zu vergewissern,
daß ich auch weit genug gerannt war,
und stellte mit Entsetzen fest:
Ich war mitten im Dunkel,
da wo ich gar nicht hinwollte.
Ich war in die falsche Richtung gerannt.

Während ich im Frühling
durch die kahlen Baumkronen
auf das weite Feld blicke,
sehe ich Bilder meiner Vergangenheit,
von denen ich weiß, daß
sie nie wiederkommen werden

Verliere ich meine Kraft,
weil ich am Ganzen zweifle,

oder
bin ich verzweifelt
weil ich keine Kraft mehr für das Ganze habe?

Gabriela Wolf

Und da passierte was

Dieses Schreiben betrifft mich und mein Leben. Rowdy, so
nannte man mich, denn ich baute nur Scheiße, aber Gabriela
war mein richtiger Name, und so zog ich durchs Leben, hier in
Pichl hängengeblieben. Pichl ist eine Drogentherapie, ah, das
wißt Ihr ja noch gar nicht, ich bin seit meinem 16. Lebensjahr
auf allerlei Drogen süchtig gewesen. Wir können da anfangen
mit Alkohol, Haschisch, verschiedene Tabletten, LSD, auch
Schnüffeln blieb bei mir nicht aus. Und zum Schluß bin ich auf
der Nadel hängengeblieben, eine Welt, wo ich gemeint habe,
das ist meine Welt. Brutal, jeden Tag ein neues Abenteuer,
jeden Tag die Suche nach dem Dope, ja, wie konnte so etwas
nur passieren. Ich werde Euch ein wenig aus meiner Vergangenheit erzählen.
Von klein an im Heim großgeworden, meine Eltern kannte ich
nicht. Ich war schon von klein an ein Rowdy, ich suchte ständig
Streit und prügelte mich gern rum, ich wollte jedem zeigen, daß
ich der Stärkere bin. Wenn jemand zu mir sagte, ich sei blöd, so
zog ich ihn an den Haaren oder machte ihm sein Spielzeug
kaputt. Ich bekam oft Schläge; ich weiß noch, als mir mal schlecht
war, da habe ich im Bett gebrochen, und das hat jemand gesehen,
und dafür bekam ich Schläge. Auch wenn ich von der Schule zu
spät nach Hause kam, kriegte ich Schläge und verstand es gar
nicht. Ich habe doch immer so gerne nach der Schule mit den
anderen Kindern gespielt. Es war nachher schon so schlimm, daß
ich beim Essen ständig eine gewischt bekommen habe. Ich weiß
auch noch, wo ich die Masern hatte. Ich war noch sehr klein, und
die wollten mich ständig ins Bett bringen. Da bin ich weggelaufen
und habe mich unterm Tisch versteckt. Das hat mir so richtig
Spaß gemacht. Aber wehe, wenn sie mich bekommen haben,
denn gab es aber Prügel. Dabei wollte ich nur mit ihnen spielen.
Irgendwann mal merkte ich auch, daß das, was ich tat, immer
falsch war, denn wenn man ständig für alles Prügel bekommt,
muß man es ja annehmen. Ich hatte auch oft das Bedürfnis
gehabt, mich mal anzulehnen, aber an so etwas kann ich mich
nicht mehr dran erinnern, daß ich mal gestreichelt wurde oder

daß mich jemand in den Arm nimmt . . . Nee, so etwas kenne ich nicht. Ich weiß nur, daß wenn ich mal was hatte, eine Wunde oder so, denn hat mich auch mal jemand gestreichelt. Und das war mir zuwenig. Also habe ich mich mal entschlossen, mir das Gesicht aufzureiben, und sagte, ich bin hingefallen. Denn haben sie sich auch gleich um mich gekümmert. Aber das hielt auch nicht lange an. Ich mußte mir was Neues einfallen lassen, und so brach ich mir den Fuß. Da war ja was los. Da kam die Feuerwehr und brachte mich ins Krankenhaus. Jeder hat sich um mich gekümmert. Das fand ich so richtig gut. Mit einem Gips ging ich ins Heim zurück. 6 Wochen hatte ich ihn um, und jeder bemitleidete mich.

Auch in der Schule war ständig was los. Ich prügelte mich auch da rum und wollte auch da jedem zeigen, daß ich der Stärkere bin. Ich weiß noch ganz genau, es war Winter, da bekam ich einen Schneeball aufs Auge, und da habe ich rot gesehen. Alle haben gelacht. Ich sagte: »Wer war es?« und alle zeigten auf den einen Jungen. Ich ging auf ihn zu und schlug ihn aufs Auge. Vor lauter Wut habe ich nicht gesehen, daß er eine Brille auf hat. Na, da war ja was los. Ich bekam ganz schön Angst, denn er mußte ins Krankenhaus, und die Brille war ja kaputt. Hinterher tat es mir auch ganz schön leid, aber es war zu spät. Eine Lehrerin ging mit mir nach Hause, erzählte, was ich getan habe, und ging wieder. Kaum war sie gegangen, bekam ich Schläge wie noch nie. Ich konnte ein paar Tage nicht richtig sitzen. Und die Brille mußte ich auch zahlen.

Irgendwann stank mir das alles, das Heim stieg mir zum Kopf hoch. Ich bekam oft Prügel und wußte gar nicht, warum. So entschloß ich mich mit einer anderen zum Abhauen. An dem Tag hatte ich Konfirmationsunterricht. Da bin ich aber nicht hingegangen. Ich wollte mit ihr abhauen, und so sind wir zum Schloßpark hingelaufen, denn wir kannten auch nichts anderes, weil wir noch nie woanders waren. Abends wurde es kalt, beide haben wir überlegt, was wir jetzt machen und was die anderen jetzt wohl tun. Wir wußten ja, daß die jetzt in der Kirche sind. Und wir bekamen es mit der Angst zu tun, denn es wurde dunkel, und wir wußten auch nicht wohin. Und so ließen wir uns was einfallen, wir machten uns ganz schmutzig, Regenwasser schmierten wir uns ins Gesicht, gingen langsam zurück und erzählten uns, was wir ihnen sagen. An der Kirche angekommen, mit einer riesen Angst hinein, alle Augen schauten auf uns. Wir preßten die Tränen raus, und ich erzählte, man hat uns verführt mit einem Auto. Da springt sie auf und ruft sofort die Polizei an, ließ das Gelände untersuchen, und mein Herz klopfte vor lauter Angst, denn ich habe ja gelogen. Die andere konnte es nicht mehr aushalten. Vor lauter Angst erzählte sie die Wahrheit. Man schleifte mich, man nahm mich an den Haaren, bis ich im Bad war, und sagte, Du verlogenes Ding. Sie machte die Tür zu, holte noch schnell einen Klopper und verprügelte mich. Ich lief zum Fenster, riß es auf und wollte raus. Sie riß mich zurück und schlug auf mich ein, immer mehr, bis ich auf der Erde lag und schrie.

Eines Tages kamen Eltern mit zwei ihrer Jungs. Sie wollten ein Mädchen. Nun, dieses Mädchen war ich. Man holte mich, ich war gerade beim Spielen, bin Rollschuhe gefahren. Und da rief eine Nonne: »Gabi, komm mal schnell her, wasch Dir schnell die Hände und mache einen Knicks. Du bekommst neue Eltern.« Ich habe überhaupt nicht durchgeblickt und lief mit, gab ihnen die Hand und machte einen Knicks. Eine von den Nonnen sagte zu mir, ich solle mal hin und her laufen. Ich tat es auch. Die Eltern nickten der Nonne zu und sagten, es ist o. k. Und dann mußte ich gehen. Draußen vor der Tür sagte die Nonne noch, das wären jetzt meine neuen Eltern, hast Dich gut benommen. Ich lief, so schnell ich konnte, die Treppe rauf, sagte jedem, ich bekomme neue Eltern, und freute mich. Es lief dann so, daß die mich jedes Wochenende abgeholt haben und ich mich sehr freute, denn ich dachte, jetzt wird alles anders.

Gar nichts war. Denn ich mußte ständig saubermachen, durfte auch nicht mit meinen Freunden spielen, mußte gleich nach der Schule nach Hause. Und wehe, ich bin auch da zu spät gekommen. Denn habe ich gleich eine gewischt bekommen. Ich habe mich auch da nicht wohlgefühlt. Ich dachte, da ist alles anders. Aber die Enttäuschung war schmerzhaft. Ich merkte Tag für Tag, daß ich nur gut für sie war, wenn ich gearbeitet habe und immer gemacht habe, was sie wollten. Abends, wenn ich in meinem Zimmer lag, hörte ich die Gespräche, denn sie hatten ihr Schlafzimmer gleich neben mir. Und da habe ich denn alles gehört. Sie schimpfte über mich und machte mich schlecht. Sie sagte sehr oft, ich bin blöd, tauge sowieso nichts, und was soll bloß mal aus der werden. Es tat mir sehr weh, oft weinte ich, nahm meine Schlafdecke und sagte zu mir selber, was mache ich falsch. Warum mag mich keiner – und schaukelte mich in den Schlaf. Es tat mir auch sehr weh, daß ich ständig spürte, daß sie ihre Jungen vorzieht. Ich bin dann stur geworden, die Jungen durften fast alles. Ich machte es denn einfach. Dafür habe ich auch die Schläge in Kauf genommen, und ich bekam sie auch.

Ich weiß noch ganz genau: An einem Sonntag bin ich aufgestanden und wollte allen eine Freude machen und machte Frühstück, putzte ihm seine Schuhe und weckte alle. Als sie alle am Tisch waren, sagte ich, ich habe Deine Schuhe geputzt, und holte sie, zeigte sie ihm. Er nahm sie und sagte: »Das soll geputzt sein? Der Rand von der Sohle ist noch ganz verdreckt.« Er stand auf, nahm den Schuh und haute ihn mir auf den Kopf. Ich verstand nichts mehr, bin raus auf den Flur und weinte. »Gabi, komm rein.« Ich war stur. Er kam raus, sagte nochmal: »Gabi, komm rein.« Ich blieb stehen. Er hob die Hand und schlug mich. Ich rannte in mein Zimmer, knallte die Tür zu. Und dann kam sie angerannt: »Du blödes Ding, knallst hier die Tür zu.« Ich sagte: »Na logisch.« Kaum habe ich es ausgesprochen gehabt, hatte ich auch schon eine gewischt bekommen. Ich wäre am liebsten in die Erde versunken, denn ich verstand gar nichts mehr, merkte nur noch, daß ich alles falsch mache und für nichts tauge. Es lief oft so, daß ich auch da Prügel bekam, wenn ich ihnen eine Freude machen wollte und wenn ich was falsch gemacht habe.

Da kommt mir noch was, da wollte ich ihr eine Freude machen und habe die Wäsche gewaschen, weil sie immer sagte, das schaffe ich nicht mehr, mir wird alles zuviel. Da dachte ich, kannste ja auch machen und machte es auch. Aber es ging schief. Ich habe die Buntwäsche auf Kochwäsche gewaschen, na und die sah aus. Alles kaputt, ganz klein war die Wäsche. Ich bekam es mit der Angst zu tun. Da ging auch schon die Tür auf. Ich stand da und habe kein Wort mehr rausbekommen. Sie kam auf mich zu und sagte: »Was ist denn das hier, meine Wäsche, du blöde Kuh« und knallte mir eine. »Warte mal bis heute Abend, wenn der Vater nach Hause kommt, dann kannste was erleben.« Mir rutschte vor lauter Angst das Herz in die Hose. Ich ging in mein Zimmer und hätte mich am liebsten versteckt, denn ich wußte ja, was mir jetzt blüht. Es wurde Abend, und er kam heim. Sie sagte ihm gleich, was ich getan habe. Er ging zu mir, sagte, was mir einfällt. Ich bekam kein Wort mehr raus und er schlug auf mich ein. Ich verstand auch da nichts. Ich dachte nur, ich wollte Euch doch nur eine Freude machen.

Eines Tages hielt ich es auch da nicht mehr aus, denn ich wünschte mir Liebe, Geborgenheit, Verständnis. Ich bekam nichts. Darum entschloß ich mich zu gehen, denn es tat mir zu weh. Ich ging denn auf Trebe. Abends hat man mich gefunden, die Eltern haben mich gesucht und brachten mich in das Willy-Brandt-Heim. Das war schlimm. Das tat so weh. Sie kamen mir vor wie zwei Polizisten. Einer rechts, einer links und brachten mich ins Heim. Ich weinte und weinte drei Tage lang durch. Ich dachte auch, die Welt geht unter. Ich wollte wieder zu ihnen, aber sie wollten mich nicht mehr. Ich wußte, ich muß da jetzt bleiben und riß mich zusammen, ließ alle abfahren und ließ keinen mehr an mich ran, schlug sofort zu, wenn mir einer zu blöd kam. Ich mußte kämpfen, denn ich wollte auch da jedem Angst machen, wollte jeden unter mich bringen. Es ging auch gut, ich habe es geschafft. Alles lief, wie ich es haben wollte. Die Mädchen hatten Angst vor mir und taten das, was ich wollte. Und somit war ich der Herr im Haus. Ich fand es gut. Tagsüber lief gar nichts bei mir. Ich schlief, solange ich wollte, ging einfach raus, wann ich wollte, ich tat einfach das, was ich wollte. Jeden Abend total besoffen nach Hause gekommen. Wenn ich kein Geld hatte, bin ich klauen gegangen, und ich fand es dufte. Es reizte mich, ich wollte immer mehr.

Eines Tages wurde es auch mehr. Marion, meine beste Freundin, brachte eines Abends LSD nach Hause. Sie sagte, es ist das Schönste, was es gibt. Man fühlt sich saugut, und man sieht ganz tolle Sachen. Es reizte mich. Ich konnte es nicht glauben, ich wollte einfach sehen, ob es stimmt, und nahm ihn, schluckte ihn runter und bekam Angst. Es geschah nichts. Eine halbe Stunde später bekam ich ein komisches Gefühl. Ich mußte lachen, lachen. Meine Hände wurden größer. Ich sah Gestalten an der Wand, die Erde war total schmutzig. Ich sah in der Luft Fäden, überall Fäden. Ich habe die Leute nicht mehr richtig verstanden, und doch kam es mir so vor, als ob ich genau durchblicke, als ich sehe, was mit jedem Einzelnen ist, ein Gefühl, was überall angesprungen ist, was unterscheiden konnte, gut oder böse. Ich dachte auch, das ist eine Welt, in der Welt möchte ich sein. Ich habe mich saugut gefühlt. Ich hatte keine Probleme, brauchte an nichts zu denken. Es war schön, und so machte ich es jeden Tag, rauchte noch fleißig einen durch und meinte, ich wäre glücklich. Oft war es mir auch zu langweilig. Ich ließ mir was einfallen und sagte zu jedem: »Heute abend lassen wir es hier krachen.« Alle riefen: »Au ja.« Da war ja was los. Ich sagte: »Wenn ich das Zeichen gebe, denn rennt Ihr alle zum Tor runter. Meine Gruppe zuerst.« Und es lief auch fast so. Wir rannten alle. Vorher schmissen wir alle Schränke aus den Fenstern, alle Fenster warfen wir kaputt. Und da kamen auch schon die Bullen, mit gezogenen Knüppeln hauten sie uns in unsere Zimmer. Mir machte das Ganze noch mehr Spaß. Ich konnte gar nicht mehr aufhören, schlug überall rein, machte alles kaputt, was mir im Weg lag, und freute mich. Die Bullen schnappten mich, wischten mir noch ein paar runter und nahmen mich mit auf die Wache. Da mußte ich denn 24 Stunden bleiben, und sie ließen mich wieder gehen. Es lief oft so, daß ich das Heim durcheinandergebracht habe. Sophie, das war jemand, der in dem Heim gearbeitet hat. Ich habe mich mit ihr saugut verstanden. Das war das erste Mal in meinem Leben, daß ich einen Menschen so gerne hatte wie die Sophie. Wenn sie gekommen ist, bekam ich Herzklopfen, wenn sie gegangen ist, war ich traurig und wäre ihr am liebsten hinterhergelaufen. Ich war in sie verliebt. Ich habe oft mit Frauen geschlafen im Heim, aber da war gefühlsmäßig nichts hinter. Es gehörte nun mal dazu. Aber so ein Gefühl wie bei Sophie, das hatte ich noch nie. Ich wäre für die Frau durchs Feuer gegangen. Eines Tages fragte sie mich, ob ich zu ihr ziehen möchte. Ich dachte, ich spinne, und habe sie nicht richtig verstanden. Und fragte sie gleich: »Wat haste gesagt?« Und sie sagte noch einmal: »Möchtest Du zu mir ziehen?«, und ich sagte: »Au ja«, und freute mich riesig, dachte »grade mich«. Das hatte ich nicht gedacht, wir machten Pläne, sie sagte, wie alles laufen würde, und sie machte es auch.

Ich weiß noch genau, wie es am ersten Tag war, als ich zu ihr kam. Wir waren eine Woche in Stuttgart und machten bei ihren Eltern Urlaub. Eine Woche später brachte sie mich wieder zurück ins Heim. Ich hielt es nicht mehr aus. Das Scheißheim. Die Woche war so schön. Und dann stand ich wieder da drin, war total fertig, wußte nicht mehr, was ich machen sollte, und ging raus, ohne zu denken. Kaufte mir Mandrax und ging ins Heim zurück. Ging auf mein Zimmer, legte mich ins Bett und schluckte 20 Stück.

Irgendwann war ich denn auch nicht mehr da. Ich bin denn im Krankenhaus wieder wach geworden, Sophie sitzt an meinem Bett, und ich weinte los. Ich sagte zu ihr: »Ich will nicht mehr, ich will viel lieber sterben.« Sophie sagte: »Ich bin bei Dir und werde Dir helfen.« Mir ging es saudreckig, sie sagte auch noch, daß sie mich im Heim nicht aufnehmen wollen. Sie wollen mich erstmal für eine Weile nach Bonny's* bringen, aber Sophie sagte gleich: »Das kommt nicht in die Tüte, ich werde Dich heute noch mit nach Hause nehmen, und morgen geht es zum Jugendamt« – und so lief es auch. Ich ging mit ihr, schlief bei ihr, und den anderen Morgen sind wir zum Jugendamt hingegangen. Alles war klar, ich durfte für immer bei ihr bleiben. Ich freute mich und dachte, jetzt wird alles anders.

Nichts war, es war eine harte Zeit. Mein Gefühl zu ihr wurde immer schlimmer. Ich verstand es auch selber nicht, was mit mir los war. Ich flippte ständig aus, wenn sie alleine irgendwohin gehen wollte und sie ließ mich zurück. Ich dachte nur, was kannste jetzt machen, daß sie nicht geht, und fing an, mit ihr rumzustreiten, sagte einfach: »Du blöde Sau.« Wenn sie dann was zurücksagte, machte ich einfach was kaputt. Sie flippte denn auch aus, und wir schlugen uns. Jeden Tag lief es so. Wenn sie mich denn mal mit dem Auto mitgenommen hat und sie wollte mich wieder nach Hause fahren, bin ich einfach nicht ausgestiegen. Ich sagte: »Nee, ich bleibe sitzen«, und sie flippte aus, zog mich an den Haaren und drohte mir, ich komme wieder ins Heim. Auch das lief oft so. Eines Tages war wieder Streit zwischen uns. Sie ging einfach und ließ mich zurück. Ich war ganz schön fertig. Da kam Marion mich besuchen. Sie brachte zwei LSD mit und wollte, daß ich mit ihr zum SOUND gehe. Ich erzählte ihr, daß ich mich schon wieder mit Sophie gestritten habe, und sie sagte, ich brauche jetzt eine Abwechslung, und ging mit mir zum SOUND, einer Diskothek. Sie gab mir noch auf dem Weg dahin ein LSD und sagte, den nehmen wir, wenn wir da sind. Ich sagte: »Na logisch.« Mir war gar nicht gut dabei, als ich das sagte. Ich wollte nicht so recht, denn mir ging es saudreckig. Aber ich wollte sie auch nicht enttäuschen. Im SOUND angekommen, vor der Tür noch schnell runtergeschluckt, und dann rein, war mir komisch. Ich wollte gar nicht da hin und dachte, jetzt ist es zu

* Psychiatrie in Berlin

spät. Wir sind im Kreis rumgelaufen, und ich bekam es mit der Angst zu tun. Laufend drehte ich mich um. Ich merkte, es fängt an zu wirken. Ich merkte auch, daß irgend etwas nicht mit mir stimmt. Ich lief immer schneller, und dann sagte ich zu Marion: »Laß uns rausgehen, ich muß etwas laufen.« Dabei hatte ich nur Angst und wollte es ihr nicht sagen. Wir gingen raus, und ich erzählte rund um die Uhr. So viel habe ich noch nie erzählt. Auf einmal packte es mich. Ich rannte und rannte, Marion mit. Ich hatte Angst, an einem Haus vorbeizugehen, was so dunkel war und aussah wie eine Hölle. Ich sagte zu Marion: »Mir ist so danach«, und meine Angst wurde größer. Alles, was auf der Straße war, sah ich als Nutten, und wenn ein Auto vorbeifuhr, dachte ich, er will was, und paßte genau auf. Wir liefen den Kudamm hoch. Ich erzählte und erzählte aus lauter Angst. Mir kam es selber schon ganz komisch vor. Schaute Marion an und war mißtrauisch, denn sie war ganz ruhig und hörte mir nur zu. Ich fragte sie, ob es ihr gut geht und ob sie das sieht, was ich sehe. Sie sagte: »Nein.« Ich bekam es immer mehr mit der Angst zu tun. Ich bekam den Gedanken, sie hat ihr LSD gar nicht genommen. Wir liefen weiter. An einer Brücke blieb ich stehen. Ich hatte Angst, da runter zu laufen, wollte es ihr aber auch nicht sagen, daß ich Angst habe, und meinte, wir können ja langsam zurücklaufen. Meine Angst wurde stärker. Ich erzählte und erzählte. Da passierte was. Ich bekam auf der rechten Seite Zuckungen. Mein Arm zuckte, ich konnte ihn nicht mehr halten. Ich sagte Marion: »Was ist los, ich zucke und kann es nicht halten.« Ich dachte, jetzt ist es aus, ich werde verrückt. Ich redete mir ein: »Gabi, das ist normal, bleib' ganz ruhig.« Immer wieder sagte ich es mir, und es wurde schlimmer. Im Kopf war mir ganz komisch. Ich wußte genau, wo ich war, wußte auch, wie ich laufen muß, wie es nach Hause geht. Aber meinen Körper hatte ich nicht unter Kontrolle. Er machte, was er wollte. Die Zuckungen wurden immer schlimmer. »Marion, was ist das«, sagte ich voller Angst, »ich will nach Hause«, sagte ich. »Bitte, Marion, bring mich nach Hause.« Die Zuckungen wurden so stark, daß ich Marion um den Hals fiel und mich festhielt. Ich wollte es gar nicht, es tat mein Körper, und da passierte etwas. Ich schrie ganz laut: »Marion, ich habe Angst.« Immer wieder, und da hörte ich was. Von ganz weit weg bekam ich die Antwort zurück: »Ich habe Angst« – mein Echo, ganz laut, und sagte: »Marion, hörst Du das auch?« Sie sagte: »Nein.« Ich sagte mir: »Gabi, das ist normal, das geht wieder vorbei«, und immer wieder sagte ich es mir. Und Marion sagte, sie bringt mich jetzt nach Hause. Marion hatte von der Sophie Hausverbot gehabt und durfte mich nur bis zur Tür bringen. Sie brachte mich bis zur Tür, und da passierte was. Grade, wo ich die Tür aufmachen wollte, kam Wilfried, der Freund von Sophie runter. Ich freute mich und erzählte, daß ich auf Trip bin und was ich erlebt habe. Ich erzählte aus einer Angst heraus. So viel habe ich ihm noch nie erzählt. Er war ganz ruhig, und da dachte ich mir, er will mich nur aushorchen. Er sagte: »Marion, Du mußt jetzt gehen.« Ich mußte mich verabschieden, gab Marion die Hand, und mir kam es so vor wie zwei kleine Kinder. Ein Licht ging in mir auf, ich schaute Marion an, weinte innerlich, und mein Herz blutete, ein Kranz um uns. Marion ging. Ich schaute ihr noch hinterher und sagte: »Paß gut auf Dich auf«, und die Tür ging zu. Ich lief die Treppen rauf, zuckte noch, blieb stehen. Im Kopf zuckte es bis zu dem Punkt, ich krachte zusammen. Wilfried sagte, ob er mir helfen soll. Ich sagte: »Nein«, raffte mich wieder auf und ging weiter. Angekommen in der Wohnung, machte er mir sofort Wasser mit Zucker, und ich trank es, damit ich wieder etwas ruhiger werde. Meine Zuckungen haben nachgelassen, ich spielte mit Wilfried Mensch-ärgere-Dich-nicht. Mir kam es so vor, als ob er mich testen wollte, ob ich noch alle beisammen habe. Ich spielte voll mit, blickte genau durch, bis zum Ende. Er legte sich hin, und ich sagte: »Ich gehe auch ins Bett.« Wollte rüber in mein Zimmer, machte die Tür auf. Da passierte was. Ein Rauch kam mir entgegen, es roch nach Kerze. Das haute mich nach hinten. Ich hatte Angst, da durchzugehen. Ich wollte gar nicht nach hinten laufen, mein Körper tat es einfach. Ich sagte: »Ich habe Angst, da gehe ich nicht durch.« Er machte die Tür wieder zu, und ich setzte mich hin, schaute die ganze Nacht aus dem Fenster, die Gestalten, die ich sah, und hielt mich an mir fest, total verkrampft, und dachte nur: Hoffentlich ist es bald vorbei. Die ganze rechte Seite tat mir weh. Sie kam mir ganz schwer vor, als ob Blei drin wär. Etwas zuckte innerlich im Gelenk.

Es war das letzte Mal, daß ich jemals ein LSD wieder eingenommen habe. Sophie war die Nacht nicht zuhause. Sie kam erst am Morgen nachhause, ich saß immer noch da, als sie kam, und erzählte ihr gleich, was ich erlebt habe. Sie sagte zu mir, ich solle so etwas nie wieder nehmen, denn es könnte sein, daß ich für immer drauf bleibe. Da bekam ich Angst, als sie das sagte. Sie sagte noch, ich täte es auch nicht richtig verarbeiten, und ich nahm es auch nicht mehr.

Irgendwann sind wir dann auch nach Steglitz gezogen. Ich bin denn arbeiten gegangen, und es war eine harte Zeit. Eines Tages räumte ich Sophies Zimmer auf, und da sah ich etwas. Einen Löffel, eine Spritze und ein Päckchen. Ich war wie vor den Kopf geschlagen. Ich dachte, das gibts nicht, die ist doch nicht abhängig. Ich legte alles so wieder hin, wie es war, und sagte erstmal gar nichts. Ich beobachtete sie immer genauer, und irgendwann mußte ich sie einfach danach fragen. Ich sagte: »Sophie, bist Du drauf?« Sie sagte: »Nein.« Ich sagte: »Ich habe es aber gefunden, beim Saubermachen.« Denn sagte sie mir die Wahrheit und sagte, daß sie schon sechs Jahre drauf war. Ich war fertig. Ich wollte ihr helfen und wußte nicht wie. Ich fragte sie immer mehr, wie es so ist und wie es so kommt, wenn man drückt. Sie erzählte mir alles ganz genau, irgendwann wurde ich auch da sehr neugierig und kaufte mir was und schnaufte es durch die Nase. Ich war ja so happy, ich hätte Bäume ausreißen können. Aber nachher war es schon so, daß ich es mir dann immer gekauft habe, wenn es mir schlecht ging – und wann ging es mir schon mal gut. Eines Abends kam Sophie nach Hause. Sie machte sich einen Druck, und ich schaute ihr ganz genau zu. Dann sagte sie auf einmal: »Ich mache Dir auch einen, wenn Du willst.« Ich sagte: »Au ja.« Sie sagte auch gleich: »Aber nur einmal.« Und dann machte sie ihn mir auch. Ich werde ihn nie vergessen. Ich saß im Bad, und Sophie machte ihn zurecht. Ich war ganz aufgeregt, mein Herz klopfte und sie sagte: »Halte den Gürtel schön fest.« Ich tat es auch, sie drückte die Nadel rein, zog an, und das Blut kam auch gleich. Ich war total gespannt – und denn drückte sie ab, ganz langsam. Es stieg mir durch den ganzen Körper. Ich bekam ein Gleichgefühl, mir war auf einmal alles egal. Ich legte mich lang und meinte, ich wäre glücklich, nichts kann mich mehr berühren. Ich bekam ein cooles Verhalten. Nach acht Stunden ging es mir gar nicht so gut. Ich brach laufend, mußte ständig aufs Klo und dachte, jetzt werde ich krank. Zwei Tage später hatte ich wieder Streit. Mir gings saumies. Ich ging und kaufte mir was, weil ich einfach wollte, daß es mir wieder besser geht. Es ging dann oft so, daß ich mir was kaufte und es drückte, wenn es mir scheiße ging und ich Streit zu Hause hatte. Irgendwann kaufte ich mir auch was, wenn es mir gut ging. Ich merkte auch, daß ich ständig das Dope im Kopf hatte und ich mich gar nicht mehr so richtig wohlgefühlt habe, wenn ich nichts intus hatte. Aber das ging noch alles.

Es war wieder mal so, daß wir uns gestritten haben und wir gesagt haben, es ist besser für uns beide, wenn wir auseinandergehen. Das tat ich auch. Ich suchte mir eine Wohnung und zog aus, ging immer noch arbeiten und richtete mir die Wohnung ein, holte mir von der Bank noch dreitausend Mark und kaufte mir alles, was ich brauchte. Aber damit gab ich mich nicht zufrieden, ich drückte häufiger und denn auch jeden Tag, machte krank, und ein paar Wochen später hatte ich auch kein Geld mehr. Ich weiß noch. Morgens wurde ich wach, und mein erster Gedanke: »Scheiße, ich habe nichts mehr, wo kriege ich jetzt was her!« Schaute mein Zimmer an, und dann kam: »Die Anlage, die verscheuer ick.« Schnell angezogen, habe sie mir untern Arm geklemmt, und dann nichts wie los. Mir war nur noch der eine Gedanke: Geld, Geld, Dope! An einen Händler verscheuerte ich sie für vierhundert Eier, dann dachte ich, jetzt kann mir nichts mehr passieren. Rannte zur U-Bahn und dann nichts wie zum Kudamm. Ich merkte, es ist so weit, ich brauchte es, ich konnte ohne dem Gift nichts anderes mehr machen. Ich mußte es erst intus haben, denn ging es auch noch, aber nicht mehr lange. Meine Abhängigkeit wurde jeden Tag größer. Ich bekam es mit und konnte nichts machen, was ich tat, war alles falsch. Ich ging nicht mehr arbeiten. Meine Möbel habe ich nach und nach verkauft, und als ich nichts mehr hatte, stand ich da, ich mußte mir was überlegen. Auf den Strich wollte ich nicht. Das hatte mich gelangweilt, also entschloß ich mich, zu verkaufen. Ging zu Sophie, und Sophie bot es mir auch gleich an. Ich verkaufte für sie und zweigte mir genug ab. Ich hatte dann wieder Geld und dachte, jetzt machste dein eigenes Geschäft. Ich verkaufte dann nur noch für mich. Ich war da schon auf drei Gramm drauf, habe jeden Tag meine viertausend Mark gehabt. Das Geschäft lief gut, hatte meine Leute, die für mich verkauft haben, und ich steckte nur noch das Geld ein.

Langsam kotzte mich alles an. Ich merkte, daß ich immer mehr runterkomme, und so entschloß ich mich, zu entziehen. Ging zu Sophie und fragte sie, ob sie mir helfen tut. Sie sagte, sie hat jemanden, da könnte ich hingehen. Er würde mir helfen. Ich wußte, daß sie mir gar nicht helfen konnte, denn sie konnte sich noch nicht mal selber helfen. Ich fragte nach der Adresse, und sie sagte noch: »Max heißt er, den kennste ooch, der hat schon mal ne Zeit bei uns gewohnt.« »Gut, ich werde mal hinfahren«, und bin los. Bei Max angekommen, klingelte ich, und er kam an die Tür, machte auf, sagte: »Gabi, Du?« Ich sagte: »Ja, ich wollte Dich mal besuchen.« »Na, das ist ja eine Überraschung.« Und ging rein, setzte mich hin und sagte: »Ich bin drauf«, ob er mir nicht helfen will. Er sagte gleich ja, und denn ging ich ins Bad und drückte den Rest weg und schmiß die Pumpe weg, ging wieder raus und dachte, wird schon alles laufen. Er sagte noch, er würde arbeiten, ist aber um zwei immer zu Hause. Ich sagte: »Des werd ick schon rumkriegen.« Am Morgen ging Max. Ich war alleine. Ich dachte als erstes, wo bekomme ich was her. Schaute mich in seinem Zimmer um und fand Geld. Ohne zu überlegen ging ich los, kaufte mir was und ging wieder zu ihm heim. Er kam um zwei, und ich sagte gleich: »Ich habe es nicht ausgehalten, habe mir Geld genommen und kaufte mir was.« Er war betrübt. Sagte erst mal nichts, und dann fragte ich ihn, ob er böse auf mich ist. Er sagte: »Nein«, und ich sagte: »Ich schaffe es nicht«, blieb aber noch eine Weile.

Er hatte Freunde im Haus, die verkauften Shit. Eines Tages kamen seine Freunde, klingelten an der Tür. Ich ging hin und machte auf. Da sagte der eine, ob wir den Kellerschlüssel aufheben können, da würde nachher einer kommen und ihn wieder abholen. Ich sagte: »Na, logisch«, und ließ ihn mir geben. Max sagte, er muß sowieso noch runter und Kohlen holen, und ging. 10 Minuten später kommt Max, er war ganz aufgeregt. Ich sagte: »Was ist los?« Da sagte er: »Du wirst es nicht glauben, aber ich habe Haschisch gefunden.« Meine erste Reaktion war: »Bist Du blöd. Wieso haste det nicht gleich mit raufgebracht.« Schrie ihn an und sagte: »Los, hol eine Tüte und komm.« Wir gingen schnell runter in den Keller und fanden 4 Tüten Haschisch. Ich freute mich, und mir ging es gleich im Kopf: »Verscheuern, Geld, und ich kann mir mein Drücken finanzieren.« In der Wohnung angekommen, sagte ich: »Das kann heute noch was werden.« Ich sagte auch, daß wir das Zeug gleich in meine Wohnung hinfahren. Das taten wir denn auch. Mir machte das ganze Spaß. Ich war so richtig aufgedreht, und es war so wie ein Abenteuer. In

meine Wohnung gefahren, versteckt, und dann wieder nach Max'
Wohnung. Da riegelten wir die Tür gut zu, denn wir mußten mit
allem rechnen. Licht machten wir auch keins an, denn man sollte
ja denken, es ist keiner zuhause außer dem Hund. Und daß der
bissig war, das wußte jeder. Das war auch unsere Rettung. Denn
abends kamen die Typen, sie klingelten ein paarmal, wir waren
ganz ruhig, hörten, wie sie schimpften und wieder gingen. Eine
halbe Stunde später kamen sie nochmal. Sie klingelten Sturm.
Ich dachte schon, die hauen die Tür ein, aber der Hund bellte,
und das muß die zurückgehalten haben, zumal sie ihn ja auch
kannten. So saßen sie die ganze Nacht auf der Treppe und
klingelten. Am Morgen müssen sie gegangen sein, denn es war
ruhig, und uns war klar, daß wir aus der Wohnung raus müssen,
und so sind wir zu meiner Wohnung gezogen. Ich freute mich,
denn alles hat gut geklappt.
Ich blieb mit Max zusammen, und meine Sucht wurde stärker.
Ich war schon mittlerweile auf fünf Gramm drauf, und das
Geschäft lief gut. Max ging arbeiten, und ich checkte alles
zuhause ab. Es ging aber nicht immer so. Oft bin ich auch Pleite
gegangen, weil ich Scheiße gekauft habe oder weil ich keinen
Bock hatte, zu verkaufen, weil ich ja wußte, Max, der besorgt
schon das Geld, und so lief es sehr oft. Ich weiß noch, bin
morgens aus dem Bett und hatte nichts mehr, dachte, wie komme
ich jetzt zu Geld, habe Max gefragt, ob er nicht was besorgen
kann. Er sagte nein, er hätte nichts mehr, und auf der Bank will er
nicht mehr überziehen. Da wurde ich sauer. »Na, warte mal«,
dachte ich mir und ließ mir was einfallen. Holte mir meine besten
Sachen aus dem Schrank, pfiff vor mich hin, denn ich wollte ihm
zeigen, daß ich nicht auf ihn angewiesen bin. Und innerlich hat es
mich ganz schön getroffen. Holte noch mein Schminkzeug und
machte mich zurecht. Ich merkte, daß er Angst bekam, und
wartete, daß er mal was sagen tut. Da fragte er, was ich jetzt
mache. Da sagte ich zu ihm: »Wenn Du mir kein Geld gibst, denn
muß ich es mir selber holen. Ich werde auf den Strich gehen.« Ich
wußte, es haut bei ihm rein. Er sagte: »Gabi, das kannste nicht
machen!« Da sagte ich: »Wenn Du mir nicht helfen kannst, denn
muß ich es machen.« Ich hätte es nie getan, denn da wäre ich
lieber knacken gegangen. Aber ich mußte mir was einfallen
lassen, wie ich ihn so weit bekomme, und ich hatte ihn auch so
weit. Er steht auf, hielt mich fest und sagte: »Was soll ich bloß

machen.« Da sagte ich: »Brauchst bloß mit mir zur Bank gehen, und ich brauche nicht auf den Strich.« Das haute bei ihm so rein, daß er denn doch mit mir zur Bank gegangen ist. Ich freute mich innerlich und dachte, haste det doch geschafft. Nach außen machte ich den Geknickten.

Oft lief es so, daß ich einfach wußte, wie ich den Max nehmen muß, daß er für mich laufen tut und auch das tut, was ich wollte. Ich wollte einfach nicht mehr, daß mir jemand sagen tut, was ich zu machen habe oder daß ich das tun muß, was er wollte. Ne, ich kämpfte gleich dagegen an. Oft tat es mir auch weh, aber manchmal merkte ich, was ich tat. Und seine Liebe zu mir war sehr stark, doch mußte ich hart bleiben, weil die Angst zu groß war, ich könnte unter ihn fallen, und das wollte ich auf keinen Fall. Ich ließ ihn auch nicht an mir ran. Ich weiß noch, an einem Abend, ich lag schon im Bett und wollte schlafen, da kam Max und faßte mich an. Und ich sagte, er soll aufhören, es nervt mich. Er machte weiter. Ich sagte es noch einmal, er soll damit aufhören. Es nervte mich denn so, daß ich einen Reflex bekam und ihm eine knallte. Er war total erschrocken, schaute mich an und sagte nichts mehr und legte sich hin. Mir tat es leid, denn ich konnte ihn auch verstehen, aber ich wollte halt nicht mit ihm schlafen. Ich kann den Max gut leiden, er ist ein Kumpel, aber mein Gefühl ist nicht das gewesen, das er zu mir hatte, denn ich hatte damals keine Gefühle. Ich war kalt, berechnend und brutal auf jede Art. Ich nutzte ihn aus, und doch kann ich ihn leiden. Er war der erste Mensch in meinem Leben, der sich um mich gekümmert hat und der Angst um mich hatte, der alles für mich tat, der auf alles einging, was ich sagte.

Ich weiß noch, ich wollte entziehen, da hatte ich von allem die Schnauze voll, mußte mir auch was einfallen lassen, wo ich entziehen kann, denn das war gar nicht so einfach, im Krankenhaus nehmen sie dich nicht. Also gut, habe ich mir gedacht und sagte zu Max: »Ich habe nur die einzige Möglichkeit ins Krankenhaus zu kommen, wenn ich von irgendwas eine Überdosis nehme. Denn müssen sie mich aufnehmen.« Machte es Max klar, sagte zu ihm: »Ich werde jetzt eine Flasche Valoron nehmen und zehn Mandrax. Wenn ich eingeschlafen bin, nach zehn Minuten, rufst Du den Krankenwagen und läßt mich abholen, sagst, Du bist grade von der Arbeit gekommen und hast mich da liegen sehen.« O.k., ich machte es ihm so überzeugend, daß er drauf einging, und denn machte ich es auch. Ich schluckte alles, legte mich ins Bett, und am nächsten Morgen bin ich im Krankenhaus wach geworden, am Herzen angeschlossen, und wußte gar nicht, was los ist. Max war an meinem Bett und sagte: »Hart, sehr hart vorbei, und ein wenig mehr, die hätten Dir nicht mehr helfen können, oder etwas später angerufen, und es wäre zu spät.« Ich war sauer, mir ging es gar nicht gut. Warum konnte ich nicht weiterschlafen, warum mache ich die Augen wieder auf, es war doch so schön, nichts mehr mitzukriegen. Ich weinte los und dachte, die ganze Scheiße von vorne. Max sagte: »Das machen wir nie wieder«, aber es lief denn noch drei Mal scharf vorbei. Im Krankenhaus habe ich es auch nicht mehr ausgehalten, den Max konnte ich schon überzeugen. Und es war auch so. Ich überzeugte ihn laufend von allem, was ich tat, und er ging drauf ein, und alles war o.k.

Aber die Zeit wurde härter. Es wurde immer mehr gelinkt, man linkte mich auch. Ich hatte dann irgendwie keinen Bock mehr zu verkaufen und dachte, wirst Dir jetzt Dein Geld anders holen. Wenn Du gelinkt wirst, denn mußt Du auch linken. Ich besorgte mir eine Knarre und ließ mir das durch den Kopf gehen. Und sagte: »Du, Max, wirst das Auto fahren, und alles andere mache ich.« Ich überzeugte ihn, daß es so gut ist, und er ging vor lauter Angst darauf ein. Wir sind abends los. Ich suchte mir jemanden, der was haben wollte, sagte, er soll mitfahren, habe eine gute Connection. Man fand immer einen Blöden, und er ging immer mit, stiegen ins Auto ein. Max ist los. Ich sagte ihm, wo er lang fahren soll und ließ mir schon mal das Geld geben, 800 DM, zählte es nach und sagte: »Hier kannste halten«, machte die Tür auf, beim Aufmachen holte ich die Knarre raus, drehte mich ganz schnell um und sagte: »Los, Freundchen, aber ganz schnell raus, sonst knallts.« Ich muß das irgendwie so standhaft gebracht haben, denn er schaute mich an und stieg sofort aus. Ich merkte, wie kalt ich auf einmal war. Ich wäre in der Lage gewesen abzudrücken. Ich fixierte ihn nur und ließ nichts an mich ran. Auch Max konnte es nicht packen. Er schaute mich ganz entsetzt an. Als der Typ gegangen war, stieg ich ein und wir fuhren nach Hause. Ein erleichtertes Gefühl, und dachte, was sind die Leute blöd. Aber ich merkte auch, daß ich immer brutaler wurde und mehr runter kam, denn es lief von dem Tag an immer so, daß ich die Leute mit der Knarre abgezogen habe und meinen Spaß daran bekam. Wenn ich merkte, wie sie Angst haben, freute ich mich. Eine Gewalt, dachte ich, ich kann ihnen Angst machen. Aber die Gewalt hielt auch nicht lange an, denn es dauerte nicht lange, da hatte man die Gewalt über mich.

Eines Morgens hatten wir einen Treff. Ich konnte nicht hin, denn ich brauchte im Durchschnitt bis zu drei Stunden, bis ich meinen Druck gemacht habe, da ich kaum noch eine Vene hatte, sagte ich zu Max, er soll alleine zum Treff hingehen, und er machte es auch. Ich wußte, ich kann mir Zeit lassen, es dauert noch eine Weile, bis er wieder kommt, machte mir meinen Druck und schaute Fernsehen. Auf einmal klingelt es, dachte: »Nanu, der Max hat doch einen Schlüssel bei, ach, vielleicht hat er ihn vergessen« – machte die Tür auf, unten, und oben lehnte ich sie an, dachte mir nichts bei, setzte mich wieder hin und schaute weiter. Auf einmal sprang die Tür auf und vier bewaffnete Bullen. »Hände hoch«, rief der eine. Ich wußte gar nicht, was los ist. Ich hatte Angst und dachte auch, da, jetzt ist Ende mit dir, da kamen denn noch sieben Bullen und Max an der Leine mit. Als ich Max sah, war mir alles klar. Ich wußte, für mich ist der Ofen aus, aber ich dachte noch an Max, wie kann ich ihn noch rausholen. Auch er hatte Angst, denn wir hatten 15 g Dope im Haus. Die Päckchen, die abgepackt waren, und alles andere, was rum lag, was man eben braucht. Man nahm uns mit auf die Wache, meine Angst wurde immer größer. Was werden die bloß mit mir jetzt machen, und einen Druck brauche ich auch bald. Sie wußten, daß ich bald auf Turkey bin, und holen mit zum Verhör. Ich sagte, daß Max mit der Sache nichts zu tun hat, ich habe ihn erpreßt, wenn er nicht geht und das Dope holt, denn würde ich mich scheiden lassen, und er liebt mich, was sollte er machen. Ich redete und redete, hielt ihn raus, es lief gut, er wußte auch, was er zu sagen hatte, denn wir hatten es ja alles schon mal durchgekaut, in der Ahnung, daß mal was schief geht. Und es lief auch für ihn so weit gut. Ich wußte, er kann wieder nach Hause, und das beruhigte mich. Mein Turkey ging los, ich wußte, daß ich morgen dem Haftrichter vorgeführt werde. Mir gings saudreckig. Ich kotzte laufend, hatte Magenkrämpfe und war fertig. Konnte auch nicht mehr klar denken, mir war alles egal. Dachte nur, wie kommst du hier raus. Habe die Nacht in einer Zelle verbracht, und am Morgen führten sie mich vor. Ich hoffte, vielleicht lassen sie mich doch gehen. Ich riß mich zusammen, denn ich konnte kaum noch stehen. Meine Knie waren ganz weich. Ich stand vor ihm, er schaute mich an und las mir den Haftbefehl vor. »Ihr Schweine«, dachte ich und sagte aus lauter Angst: »Nee, da geh ich nicht hin.« Da sagte er: »Wenn Sie Schwierigkeiten machen, bekommen Sie Zwang in der Lehrter.« »Nee«, sagte ich, und da meinte der eine Bulle: »Na, denn kommen Sie mal.« Ich war am Boden zerstört, lief raus, der Bulle ging die Treppe rauf, und ich lief die Treppen runter, ohne was zu denken. Lief auf die Tür zu, wo es rausging, und da rief der Bulle auch schon: »Haltet sie fest, haltet sie fest«, und man hielt mich auch fest, drehte mir die Arme um und sperrte mich wieder ein. Nach einer Stunde brachte man mich in den Knast Lehrterstraße. Mir war alles egal, was sie mit mir machen. Ich wußte, daß man jetzt die Gewalt über mich hat und ich konnte nichts mehr machen.

In der Lehrter angekommen, brachte man mich gleich zum Arzt. Man gab mir was zur Beruhigung und ab in die Zelle. In der Zelle schaute ich mich um, schaute die Tür an und dachte mir, hier soll ich jetzt so lange bleiben, hatte mit zwei Jahren gerechnet. Ich konnte es nicht mehr ertragen, ging auf die Klingel. Es kam keiner. Ich dachte, die wollen mich fertigmachen, haute gegen die Türe mit meiner letzten Kraft, schmiß alles gegen, und da rief eine Beamtin: »Wenn Sie jetzt keine Ruhe geben, Frau Wolf, denn kommen Sie in' Bunker.« Ich dachte, das gibts nicht. Was soll es noch Schlimmers geben wie die Zelle, die wollen mich fertigmachen. Ich bekam so eine Wut und haute die Hütte auseinander. Da hörte ich auch schon den Schlüssel. Ich bekam Angst, jetzt holen sie mich. Zwei Beamtinnen und zwei Bullen kamen rein. Ich wehrte mich, aber ich wurde immer schwächer. Sie schnappten mich, schleiften mich den ganzen Boden lang und dann in' Bunker. Mein Turkey wurde schlimmer, ich schaute mir den Bunker genau an. Es waren vier Wände, kein Fenster, das Licht war in der Wand eingebaut. Das Bett aus Stein. Man beobachtete mich durch die Wand, wo sie ein kleines Fenster hatten. Ein Nachttopf stand in der Ecke, und eine Ecke weiter war ein Ventilator eingebaut in der Wand. Ich wußte, ich kann jetzt gar nichts machen, so lange es mir so dreckig geht und so lange ich so schwach bin. Dachte ich nur, paß dich jetzt bloß an, bis es dir wieder besser geht. Ich wollte immer weinen, aber es ging nicht. Ich konnte noch nicht mal mehr weinen, denn es hatte mir auch nicht geholfen, und so schmiß ich mich die ganze Nacht rum. Am anderen Morgen sind gleich sechs Beamtinnen zu mir rein. Ich wußte jetzt, wie ich mich erstmal zu verhalten habe. War freundlich und jammerte nur rum. Da meinte die eine, ich soll mich anziehen, komme gleich zum Arzt hoch, und das bin ich auch. Mir ging es gleich viel besser, ich traf unterwegs Leute, die ich kannte. Ich wußte jetzt, ich bin nicht alleine. Beim Arzt untersucht und dann gleich in die Hütte. Man hat mich dann woanders hingelegt, mit jemandem zusammen. Da hatte ich erstmal vierzehn Tage lang mit meinem Entzug zu tun.

Aber dann ging es wieder. Ich bekam wieder Kraft, rappelte mich wieder auf und machte auch nur Scheiße, machte den totalen Macker, machte die Leute an, bevor sie mich anmachten. Ich hatte es leicht, ich wußte, wie ich mich zu verhalten hatte, denn ich kannte das ja alles vom Heim. Und der Unterschied ist nicht groß vom Knast, nur, daß halt die Türen zu sind und man nicht raus kann. So prügelte ich mich auch da rum, war aggressiv wie Sau und hatte eine Schnauze, da war alles dran. Ließ mir auch da nichts gefallen und dachte nur, laß dich bloß nicht unterkriegen. Angst hatte ich auch, aber die konnte man nicht zeigen, sonst hätten die dich fertiggemacht. Ich verdrängte die Angst, fertig war ich sehr oft im Knast, aber das konnte man ebenso wenig zeigen.

Oft hatte ich Langeweile, klaute mir, bevor wir Einschluß hatten, den Fernseher und nahm ihn mit in meine Hütte. Dafür durften wir dann eine Woche kein Fernsehen, oder ich sagte mal: »Heute lassen wir uns nicht einschließen.« Ein paar machten mit. Wir setzten uns in den Gruppenraum, und ich habe die Tür zugehalten. Als die Beamtin kam und die Tür aufmachen wollte, ging es nicht. Sie wurde sauer und sagte, wenn wir die Tür nicht sofort aufmachen, denn holt sie das Rollkommando. Ich sagte: »Na, hol doch Dein Scheiß-Rollkommando«, und hielt die Tür sehr fest. Auf einmal hören wir Schlüssel. Ich bekam Angst, alle Beamtinnen und Pieker standen vor der Tür. Ich sagte: »Los, wir setzen uns hin, als ob nichts wär, und wenn sie die Tür aufmachen, dann stehen wir auf und gehen ganz normal in unsere Hütten.« So lief es auch. Die Tür ging auf, und alle gingen auf ihre Hütte. Ich blieb stehen und schaute noch hinterher. Da bekam ich einen Schubs von einer Beamtin. Ich wurde sauer und haute ihr auf die Hände. Denn die hielt sie grade so blöd, und da schubsten mich auch schon die Bullen in die Hütte rein, und die Tür ging ganz

schnell zu. Ich war total sauer, »Ihr Schweine«, rief ich und haute
gegen die Türe, lief zum Fenster, auf mein Bett rauf und schmiß
vor Wut mein Geschirr raus. Da ging auf einmal die Türe auf. Ich
stand mit einem Handfeger auf dem Bett, und alle Beamtinnen
standen an der Türe. Und da meinte der eine Bulle: »Frau Wolf,
kommen Sie mit. Wir wollen Sie für die Nacht in den Bunker
bringen.« Ich dachte, das gibts nicht, und sagte: »Wenn Ihr mich
haben wollt, denn müßt Ihr mich holen.« Aus voller Angst
heraus. Da springen vier Bullen und eine Beamtin auf mein Bett,
und denn ging es auch schon los. Ich wehrte mich, und wir
nahmen die ganze Hütte auseinander, bis ich halb nicht mehr
konnte. Sie packten mich und trugen mich brutal die Treppe rauf
und dann in' Bunker rein. Ich lag da, die Tür ging zu, und ich war
fertig. Ihr Arschlöcher, dachte ich mir, ihr könnt euch auch nur
wehren, wenn Ihr eine Masse seid. Und so schlief ich erst mal.
Am Morgen kamen gleich acht Leute rein. Ich wurde sauer und
sagte: »Macht, daß Ihr rauskommt, Ihr Schweine, sonst hau ich
Euch den gepißten Nachttopf auf den Kopf«, und da ging auch
schon die Tür wieder zu. Ich wußte, daß ich jetzt eine Weile drin
bleiben mußte. Mich nervte das, daß die mich beobachten, und
so nahm ich meine Matratze und stellte sie vor das Fenster, wo sie
laufend reinschauten. Aber eine halbe Stunde später kamen ein
paar Leute und holten sie mir raus. Ich schlief dann auf dem
Boden, drei Tage lang. Ich war am Ende, aber ich mußte hart
bleiben. »Laß Dich nicht unterkriegen«, sagte ich mir, »denn das
wollen die nur.« Denn ging die Tür auf und der Chef – ich wußte,
jetzt kommt noch was und wartete mit lauter Angst auf das, was
er sagte. Da sagte er auch schon: »Frau Wolf, wir müssen Sie für
vierzehn Tage isolieren, und Sie bekommen keine Freistunde,
Sie dürfen nicht duschen, kein Einkauf, und Kontakt wird mit
jedem abgebrochen.« Ich lächelte ihn an und ging raus. Meine
Beine waren ganz weich, im Kopf drehte sich alles, ich hätte
losschreien können. Ich mußte hart bleiben. »Ihr macht mich
nicht fertig.« Ich war es aber, ich zeigte es nur nicht, und so lief es
auch. Sie sperrten mich ein und machten beim Essen immer nur
die Tür auf, wenn auch ein Bulle dabei war, und nicht mehr als
dreimal, bei jeder Mahlzeit. Ich hätte mich aufgehängt, wenn ich
nicht von meiner Luke bis zur Straße hätte schauen können, denn
da war Max jeden Tag. Ich konnte mich mit ihm verständigen,
und das hielt mich aufrecht, aber sonst lief nichts. Ich lag den

ganzen Tag im Bett, etwas zum Lesen hatte man mir auch nicht gegeben. Nach vierzehn Tagen war ich total fertig. Ich ließ mir was einfallen, um ins Krankenhaus zu kommen, nahm eine Scherbe und riß mir bis zum Knochen 10 cm lang den Arm auf. Ich blutete wie eine Sau und kam sofort ins Krankenhaus. Da wurde es genäht, und mir war alles egal. Ich bekam das stärkste Beruhigungsmittel, vier Wochen lang, viermal am Tag. Ich bekam nichts mehr mit, ich konnte noch nicht mal mehr richtig reden. Auch die Beziehungen mit den Frauen im Knast konnte ich nicht mehr ertragen. Ich gab den Frauen das Bild, ich bin stark, ich kann mich durchsetzen, mir kann keiner was. Auf so etwas sind die total abgefahren, aber ich hielt es nicht mehr aus, und so machte ich mir die ersten Überlegungen, in die Wohngruppe, die Vorbereitung für eine Therapie, reinzugehen. Ich dachte, erstmal nur raus aus dem Scheißknast. Dafür mache ich auch die Vorbereitung mit. Ich machte sie auch mit, mir fiel es nicht leicht, etwas anzunehmen, denn wenn mir jemand etwas sagte, drohte ich ihm gleich, er würde was vor die Schnauze bekommen, oder ich haute mit der Faust auf den Tisch und schrie los. Es kam der Tag, wo ich raus durfte zur Therapie.

Ich war aufgeregt, hatte Angst. Ich wollte in Berlin eine Therapie machen, aber ich wollte es nicht wahr haben, daß Berlin nichts für mich ist. Als ich den Knast verlassen habe, ging jemand mit mir mit. In mir war ein Kampf, zwei Ichs. Eins wollte nicht zur Therapie, denn es meinte, es würde auch so gehen. Also gut, wir sind los. Im Auto meinte ich, er soll jetzt hier halten, sonst würde ich aussteigen. Mir war nicht gut dabei, aber die Freiheit zog mich. Und er hielt. Ich sagte ihm, ich müßte jetzt erst mal alleine sein und will nur laufen, laufen. Er sagte, er würde hier auf mich warten. Ich sagte: »Ja, mach es«, und ging los, ganz schnell. Beim Laufen ging mir die ganze Szene durch den Körper. Ich hatte Angst, ich wußte, daß es falsch ist, was ich jetzt mache. Ging zu Max und sagte ihm: »Nur schnell weg hier, ich muß laufen.« Wir fuhren raus in' Wald und sind gelaufen. Vom Gefühl wußte ich, daß ich nicht in Berlin bleiben kann, denn es zog mich zu sehr zur Szene. Ich redete mit ihm und wußte auch, daß ich jetzt was machen muß. Und so entschloß ich mich, im Knast anzurufen und um Hilfe zu rufen, was ich jetzt wohl machen kann. Man gab mir den Rat, in den Knast zurückzugehen, bis ich was in Westdeutschland habe. Als ich das hörte, dachte ich, die spinnt doch. Das würde ich nie machen. Mich zerriß es innerlich, was soll ich jetzt bloß machen. Ich überlegte mir alles ganz genau und war mir klar, daß ich jetzt sofort keinen guten Platz bekomme – und wenn ich eine Woche draußen rumlaufe, werde ich wieder rückfällig. Ich hatte Angst davor, wieder rückfällig zu werden, und entschloß mich, noch eine Woche in den Knast zurückzugehen, bis ich eine Therapie für mich gefunden habe. Es fiel mir dann auch leicht zurückzugehen, da ich keine andere Möglichkeit hatte, und ich wußte, daß der Weg richtig ist. Eine Woche später hatte ich einen Platz in Pichl. Dort konnte ich hin. Ich las mir das Konzept durch und freute mich. Und gleich dahinter war auch Angst. Aber ich wollte da hin, erst mal ankieken, dachte ich mir. Gehen kannste immer noch, halten kann dich keiner, dachte ich mir, wenn ich nicht will. Und so fuhr ich nach Pichl. Ganz neugierig. Mal sehen, dachte ich mir, was da so läuft. Und so bin ich angekommen in Pichl.

Abends gegen 10.30 Uhr stand ich in der großen Halle. Mit einer neugierigen großen Angst stand ich nun in Pichl. Es fiel mir nicht leicht, mich einzuleben. Das Fremde, noch nie woanders alleine gewesen, und dann auch gleich das dickste Problem, was sich Jahre lang in mir eingebaut hat.

Ich bin von außen eine Frau. Es ist alles vorhanden. Nur wie es bei mir innen aussieht, war alles ein Kind. Die Gefühle, die Gestalten, die ich von mir gegeben habe, mein verstörtes Verhalten, meine Augen, die für mich geredet haben, mein Gefühl, was jahrelang eine Mutter gesucht hat, doch vom Kopf her nie zulassen wollte. Dieses Gefühl war stärker, daß es immer wieder bei Frauen angesprungen ist, ich sie als Mutter sah und vom Gefühl her ich das kleine Kind war. Und so stand ich in Pichl, und das dickste Problem war die Ulrike. Ich sah sie als Mutter, und ich war vom Gefühl her das kleine Kind. Das Kind, das seine Streiche machte, damit die Mutter aufmerksam wird. Ich war nicht in der Lage, zu ihr hinzugehen, wenn das Gefühl zu stark wurde, weil ich immer Angst hatte, sie lehnt mich ab. Und ich will nicht mit ihr reden, darum ließ ich mir was einfallen, wo ich genau wußte, sie geht darauf ein. Eines Abeds, beim Abendbrot, wollte ich unbedingt mit ihr reden, aber ich hatte Angst und traute mich nicht zu ihr hin. Ich war eifersüchtig, weil sie mit den anderen redete und mit mir nicht. Das tat mir weh, ich bin aufgestanden, lief die Treppe rauf. In der Mitte blieb ich stehen. Da kam mir der

Gedanke, da hinten steht was zum Schnüffeln. Das war die eine Hälfte von mir, die dachte daran. Die andere Hälfte wollte gar nicht. Aber mein Gefühl zu Ulrike und meine Eifersucht wurden stärker, so daß ich das tat, was am stärksten ist. Mein Gefühl. Ich konnte es nicht mehr ertragen. Ging, holte die Flasche, ging in mein Zimmer und schnüffelte. Ich wußte, daß ich jetzt Scheiße baue, aber das war mir egal. Hauptsache, ich kann mit ihr reden. Ich wartete, daß jemand kommt und ich ihm sagen konnte, daß ich geschnüffelt habe. Und er sollte es Ulrike sagen. Es lief auch so. Sie kam, und wir haben geredet. Das war noch ganz am Anfang. Da war ich grade vier Wochen hier. Aber mein Gefühl wurde immer schlimmer. Erst war es so, daß ich traurig war, wenn sie nicht da war. Ich habe mich hängen lassen, war krank, und wenn sie da war, ging es mir auch nicht gut, weil ich mit ihr reden wollte und es nicht konnte. Ich wollte, daß sie sich um mich kümmert und sich nur mit mir abgibt. Sie bot mir an, daß ich kommen kann, wenn was ist. Aber ich packte es nicht. An einem Montag meldete ich mich, mit zur Schule zu fahren, um die Fragen zu beantworten, die die Kinder uns fragen. Da kam die Frage, was die Eltern dazu sagen. Das haute bei mir rein. Ich konnte nicht mitreden, und das tat so weh, so daß ich gleich vierzehn Tage krank war und im Bett lag. Und ich fragte mich, was ich hier noch soll. Rudolf, mein Betreuer sagte mir auch, daß wir irgendwann mal ein Rollenspiel machen, Mutter, Vater und drei Kinder. Ich nickte nur und sagte: »Ja, ist gut«, und bekam Angst. Mir ging laufend das Rollenspiel durch den Kopf. Denn vom Gefühl her wußte ich, daß irgendwas passiert, und davor hatte ich Angst. Und denn noch mit Ulrike. Nee, dachte ich, das packe ich nicht. Man sagte mir sehr oft, ich soll es erstmal akzeptieren, daß ich ein Kind bin, aber ich wehrte mich mit Händen und Füßen. Darüber machte ich mir vierzehn Tage viele Gedanken, wo ich krank im Bett lag, denn ich kannte meine Probleme und fragte mich laufend, was ich hier noch soll, komme eh nicht weiter, hatte das Gefühl, statt besser wird es immer schlimmer mit Ulrike, und so spielte ich mit dem Gedanken abzuhauen. Und so war es auch. Ging vorher noch in den Zweiten Schritt und haute ab. Trampte nach Berlin, dachte, nur weg, will mit dem nichts mehr zu tun haben. In Berlin angekommen, ging ich auch gleich zur Scene, und eine halbe Stunde später hatte ich auch schon einen Druck. Ich hatte tierische Angst, wieder rückfällig zu werden, aber mein Gefühl, was ich hatte, konnte ich auch nicht mehr ertragen. Und so machte ich ihn mir mit viel Angst, um keine Gefühle mehr zu haben. Als ich ihn drinne hatte, kam es mir so vor, als ob alle meine Gefühle, die ich hatte, von mir fließen, und mir war wieder alles egal. Fühlte mich gut, aber das hielt auch alles nicht so lange an. Ich dachte, soll es jetzt so weiter gehen und ging zu Max, in der Hoffnung, er wird mir schon helfen. Bei Max angekommen, sagte ich gleich: »Ich bin abgehauen, und ich weiß, ich habe jetzt Scheiße gebaut.« Max sagte: »Ich weiß es. Roswitha hat mir das gesagt. Ich muß sie gleich anrufen. Sie macht sich Sorgen.« Ich sagte auch gleich: »Ja, ruf sie an.« Er wußte nicht, daß ich gedrückt habe. Er fragte mich, und ich sagte nein und riß mich zusammen, daß er nichts mitbekommt. Da kam auch Roswitha, und sie freute sich, daß sie mich erreicht hat. Sie wollte mir auch gleich helfen. Mir war komisch. Ich hatte Angst, ich dachte, sie würde mich jetzt anschreien und sagen, ich helfe dir nicht mehr. Aus lauter Angst heraus sagte ich auch zu ihr, ich habe nichts genommen. Ich staunte, daß sie mir weiterhin helfen will, und konnte ihr gutes Verhalten gar nicht packen. Ich kannte so etwas nicht, und sie sagte, sie bringt mich heute noch nach Pichl. Ich freute mich und hatte Angst. Wollte es noch einen Tag hinausschieben, aber sie sagte, sie kann nur heute, und da sagte ich: »Ja, bring mich heute wieder nach Pichl.« Wir fuhren auch gleich los. Auf der Autobahn war mir total schlecht, habe laufend gebrochen, habe mich hinten langgelegt. Mir war alles egal, egal, wo sie mich hinfährt, habe auch nichts mehr so mitbekommen. Sie dachte, mir ist vor Aufregung und Angst vor Pichl so schlecht. Aber das war der Druck. Ich hatte mir auch ganz schön was reingeballert. So viel hätte ich gar nicht gebraucht.

In Pichl wieder angekommen, hatte ich ganz schöne Angst, aber ich freute mich, daß ich wieder da war, und auch Rudolf, mein Betreuer und Freund, machte uns das Tor auf, freute sich auch, daß ich wiedergekommen bin. Er kam mir so vor wie ein Vater, und meine Mutter Roswitha bringt mich wieder nach Hause. Ich konnte auch das Verhalten gar nicht verstehen. Ich dachte, er würde mich jetzt anmachen. Er sagte, ja, auch er sei ein wenig sauer, aber er ist froh, daß ich wieder da bin, und das verstand ich nun gar nicht. Er fragte mich, ob ich auch was genommen habe. Ich bekam Angst und dachte, jetzt mußt du weiterlügen, und sagte nein. Ich hatte auch Angst gehabt ja zu sagen, weil ich dachte, denn muß ich wieder gehen. Vom Gefühl her hätte ich es ihm lieber gesagt, aber ich habe bei Max und Roswitha auch schon nein gesagt, und denn die Angst, daß ich wieder gehen muß, habe ich lieber gelogen und mich nicht gut gefühlt. Ich ging denn erst mal ins Bett und wußte, morgen ist Gruppe und ich muß dazu stehen, was ich gemachte habe. Mir ging es bis zur Gruppe ganz schön dreckig. Aber dann war die Gruppe, und ich sagte alles, was war, bis aufs Drücken stimmte alles. Ich sagte auch da, ich habe nichts genommen und man glaubte es mir. Ich kam schnell in die Gruppe rein. Mir ging es hinterher viel besser. Die Leute gingen auf mich zu, und ich konnte wieder auf sie zugehen. Alles lief friedlich dahin.

Ulrike war in der Zeit nicht da. Sie hatte sechs Wochen Urlaub, und ich dachte mir, jetzt wird das Gefühl weg sein. Aber die Enttäuschung machte mich fertig, als sie vierzehn Tage nach meinem Ausflug nach Pichl kam. Ich freute mich, war total aufgedreht, wollte zeigen, daß ich das Gefühl nicht mehr habe, war frech. Ich wußte, mit mir stimmt was nicht. Ich überspielte mein Gefühl zur Ulrike. Ich wollte es einfach nicht mehr zulassen. Beim Abendessen hat es dann geknallt. Ich beobachtete sie, und da brach was in mir durch, als ob in mir was runterfiel. Ich spürte wieder das Scheißgefühl und war fertig, ging in mein Zimmer rauf, hätte mir am liebsten einen Druck gemacht. Ich wollte es ihr eigentlich sagen, wie es mir geht, aber ich hatte Angst, sie will nichts von mir hören oder hat keine Zeit, und so sagte ich es jemand und sagte ihr, sie soll zur Ulrike gehen und sagen, daß es mir scheiße geht. Sie machte es auch, und die Ulrike kam zu mir. Ich sagte, was sie hier will, wurde sauer und freute mich trotzdem, daß sie gekommen ist. Ich sagte, was mit mir jetzt ist und was ich gedacht habe, wenn sie wiederkommt, daß ich das Gefühl nicht mehr habe, und daß ich jetzt fertig bin, daß ich es doch noch habe. Wir redeten, und mir ging es besser. Das Scheißproblem war noch da, und somit vergingen die Tage in Pichl.

Eines Tages überlegte ich mir, wie das so wär, wenn wir doch das Rollenspiel machen würden, und dachte, so schlimm kann es auch nicht werden, und wurde immer neugieriger. Ich wollte auf einmal unbedingt das Rollenspiel. Fragte Rudolf, meinen Betreuer laufend, wann wir das jetzt machen und ich war aufgeregt, aber hinter der Aufregung und Neugier, was da wohl laufen tut, war auch Angst. Und der Tag kam endlich. Das Rollenspiel. Jeder spielte eine Rolle. Die Ulrike war die Mutter, Rudolf der Vater, Dieter und Wolfi waren die Brüder, Sylvi vom Jugendamt und ich blieb die Gabi. Mein Herz klopfte vor Angst. Wir spielten die Szenen der Vergangenheit. Das erste war: Ich spielte mit den Brüdern, da war ich sehr unsicher und bin noch nicht so richtig reingekommen. Aber dann wurde es ernst. Die Sache kam mir immer näher, und mir wurde immer komischer. Dann kam die zweite Szene. Die Mutter kam und brachte uns ins Bett. Sie sollte uns auch einen Gutnachtkuß geben. Wir gingen ins Bett. Als sie auf mich zukam, verschloß ich mich. Ich wäre am liebsten weggelaufen, habe meine Arme übern Kopf geschlagen und dachte, hoffentlich faßt sie mich nicht an. Wenn sie näher kam, zuckte ich oder ich bin hochgesprungen. Ich hatte Angst vorm körperlichen Kontakt. Als Rudolf das sah, sagte er zu mir, ich soll mich vor Ulrike setzen und soll sie berühren. Ich setzte mich vor sie und war steif. Ich hatte das Gefühl, ich bin gelähmt. Ich wollte sie berühren, aber es ging nicht. Ich konnte sie nicht berühren. Ich saß da, als ob ich das nicht kenne und als ob es was Neues ist. Sie redeten auf mich ein. Ich solle es doch mal probieren und ich selber sagte auch laufend zu mir: Los Gabi, jetzt mach det doch – und immer wieder sagte ich es mir und biß die Zähne zusammen, gab mir einen Ruck und tippte sie mit meinem Fuß an ihrem Fuß an. Als ich das tat, ging es ganz automatisch, daß ich gleich ein paar Schritte nach hinten gesetzt habe und dann auf etwas wartete. Mir ging dabei ganz schön die Flatter. Dann sagte jemand, so schlimm war es doch gar nicht, Gabi – ich nickte und sagte: »Nein.« Denn sagte Rudolf, jetzt kommt das letzte mit dem Jugendamt. Ich war schon ziemlich fertig, und das war auch der Knüller. Die Mutter machte mich laufend an, Abwaschen und so weiter, ich soll mal was tun. Dann kam die Frau vom Jugendamt, wollte nach mir schauen. Die Mutter war wie verwandelt, war freundlich und sehr nett und redete nur gut über mich. Ich verstand das überhaupt nicht und habe vor Angst kein Wort herausbekommen. Als die Frau wieder ging, war sie wieder bösartig, machte mich nur an und schimpfte: »Warte mal«, sagte sie, »wenn der Vater nach Hause kommt.« Ich habe geschluckt und sagte zu mir selber: Gabi, reiß dich zusammen – da ging auch schon die Tür auf, der Vater. Die

Mutter erzählte gleich, wie schlecht ich wär, und der Vater kam auch gleich zu mir, er fragte mich, was das soll. Ich schaute ihn an und war ganz steif. Meine Lippen zitterten vor Angst, ich bekam kein Wort raus. Dann schlug er zu. Ich lief hin und her und wollte weg. Er kam hinterher und schlug. Ich konnte nicht mehr und schrie: »Rudolf, hör auf, hör auf« und sagte es immer wieder. Auf einmal machte ich meine Arme auseinander und wollte nach der Platte greifen, die neben mir stand. Als Rudolf das sah, hörte er auf und ging ganz langsam in die Knie und fragte mich, was jetzt wäre. Ich stand da und schaute nur. Ich hatte das Gefühl, als ob ich total gebrochen wäre. Mir ging es alles ganz schnell durch den Kopf. Meine Kindheit. Ich war voll drin. Ich hielt es nicht mehr aus, riß die Tür auf und rannte in mein Zimmer, mein Bett. Meine Beine waren ganz weich, als ob sie in der Erde versinken. Ich lag im Bett und heulte, so habe ich schon lange nicht mehr geheult. Es tat so weh. Die Mutter ging hinterher, sie tröstete mich, sie wollte, daß ich meinen Kopf auf ihren Schoß lege. Ich wollte es auch, aber ich bin gelähmt. Ich bin hoch, raus aus dem Bett und wieder runter, wo die anderen auf mich gewartet haben. Rudolf sagte: »Das reicht«, ob ich mit ihm laufen möchte. Ich nickte, und wir gingen. Im Kopf war mir ganz komisch. Ich war ganz, ganz weit weg, ich war gar nicht mehr ganz da. Ich war so tief in meinem Gefühl und in der Vergangenheit drin, daß ich nur gestarrt habe und ein Film in mir abgelaufen ist. Ich hätte ständig heulen können. Ich war fertig. Rudolf ging nach Hause und ich wußte gar nichts mehr. Andauernd tat es mir weh. Am Abend hielt ich es nicht mehr aus. Ich verstand nicht, warum es mir so weh tut. Ging ins Bad und habe mir den Arm aufgeschnitten. Es war eine Erleichterung. Ich sah Wunden, Blut und wußte, woher der Schmerz kommt. Vom Gefühl her hätte ich mir alles aufschneiden können. Es machte mir Spaß. Ich sagte: Gabi, was machst du denn da, das ist nicht normal. Ich wußte, ich muß sofort rufen. »Dieter«, habe ich ganz laut gerufen und immer wieder, bis er kam. »Helfe mir, Dieter«, sagte ich, »helfe mir, sonst schneide ich mich ganz auf.« Ich sagte: »Ich habe das Gefühl, als ob ich schneiden muß.« Dieter hielt mich fest, und ich weinte dann. Er sagte, ich solle hier sitzenbleiben, er holt Ulrike, weil ich so stark geblutet habe. Er kommt wieder mit Ulrike. Ulrike sieht das Blut, geht und kommt mit Martin und dem Verband wieder. Martin wollte mich verbinden, ich hatte Angst vor ihm. Er sagte, ich sollte die Bluse ausziehen, damit er mich besser verbinden kann. Ich sagte: »Nein, det geht auch so.« Martin kam mir sehr hysterisch vor. Martin und Ulrike wollten mir die Bluse aufmachen. Ich bin aufgesprungen und meinte: »Nein.« Martin hielt mich fest, ich dachte, nur weg hier. Ich riß mich los. Ich habe noch nicht mal gewußt, was die von mir wollen. Ich dachte nur, die wollen dir was antun. Martin wurde auch sauer, rief zu mir: »Du blöde Kuh, hau bloß ab.« Ich machte ganz schnell die Tür auf – und nichts wie raus. Beim Rausgehen bekam ich noch einen Stich ins Herz. Ich weinte los und weinte und sagte laufend: »Ich kann nicht mehr«, ging zum Tor, raufgeklettert und runtergesprungen. Ich zitterte am ganzen Körper, lief schwankend, ständig knickte ich mit den Beinen ein, und mein Hemd war voller Blut. Martin kommt mir hinterhergelaufen, hielt mich fest und ich sagte wieder: »Laß mich los, ich will nicht mehr, ich will nicht mehr«, Martin sagt, ich soll stehenbleiben. Ich sagte: »Ich kann nicht mehr, da gehe ich nicht mehr zurück.« Dann kam auch Ulrike. Ich sagte wieder: »Laß mich los«, ich hatte vor beiden wahnsinnige Angst. Wir setzten uns hin auf die Erde. Martin hielt meine Hand und ließ sie nicht mehr los. Ulrike saß daneben, beide redeten ruhig und ganz lieb auf mich ein.

Ich konnte alles nicht packen, ich sagte kein Wort. Ich kam mir vor wie ein kleiner Hund, der verloren ist, total scheu und immer auf der Hut, der ganz nervös überall hinschaut und zu den Menschen kein Vertrauen hat, der nur mit dem Bösen gerechnet hat, vor Angst keinen Ton mehr herausbekommen hat, weil der Hals geschnürt war, seine Ohren, die alles gehört haben, jedes kleinste Geräusch, und die Augen, die alles abgeleuchtet haben. So daß ich da, und so fühlte ich. Ich fühlte auch, als ob dies ein Film war und ich spielte mittendrin. Nach langem Einreden ging ich ganz mißtrauisch und abcheckend ins Haus Pichl zurück, ging mit Martin und Ulrike ins Betreuerzimmer und habe sie genau beobachtet. Sagte kein Wort, ließ mir noch den Verband machen und ging in mein Zimmer schlafen. Am Morgen war ich ganz schön geschafft. Ich habe mir das Heulen verkneifen müssen bis zum Mittag, da kam Rudolf, kommt an meinen Tisch und sagte, er weiß, daß ich eine große Wunde habe, und er ist immer für mich da. Dies soll ich wissen. Da konnte ich denn nicht mehr zurückstecken und weinte los. Mein ganzer Brustkorb tat mir weh. Ich kann mich an so eine Wunde gar nicht dran erinnern. Dies tut mehr weh, als wenn ich mir was aufschlage, und ich hatte lange noch zu knabbern an dem Rollenspiel.

Ich habe noch einen sehr langen Weg vor mir. Ein Jahr bin ich jetzt in Pichl, und noch ein halbes Jahr, dann bin ich draußen, werde die Schule weitermachen, da ich nur die neun Jahre Sonderschule habe und ich mal was lernen will, in dem Bereich Drogen und Kinder. Aber das ist noch nicht genau. Erstmal die Schule, und denn werde ich mich genau entscheiden.

Das erste, was für mich sehr wichtig ist, ich habe hier in Pichl das erste Mal Freude am Leben, was ich noch nie hatte. In mir war alles tot, eingeschlafen!

Auch endlich mal nach vorne zu schauen, in die Zukunft, konnte ich noch nie, da meine Kindheit stehenblieb, das ist jetzt nicht mehr!

Auch das weiß ich, daß ich jemand bin, was ich noch nie gewußt habe, außer einem Stück Papier, das wußte ich. Aber jetzt weiß ich mehr. Ich habe immer gedacht, ich sei blöd, ich kann nichts. Aber jetzt weiß ich, ich kann was, und blöd bin ich auch nicht. Ich wußte auch nie, ob ich eine Frau bin oder ein Mann. Ich habe mich wie ein Typ verhalten, hart, jetzt fange ich an, mich als Frau zu sehen, mich zu pflegen, mich selber zu beachten. Ich kann mich verlieben, dies ist ganz neu. Und mich als Frau zu akzeptieren. Ich finde es schön, auch weicher zu sein. Auch, daß ich mich nicht mehr als Kind fühle, wie es immer war – ein Kind, das eine Mutter gesucht hat und sich festhält. Nein, endlich das Gefühl, ich brauche mich nicht festzuhalten. Das Gefühl der Selbständigkeit ist einfach dufte. Auch zu wissen, was ich will und nicht mehr, daß mir jemand sagt, was ich will. Auch zu wissen, daß es Freunde gibt, die es ehrlich mit mir meinen, ist ein schönes Gefühl. Auch das Ausflippen, meine Spiele, die mir hier bewußt geworden sind, habe ich schon lange nicht mehr gebraucht. Und es gibt noch viel, viel mehr.

So, ich drücke mir selber die Daumen, daß ich weiterhin Mut habe, durch alle Sachen durchzugehen und nicht mehr zu kneifen.

Kurt Blesinger

Der Kampf

Sonnenstrahlen erhitzen meinen Körper,
aber in mir eisige Kälte.
Schweiß rinnt an meiner Haut herunter,
dennoch tiefgefrorene Gefühle.
Falsche Gefühle, offen zu Tage getragen,
echte Gefühle, verschlungen im Schatten der Zeit,
nicht mehr Herr über mich selbst,
sondern Sklave meiner Sucht,
je stärker ich mich auflehne, desto
fester werden die Fesseln gespannt,
wer ist stärker? Ich vermag nicht zu antworten,
die schwarze Macht mit den falschen Augen
hat mir schon längst die Zunge beschnitten,
ich kann nur noch stöhnen und auf
Hilfe warten, denn ich bin zu schwach,
um alleine zu kämpfen.

eva schott

24 stunden . . .
. . . auf der scene

mitten in der bewegung erstarre ich. schon wieder jemand an der
tür. es klingelt – klopft – wieder und wieder. ich wage kaum noch
zu atmen. ziehe vorsichtig die hand vom wasserhahn weg. stehe
da vor dem waschbecken, die noch blutige spritze in der hand.
verdammt, warum geht der denn nicht. merkt der nicht, daß ich
nicht zuhause bin? ich erkenne die stimme, als der auch noch
anfängt zu rufen – der war gestern und vorgestern schon mal da –
der gerichtsvollzieher. ich höre, daß er etwas durch den brief-
schlitz in der tür schiebt – stehe immer noch unbeweglich da –
wieder ein zettel – wieder eine mahnung – die letzte sicherlich. er
bittet um dringenden anruf. was dem einfällt . . . morgens um
acht – grade hab' ich mir meinen ersten schuß gemacht, da
kommt der daher, verdirbt mir mein gutes feeling. frechheit. als
er endlich weg ist, gehe ich ins schlafzimmer zurück. ich habe
seine schritte im treppenhaus genau verfolgt, bin zum wohnzim-
merfenster geschlichen, habe ihn gehen sehen, die gun ausgewaschen. gehe zurück ins schlafzimmer, greife nach dem päckchen
auf dem nachttisch. falte es auseinander – nehme die nagelfeile,
die daneben liegt – teile das pulver darin in drei portionen. gut.
also, ein druck ist noch drin. das andere muß ich aber verkaufen.
brauche noch dringend kohle – abends treff. dann beginnt wieder
die verfluchte bohrerei. mein wunsch, endlich mal gleich wieder
die vene zu treffen. nach fast einer halben stunde – flash.
ich lege mich zurück auf's bett, um das feeling zu genießen. will
gleich aufstehen – schlafe ein. nach zwölf komme ich erst wieder
zu mir. verdammte scheiße noch mal. schon wieder zu spät dran.
was mach ich bloß?
um aufstehen zu können und action zu bringen, muß ich mir erst
nochmal einen druck machen, sonst bringe ich nichts heute. und
das zeug ist sowieso schon knapp. und ich wollte 600 dm machen
heute, brauche ich abends. aber das ist jetzt egal, irgendwie wird
es schon gehen, es ist ja meistens irgendwie gegangen.
wieder eine dreiviertelstunde rumgemacht. portionen hin- und
hergeschoben. so wie es aussieht, kriege ich dafür höchstens 400

zusammen. ein halbes und ein fuffzger-päckchen und zwei hunderter. aber da fällt mir ein, daß ich ja noch 200 mark habe, von gestern. die große erleichterung, also kann ja nichts schiefgehen. schnell oberflächlich gewaschen, zähnegeputzt und die gleichen klamotten angezogen wie gestern und vorgestern und die ganze letzte woche überhaupt. gehen aber noch. in den ganz seltenen momenten, wenn ich mich ein wenig kritisch betrachte, fällt mir auf, daß ich ganz schön runtergekommen bin – in jeder beziehung.

aber daran denke ich jetzt nicht. ich packe meine sachen zusammen – das dope in eine zigarettenpackung – zollmarke aufmachen, staniolpapier mit den zigaretten rausnehmen, päckchen unten reinpacken, staniolpapier wieder rein, zollmarke drübergezogen und wieder festgeklebt. originalverpackung. mein werkzeug nehme ich nicht mit, ist zu gefährlich, falls ich kontrolliert werde.

ich stürze zur bushaltestelle, eine halbe stunde fahrt, dann mit der u-bahn weiter zur freiheit. ich bin mir sicher, nicht wie ein junkie auszusehen und halte mich deshalb auch für nicht sonderlich gefährdet von bullenseite aus. trotzdem werden meine schritte, nachdem ich mich der rolltreppe genähert habe, langsamer. ich beginne, mich umzusehen. fahre dann nach oben. mein kopf taucht ins helle, ich höre den straßenlärm von der leopoldstraße. spiele die unbeteiligte – und sehe mich doch sofort nach den anderen junkies um. tue so, als ob ich nicht dazugehöre. beobachte aber genau aus den augenwinkeln. gehe einmal an der scene vorbei. ein typ, dem ich schon öfters was verkauft habe, stürzt auf mich los. ich denke mir, wie kann man nur so unkontrolliert sein, und zische ihm eine entsprechende bemerkung zu. er fragt mich: hast du was? ich gucke in seine augen und sehe an den großen pupillen, daß er einen affen hat. entzug. also frage ich als erstes, ob er kohle habe, und lasse mir die, während wir uns von der scene entfernen, zeigen. er hat hundert mark, und ich verkaufe ihm im weitergehen ein hunderterpäckchen. er prüft den stoff nicht, er kennt ihn und vertraut mir. wie zwei freunde geben wir uns die hand, und das päckchen und der hundertmarkschein wechseln die besitzer. mit ihm kann ich das machen. sonst vertraue ich niemand.

er läuft mit seinem päckchen richtung nächstes klosett, um sich seinen druck zu machen. ich gehe wieder richtung scene, spiele mein nicht-dazugehörigkeits-spiel weiter. ein mädchen holt mich ein, geht neben mir her. das übliche frage-antwort-spiel läuft ab. sie selbst hat keine kohle, aber zwei typen, die was kaufen wollen. ich frage, ob sie die kennt. sie hat einen affen – und sagt natürlich ja. ich schlage ihr vor, sich doch von denen das geld geben zu lassen. sie meint, die haben schiß vor bullen und wollen das nicht hier so direkt an der scene abwickeln. wieviel wollen die denn überhaupt. naja, so zwei, drei gramm. frau, so viel habe ich aber nicht. ich glaube, das ist aber egal, so viel halt geht. gut, sage ich ihr, fahre mit den typen in die nähe des biedersteiners – ich komme in einer viertelstunde dort hin. meine frage, ob sie sich von denen das geld hat zeigen lassen, beantwortet sie ebenfalls mit ja. ich fahre auf einem umweg zum biedersteiner. gehe einmal um das carree – niemand scheint hinter mir herzusein. ich gehe an dem auto, in dem die beiden sitzen, vorbei, drehe mich dann schnell um und steige ein. das übliche gespräch beginnt. wie ist der stoff. astrein, das beste, was es zur zeit gibt. wieviel hast du – wir wollen so viel wie möglich. ich sage, ich habe noch ein hunderter, ein halbes und ein fuffzger, also dreihundert mark. o. k. – zeig mal. ich hole alle drei päckchen raus, lege sie auf meine handfläche. der typ auf dem beifahrersitz sagt: o. k. nehmen wir, und fährt mit der rechten hand in seine hosentasche. ich denke, der holt das geld raus. aber er hält mir eine knarre unter die nase, sagt, so, jetzt kannste aussteigen – pfiat di . . . ich will anfangen zu diskutieren, sage, das könnt ihr doch nicht machen. der typ eiskalt: hau ab, sonst passiert was. ich weiß nicht, ob das eine scharfe knarre oder eine gaspistole ist. aber egal, ein schuß aus der entfernung wäre auch aus einer gaspistole sehr unangenehm. ich habe angst. fummle irgendwie die tür auf, steige aus. der auf dem fahrersitz gibt gas – sie hauen ab. augsburger. das zweite mal, daß ich mich von leuten aus augsburg linken lasse. ich bin am ende. und ich bekomme einen solchen haß. habe nur den einen gedanken. zurück auf die scene, die alte werde ich fertigmachen.

ich renne zur freiheit zurück, die frau ist natürlich nicht mehr da. ich erzähle den anderen, was mir passiert ist. die grinsen nur, das hätten wir dir gleich sagen können. meine appelle, wir müssen doch wenigstens innerhalb münchens in solchen sachen zusammenhalten, hätte ich mir sparen können. einige fangen an zu schimpfen – diese linken schweine. drecksäue. man sollte sie hinhängen bei den bullen.

ich stehe da, 300 dm in der tasche. das doppelte muß ich heute abend haben. ich muß abrechnen. auf den schock hin bräuchte ich außerdem einen druck. bin total fertig. ich gucke mich um auf der scene.

da sitzen sie auf dem blumenkasten. der eine ist so total zu, der hängt voll vornübergebeugt, der speichel läuft ihm aus dem offenen mund. der neben ihm kratzt sich in einer tour im gesicht, zwischen den beinen. sie sehen so aus, als ob sie stoff in rauhen mengen hätten. ich fange grade an, mit ihnen zu verhandeln, da packt mich auf einmal jemand von hinten am arm, dreht mir den rum, ein anderer nimmt mir meine handtasche ab. los mitkommen. mehr scheiße als mir eben bei diesem link passiert ist, kann nicht mehr kommen. ich gehe relativ ruhig mit. sie schleppen mich nach unten in das u-bahn-beamtenhäuschen. los, ausweis. was machst du da oben. drückst du? fragt er, während er meinen ärmel nach oben schiebt. ich will grade verneinen, da fragt er schon, wie lange nimmst du das zeug schon. ich sage, ich nehme nichts. er grinst nur. nimmt meinen ausweis, während der andere meine tasche bzw. deren inhalt auf den tisch schüttet, alles durchwühlt, aber nichts findet. bin ja auch grade gelinkt worden. der mit dem ausweis ruft in der zentrale an, ob ich zur fahndung ausgeschrieben bin. – pech gehabt, bulle. es liegt nichts gegen mich vor. sie geben mir die tasche, den ausweis zurück, lassen mich laufen mit der ermahnung, mich nicht mehr da oben sehen zu wollen. ich denke mir, ihr arschlöcher und wie blöd ihr seid. euch trickse ich immer noch aus.

gehe auf umwegen wieder auf die scene zurück – niemand mehr da. scheiße, verdammte scheiße, was mache ich bloß? heute geht aber auch alles schief. die typen, von denen ich mir meinen druck kaufen wollte, sind auch nicht mehr da. ich halte es nicht mehr aus bis abends. aber, ich weiß nicht, wie ich das meiner connection beibringen soll, wenn ich ohne geld ankomme, oder doch fast ohne geld. gegessen habe ich heute auch noch nichts – noch nicht mal kaffee getrunken. aber ich brauche jetzt erst mal einen druck.

da kommt einer der beiden typen an und zischt mir im vorbeigehen zu: komm in den hofgarten in einer halben stunde. es ist vier uhr inzwischen. ich muß zusehen, daß ich von denen für zweihundert mark einen guten druck kriege, damit ich meiner connection wenigstens einen hunderter als beweis des guten willens geben kann.

die typen sind so zu, daß sie überhaupt nicht durchblicken. was für zweihundert mark? bist du nicht ganz sauber? meinst du vielleicht, daß wir wegen dir da jetzt das umpacken anfangen? entweder ein halbes oder zwei. ich fange an, ihnen meine geschichte von dem linken zu erzählen – nochmal. bis der eine dann sagt: ja mußt halt nächstes mal besser aufpassen. also, willst du's jetzt oder nicht, zwei oder eins? was soll ich machen, ich weiß genau, daß ich ein scene-halbes gleich wegschmeißen kann, weil's für einen druck viel zu wenig ist. gut, ich habe noch dreihundert mark. irgendwie werde ich mit dem typen heute abend schon klarkommen, irgendwie. und schließlich bin ich ja gelinkt worden. ich werde ihm einfach sagen, die haben mir das ganze zeug für 800 dm abgenommen. das wird schon gehen. also kaufe ich mir die zwei halben. fahre auf dem schnellsten weg nach hause, mache mir den druck und gehe gleich wieder aus dem haus. zum treff.

der schuß war unbefriedigend – es geht mir nicht besonders gut. ich träume wieder, wie immer in solchen situationen, von einem total vollgedröhnten kopf. einmal wieder so viel stoff haben, daß ich mir einen druck nach dem anderen machen kann, und nur an leute verkaufen, die ich kenne.

bevor ich die kneipe, in dem der treffpunkt ist, betrete, muß ich erst mal nachsehen, ob ich überhaupt genügend geld habe, um mich da reinzusetzen, denn meine connection ist natürlich noch nicht da. ich kann wahrscheinlich wieder zwei bis drei stunden da rumsitzen, bis er kommt – jeden tag das gleiche. die warterei und heute auch noch schiß, daß er sauer wird und ich nichts bekomme. aber ich schiebe den gedanken weit weg. es muß einfach gehen, es muß.

ich sitze da vor meiner cola, mit dem gesicht zur tür hin. endlich, nach anderthalb stunden kommt er, völlig gehetzt. kein hallo, sondern: scheiße, ich mußte bis jetzt warten, bis ich endlich das zeug gekriegt habe, aber guter stoff. meine connection ist auch drauf. ich bekomme ganz feuchte hände, schiß. weiß nicht, wie ich ihm das beibringen soll. ich erzähle ihm dann, gucke ihm ängstlich ins gesicht, will reaktion ablesen. er wird ärgerlich. wie stellst du dir das denn vor, heute sechshundert mark, und morgen ist dann irgend was anderes, dann ist es das doppelte. du hast jetzt sechshundert mark schulden bei mir. wie willst du das denn machen. – ich werde böse: ich mach das schon irgendwie. nur, du mußt mir halt heute noch mal was geben, sonst kann ich dir die 600 mark auch nicht geben. ich muß meine päckchen eben die nächsten zwei tage etwas kleiner machen. dann geht's schon. wir diskutieren hin und her, und ich habe einen irren horror davor, daß er plötzlich sagt, er macht das nicht. er meint auch, daß ihm das eigentlich zu riskant sei, denn schließlich und endlich brauche er das geld genauso dringend wie ich – und er müsse immer ganz genau und sofort bezahlen. da gehe nichts auf kommission. ich fange an, zu bitten, versuche, ihn zu beschwatzen. und er weiß, daß das schlimmste, was mir passieren kann ist, daß ich morgens mit entzug aufwache, bewegungsunfähig, und er sein geld dann bestimmt mehr kriegt. gut, sagt er, aber das ist das letzte mal. ich will protestieren, ihm sagen, daß das schließlich erst das erste mal ist. o.k., aber dreihundert mark muß ich von dir morgen haben von den schulden. übermorgen den rest.

ich höre gar nicht mehr richtig hin, sage nur mehrmals ja, bin glücklich, daß ich's geschafft habe, den tag doch noch so zu beenden, mit dope. er ist ungnädig gestimmt, für eine sekunde spüre ich, wie ich mich gedemütigt habe, wie abhängig ich bin, für den bruchteil einer sekunde. ich traue mich nicht, ihn zu fragen, ob er mich nach hause fährt, so wie er es sonst oft gemacht hat. ich laufe zur bushaltestelle, nachdem wir einen treff für den nächsten tag verabredet haben.

zuhause angekommen, schließe ich zweimal die wohnungstür hinter mir zu, schalte als erstes den fernseher ein, meine geräuschkulisse, mache mir einen dicken, satten druck und kurz bevor ich völlig zu in den sessel sinke, fällt mir ein, was ich alles machen wollte.

zum arbeitsamt, zum wohnungsamt wollte ich gehen. und diesen gottverdammten gerichtsvollzieher hätte ich auch anrufen müssen.

mit der gewißheit, daß das gleiche spiel morgen laufen wird so wie jeden tag – die stunden zwischen gerichtsvollzieher und treffpunkt –, gebe ich mich der wirkung einer leichten overdose hin.

Gerhard Schneider

In Sachen der Petra T.

Die nachfolgenden Interviewfragmente sind real. Es handelt sich um Aussagen, die ich in Gesprächen mit Betroffenen erfahren und die ich, der Sozialarbeiter, gegenüber anderen Menschen und Institutionen gemacht habe.
Die sich daraus ergebende Geschichte der Petra T. ist konstruiert, aber nicht weniger realistisch. Namen, Zeit- und Ortsangaben wurden so verändert, daß lebende oder gelebt habende Menschen nicht zu erkennen sind.
Die Menschen aber, die sich in dem Text entdecken, und nicht nur sie, mögen nachdenken.

Die Mutter:
Ich weiß nicht, was wir falsch gemacht haben. Wir haben etwas falsch gemacht in unserer Erziehung. Dabei hat sie doch alles gehabt. Es ging uns nie schlecht. Es war immer genügend da. Wir hatten unseren Betrieb; wir haben ihr alles gekauft, was sie wollte. Es gab Spielzeug in Hülle und Fülle, und später, als sie älter war, gaben wir ihr immer genügend Geld fürs Kino und für die Discothek.
In der Schule war sie gut; in der Grundschule war sie Klassenbeste. Sie wechselte zum Gymnasium. Als sie vierzehn war, begann sie zu schwänzen. Wir haben das viel zu spät erfahren. Wir haben mit ihr geredet. Mein Mann hat geschimpft. Einmal kam ihr Klassenlehrer zu uns nach Hause. Da sprachen wir miteinander; sie versprach uns wieder zur Schule zu gehen. Das hielt dann zwei Wochen. Aber was sollte ich denn machen? Hinbringen hätte nichts genutzt. Und dann mußte ich jeden Morgen schon um sechs Uhr ins Heim. Die alten Leute mußten versorgt werden. Ich kann die doch nicht ohne Frühstück lassen.
Mein Mann konnte sich auch nicht um sie kümmern. Der hat sich sowieso aus der Erziehung rausgehalten. Das ist deine Aufgabe, sagte er immer. Es hat ihm auch mehr Spaß gemacht im Heim zu arbeiten. Der hat all das Organisatorische gemacht. Die Buchführung, den Einkauf, Handwerksarbeiten. Da war er gut. Das hat er gern gemacht. Familienleben hatten wir wenig. Höchstens

mal im Urlaub. Aber was sind denn drei Wochen? Freie Tage gab es nur für einen von uns beiden.

Ein Jahr später ging Petra von der Schule ab, ohne Abschluß. Wir nahmen sie in den Betrieb. Sie pflegte die alten Leute gern. Von uns ließ sie sich nichts sagen. Brauchte ich sie mal in der Küche oder beim Waschen, dann kam sie nicht. Sie suchte sich immer die Arbeiten aus, die sie gern tat. Das gab Streit. Die Große, die arbeitete mit. Die machte alles. Letztes Jahr haben wir ihr das Heim überschrieben.

Warum ist die Große denn nicht süchtig geworden? Die hatte doch auch keine andere Erziehung als Petra. Die ist so tüchtig. Petra entzog sich uns. Abends ging sie weg, sie kam nachts nicht nach Hause. Sie hatte Freunde, die wir nicht kannten. Zur Arbeit kam sie nicht mehr. Das gab noch mehr Streit. Mein Mann tobte. Einmal hat er sie verprügelt. Da blieb sie wochenlang weg. Ich wollte immer vermitteln. Ich versuchte mit ihr im Guten zu reden. Oft antwortete sie gar nicht, ich sprach ins Leere. Sie kam nur noch, um Wäsche zu wechseln, oder wenn sie Geld brauchte. Ich gab ihr immer etwas. Mein Mann und die Große waren dagegen. Aber ich konnte sie nicht hungern lassen. Sie ist meine Tochter. Und sie war erst sechzehn.

Mir hat das alles furchtbar zu schaffen gemacht. Der Streß im Betrieb und die dauernden Streitereien mit und wegen ihr zu Hause. Ich war nervlich völlig runter. Ich bin heute noch nicht auf dem Damm. Beruhigungsmittel muß ich seitdem nehmen. Bevor Sie kamen, habe ich eine Tablette genommen. Mich regt das immer noch zu sehr auf. Ich habe das Mädchen seit einem Jahr nicht mehr gesehen. Kurz nach ihrer Verhaftung war ich mal dort. Ich kann mich dem nicht aussetzen. Diese Atmosphäre. Und mein Kind hinter den Gittern! Am Gefängnis fahre ich seitdem nicht mehr vorbei, obwohl es auf dem Weg zu unserer Großen liegt. Lieber mache ich einen Umweg.

Daß sie Drogen nahm, Heroin, merkten wir erst, als der Zug schon abgefahren war. Sie war ein halbes Jahr von zu Hause weggewesen. Eines Tages kam sie. Sie sah erbärmlich aus. Abgemagert, ganz dünn war sie geworden. Ich habe mich wahnsinnig erschrocken. Kind, wie siehst du denn aus, habe ich gerufen. Wir haben sie aufgenommen. Mein Mann wollte Bedingungen stellen. Sie sollte wieder bei uns mitarbeiten oder sich etwas anderes suchen. Ich meinte, daß sie erst mal eine Zeit der

Erholung brauchte. Er hat ihr auch Vorwürfe gemacht. Ich konnte das nicht. Ich war so froh, daß sie wiedergekommen war. Abends ging sie weg, aber sie kam jede Nacht nach Hause. Und tagsüber machte sie hier den Haushalt. Das reichte mir.

Ein paar Wochen später entdeckte ich Brandlöcher in ihrer Bettdecke. Ich sagte ihr, daß sie im angetrunkenen Zustand im Bett nicht rauchen sollte. Da reagierte sie sauer; sie sei nicht besoffen gewesen, das hätte sie nicht nötig.

Irgendwann entdeckte ich hinter dem Klo eine Kanüle. Da kam mir der Verdacht. Bei uns wird so etwas nie gebraucht. Aber ich wagte nicht, sie anzusprechen. Ich hatte nur Angst um sie. Ein paar Tage später durchsuchte ich ihre Taschen. Da fand ich das Zeug in diesen Briefchen. Mir blieb fast das Herz stehen.

Sie kam nach Hause, und ich sagte ihr auf den Kopf zu, daß sie süchtig sei. Es gab eine harte Auseinandersetzung. Sie schrie, sie sei nicht abhängig, sie nehme das Zeug nur ab und zu, und ich solle mich nicht so anstellen. Ich weinte verzweifelt.

Später spitzte sich alles zu. Sie stahl uns Geld, kam nur noch selten nach Hause. Ich bin zur scene gegangen und habe sie holen wollen. Fast hätten wir uns geschlagen. Sie ist natürlich nicht mit mir gegangen.

Ich gab auf. Mein Mann und die Große verboten mir, nach ihr zu suchen oder ihr etwas zukommen zu lassen. Manchmal kam jemand, um mir von ihr etwas zu bestellen. Da gab ich dann auch Geld mit. Heimlich. Ich wußte, sie lebte.

Bis sie nach Hause kam, um hier zu entziehen. Sie versprach uns, daß alles besser würde. Wir gingen zu unserer Ärztin. Die verschrieb ihr etwas, und dann blieb sie bei uns. Drei Tage. Ich hatte sie in das Zimmer nebenan eingeschlossen, weil ich Angst hatte, sie würde wieder weggehen. Laß mich raus, hat sie immer gerufen. Sie hat gelitten. Für mich ist das schwer zu ertragen gewesen. Ich hatte mir vom Betrieb freigenommen, um in der Wohnung zu bleiben. Als ich von einem Einkauf zurückkam, war sie weg. Sie hatte die Tür aufgebrochen; mein Schmuck, der im Schrank gelegen hatte, fehlte. Dabei hatte ich schon alle Schlüssel abgezogen. Mit einem Dietrich hatte sie ihn geöffnet. Der Schmuck hatte einen Wert von rund viertausend Mark.

Das hat sich wiederholt. Ein paar mal. Jedesmal mußte ich meinem Mann versprechen, sie nicht wieder aufzunehmen. Der war total dagegen, daß sie zu Hause entzog. Aber rauswerfen konnte er sie nicht. Ich habe mich zu sehr dagegen gewehrt. Ich glaube, ich wäre mit meinem Kind gegangen. Zweimal hab' ich ihr sogar Stoff besorgt. Sie hatte mich so inständig angefleht und mir unter Tränen versprochen, dies sei das letzte Mal. Und sie hat mir gesagt, wie lieb sie mich hätte und daß ich doch immer gut zu ihr gewesen sei. Ja, gut gewesen. Vielleicht bin ich das zu lang gewesen? Was sollte ich auch tun? Ich konnte doch nicht zur Polizei laufen und sie anzeigen.

Der Vater:
Wollense ein Bier? Bier löscht Durst. Gerade bei dem Wetter. So, nach Hause will sie wieder? Das kann ich Ihnen sagen, die hat uns so fertig gemacht in all den Jahren. Seit sie geschnappt worden ist, ist es bei uns viel ruhiger. So ein ruhiges Jahr hatten wir schon lange nicht mehr. Das hat sie sich doch alles selbst zuzuschreiben. Wir haben ihr immer gesagt, daß sie die Finger von dem Kram lassen soll. Und meine Frau hat sich so abgerakkert mit ihr. Die hat ja alles für sie getan. Mehr kann kein Mensch tun. Wir haben uns alle viel Mühe mit ihr gegeben. Schon damals, als sie nicht mehr zur Schule gehen wollte. Was haben wir mit ihr geredet! Aber das nutzte alles nichts. Sie hatte ihre Freunde. Zwei davon hab' ich mal gesehen. Das waren so Langhaarige. Naja, Sie wissen schon, ich meine, Sie tragen ja auch 'n Bart, aber das waren von der Sorte, die nicht gern arbeitet. Ich habe immer gearbeitet, mein Leben lang. Früher war ich in der Industrie. Schlosser. Schicht habe ich gearbeitet. Und später haben wir dann das Altenheim gekauft, meine Frau und ich. Da war ich mein eigener Herr. Aber weniger Arbeit ist es nicht geworden. Ich war ja von frühmorgens bis spätabends drüben. Heute noch geh' ich jeden Tag hin. Die Tochter führt das jetzt, aber ich kann ohne Arbeit nicht sein.
Als sie mal ankam mit diesen Freunden, da sagte ich ihr, daß sie mir so etwas nicht wieder in die Wohnung bringen solle.
Sie wollte nie richtig mit anpacken. Das hat der Umgang mit ihr gemacht. Als Kind war sie fleißig. Aber später, da war nichts mehr zu retten. Beklaut hat sie uns sogar. Wie ein Rabe, sage ich Ihnen.
Ich habe ihr immer gesagt, wenn du mit dem Zeug aufhören willst, dann kannst du es auch. Aber sie wollte ja nicht. Sonst hätte sie doch Schluß gemacht damit. Sie nimmt nichts mehr im

Gefängnis, sagen Sie? Sie müssen es ja wissen, Sie sehen sie ja jeden Tag.

Daß es dort überhaupt das Zeug gibt, das ist ein Skandal. Macht man denn da nichts dagegen? Das ist ja auch kein Wunder, wenn die dadrin drücken. Die müßten arbeiten. Arbeiten lassen würde ich die, bis ihnen die Fingernägel bluten!

Und jetzt will sie wieder nach Hause. Wer sagt mir denn, daß sie hier nicht wieder anfängt? Daß wir dann hier nicht wieder das gleiche Theater haben wie vor eineinhalb Jahren. Geld weg. Schmuck von meiner Frau weg. Ich wäre zur Polizei gegangen. Aber sie ließ mich nicht. Ich hätte keine Hemmungen gehabt, mein eigen Fleisch und Blut anzuzeigen. Die hat doch nicht nur uns beklaut. Vor so etwas muß doch die Gesellschaft geschützt werden.

Ich sehe diese Menschen immer, wie sie rumhängen. Die Mädchen vom Strich. Da stand sie doch auch. Ich hab' ja nichts dagegen. Das muß es ja wohl geben. Ihre Freier hat sie sogar beschissen. Stellen Sie sich das mal vor. Da gehen die erst mit so einer, zahlen, und später stellen sie fest, daß alle ihre Papiere und ihr Geld weg sind.

Meine Frau hat Petra immer geschützt. Sie hat alles verdeckt. Ich möchte nicht wissen, was die noch alles getan hat, um ihr zu helfen. Mir war's oft zuviel. Ich habe da keinen Sinn drin gesehen. Gesundheitlich ruiniert hat sie sich. Die schläft heute noch keine Nacht ohne Tabletten. Und ihr Magen. Da ist auch die ganze Geschichte dran schuld.

Sie kann früher entlassen werden, sagen Sie. Hat sich wohl gut geführt dadrin. Man soll ja keinem Menschen den Weg verbauen. Wenn sie mir verspricht, daß sie nichts mehr nimmt, na gut. Dann soll sie kommen. Aber eines sag' ich Ihnen, und das sag' ich auch meiner Frau: Wenn sie wieder anfängt, gleich beim ersten Mal, und wenn sie nicht arbeitet, dann fliegt sie raus. Dann ist die Tür zu. Für immer. Wollense nicht doch 'n Bier?

Die Schwester:
Ich bin dagegen, daß Petra wieder zu meinen Eltern geht. Immer hat sich alles um sie gedreht. Sie ist die Kleine. Meine Eltern hatten mit ihr viel mehr Geduld als mit mir. Bei mir hat es häufig Prügel gesetzt, sie ist, glaube ich, einmal von Vater verhauen worden. Das war, als sie nicht mehr zur Schule ging.

Das war ja Horror zu Hause, als sie auf dope war. Als meine Eltern das richtig bemerkten, da war sie schon fast zwei Jahre drauf. Mutter hat sich den Hintern aufgerissen, um ihr zu helfen. Die ist doch immer zur Ärztin gelaufen und hat ihr Valeron verschreiben lassen. Geld hat sie ihr noch zugesteckt, als sie schon längst wußte, wofür sie es brauchte. Und die dauernden Streitereien. Ich war ja schon verheiratet, aber spätestens zu dieser Zeit wäre ich ausgezogen.

Sie hat sich immer ins gemachte Nest gesetzt. Und das wird auch jetzt so sein. Und der gleiche Streß geht wieder los. Die kommt doch nicht davon weg. Das hab' ich mir sagen lassen, daß sie ohne Therapie nicht runterkommt.

Und im Knast kommt sie doch auch an das Zeug ran. Das kann mir keiner weismachen, daß sie dort nichts nimmt. Die Spatzen pfeifen es doch vom Dach, daß dort ein gut versorgter Markt läuft. Weiß der Teufel, wer das reinschleppt.

Vielleicht sollten die mal ihre eigenen Beamten kontrollieren. Uns Besuchern mißtraut man. Eine Glasscheibe haben sie auf dem Besuchertisch hochgezogen, man muß über die Scheibe brüllen, um sich verständigen zu können. Und Petra hat mir erzählt, daß sie nach jedem Besuch gefilzt wird. Kleidungstausch und Durchsuchung aller Körperöffnungen. Pfui Teufel.

Selbst, wenn sie jetzt nichts nimmt, sie rutscht doch wieder drauf, wenn sie ihre alten Leute trifft. Das weiß ich inzwischen auch, wie das funktioniert, mit Anbieten und Verführen.

Nein, sie wird das nicht packen. Gewiß, sie könnte bei mir arbeiten. Und gerade, seit ich sie regelmäßig im Knast besuche, verstehen wir uns wieder besser. Irgend etwas muß bei ihr im Kopf geklingelt haben, und ihre guten Vorsätze nehme ich ihr auch ab.

Aber bei der Beratungsstelle haben sie mir gesagt, daß sie es allein nicht schaffen wird. Und daß wir ihr auch nicht helfen können. Stimmt ja auch, wir haben's ja versucht.

Ja, ich bin letzte Woche dort gewesen. Ich mußte mir Argumente holen, um Mutter auszureden, sie wieder aufzunehmen. Und da gibt es eine Elterngruppe. Ich glaube, da geh' ich mit den beiden mal hin. Sie muß sich dazu durchringen, Petra nicht wieder zu nehmen. Wenn sie clean ist, dann kann sie jede Hilfe haben, auch von mir. Aber sie muß mir erst beweisen, daß sie den Dreck nicht mehr braucht. Ich bin skeptisch.

Petra T.:
Du, ich will raus hier. Ich hab' mein Zweidrittelgesuch gestellt. Ich halte das nicht mehr aus hier. Ewig das Gerede um dope, und dann der Stoff, den's hier massenweise gibt. Das ist ja Folter. Dauernd bekomm' ich etwas angeboten. Ich habe mich extra allein auf Zelle legen lassen, aber die kommen immer wieder. Wenn ihr nicht dafür sorgt, daß ich rauskomme, dann seid ihr schuld, wenn ich wieder drücke.

Bist du bekloppt? Ich sag' dir doch nicht, wer das Zeug hat, ich wär' ja des Wahnsinns, die machen mich doch alle, und überhaupt, so eine Schweinerei mach' ich nicht, daß ich euch in die Hände spiele, ihr filzt sowieso genug die Zellen, und wenn ihr nichts findet, habt ihr das eurer eigenen Beschränktheit zuzuschreiben. Wo ihr aber auch sucht! Das ist ja zum Piepen, wenn man euch wühlen sieht. Und die Zelle laßt ihr dann in einem Zustand zurück, als hätten die Hottentotten drin gehaust.

Quatsch' mir doch nicht von Therapie! Ich kann das Wort nicht mehr hören. Was soll ich denn dort, wo ich hier schon ein Jahr hinter mir habe? Denkst du, ich geh' von einem Knast in den anderen, Kontaktsperre und so. Du spinnst wohl. Mir reicht das hier vollkommen. Das ist doch auch Kontaktsperre, was ihr hier mit uns macht, dieser Sprechraum, die Briefkontrolle und Telefonate abhören – überhaupt die ganze Filzerei, den Kindern guckt ihr in die Windeln und uns in den Arsch, dabei kommt das Zeug ganz anders rein, und eure Fliegengitter an den Fenstern nutzen euch auch nichts. Da hängt ihr ein Heidengeld rein, wo's wirklich fehlt, tut ihr nichts. Ich weiß, du kannst allein auch nichts dafür, aber was tust du denn dagegen?

Und dann willst du mich in den nächsten Knast schicken. Jawohl, Knast sag' ich dazu. Ich hab's mir doch erzählen lassen, was die da mit einem machen. Haare ab, Babyphase, so 'n Quatsch. Und dann die Hierarchie, die die dort haben. Soll ich mir von anderen Fixern sagen lassen, was ich zu tun und zu lassen hab', nur weil die sich anpassen? Die passen sich doch alle nur an und werden Spießer.

Ich kann auch ohne die clean bleiben. Ich hab's geschafft, hier in diesem Saustall. Das sagt etwas. Man braucht nur den Willen, das siehst du doch selbst. Ich hab' vor ein paar Monaten gesagt, ich will nicht mehr. Ich will raus hier, und dann hab' ich eben nichts mehr genommen. Ich brauch' das Zeug nicht, sag' ich dir.

Andere mögen noch drauf hängen, ich nicht.

Ich will raus, verstehst du, ich will neu anfangen, mir ist genug versaut worden in den letzten Jahren, nachdem ich angefixt worden bin. Ich will das nicht mehr, Strich, ich bin doch keine Müllkippe für die Freier, die sollen sich andere suchen, die Böcke. Schule will ich nachholen, irgend etwas lernen. 'Ne Wohnung mußt du mir übrigens besorgen, hast du schon ans Wohnungsamt geschrieben?

Warum denn nicht? Ich hab's dir doch vorige Woche schon gesagt. Mensch, mach' das! Ich will nicht auf der Straße stehen. Ich brauch 'ne Dringlichkeitsstufe. Ich bin obdachlos, wenn ich rauskomme. Daß du aber auch nichts machst. Was macht ihr überhaupt? Wenn man euch braucht, seid ihr in irgendeiner Konferenz bei Fromms*, und wenn ihr was tun sollt, dann dauert das Wochen. Red' dich nicht raus, daß das nicht anders geht. Ich würde das ja selbst machen, laß mich doch raus auf Ausgang. Ich kann alleine gehen, ich kauf' schon nichts draußen. Mitbringen tu' ich auch nichts. Aber du hast ja kein Vertrauen. Ihr mißtraut jedem hier.

Machst du wenigstens 'ne Ausführung mit mir zu meinen Eltern? Ich muß mit denen noch mal reden. Die spinnen wohl, die wollen mir den Weg verbauen. Wollen mir nicht mehr helfen. Natürlich ist viel Scheiße gelaufen, früher, als ich drauf war. Aber die sollen mir mal 'ne Chance geben. Das haben die ja nie gemacht. Immer haben sie mich bevormundet, haben gemeint, sie wüßten, was gut für mich ist und was schlecht. Du mußt das denen klarmachen, daß jetzt alles anders wird.

Quassel doch nicht von all' den anderen, die draußen wieder umfallen. Das sind die anderen, kapierst du? Ich bin ich, und das sind die anderen. Red' dich nicht raus mit deinen Erfahrungen, mit mir hast du noch gar keine gemacht. Und meine Urinkontrollen sind negativ, das weißt du selbst seit Monaten.

Was meinst du denn mit süchtigem Verhalten? Entweder, ich nehm' dope, dann bin ich süchtig, oder ich nehm nichts, dann bin ich nicht süchtig. Und du rauchst ja auch wie ein Schlot. Wäre Rauchen strafbar, hättest du lebenslänglich.

Ihr mit eurer Psychomacke. Ihr habt doch gar keinen Durchblick. Was ich brauch', ist 'ne Wohnung draußen und die Schule und

* übliche Bezeichnung für Anstaltsleiter

genügend Geld zum Leben.
Sag' mal, machst du mit mir die Ausführung nächste Woche?

Petra T.:

Petra T.
Buchnummer 661/79
Vollzugsanstalt für Frauen

An das
Amtsgericht M.
Aktenzeichen: 412–113/79

Sehr geehrter Herr Richter!
Heute möchte ich Sie bitten, mich zum Zweidrittelzeitpunkt zu
entlassen. Ich verbüße seit Oktober vorigen Jahres eine Freiheitsstrafe von achtzehn Monaten. Ich bin wegen Diebstahls und
wegen Verstoß gegen das Betäubungsmittelgesetz verurteilt
worden.
Ich kann Ihnen heute schreiben, daß ich kein Heroin mehr
nehme und clean bin. Ich werde es auch bleiben. Ich weiß, daß
das viele sagen und wieder rückfällig werden. Aber ich kann es
Ihnen beweisen. Seit mehreren Monaten nehme ich freiwillig am
Urinkontrollprogramm der Anstalt teil. Die Kontrollen werden
durchgeführt, ohne daß wir es vorher wissen. Alle Proben sind
negativ gewesen. Sie können dies in meiner Akte nachsehen.
Ich will draußen ein neues Leben beginnen. Mir ist im Gefängnis
viel klar geworden, vor allem, daß ich meine Drogenabhängigkeit überwinden muß. Den ersten Schritt habe ich hier schon
getan. Und sie wissen sicher auch, daß das gerade hier nicht leicht
ist, wo der Stoff über die Mauer fliegt und reichlich zu haben ist.
Ich bekomme immer wieder etwas angeboten, und das Ablehnen
fällt mir nicht leicht. Aber bis jetzt bin ich stark geblieben. Ich
weiß nicht, wie lange ich das noch bleiben kann. Gerade auf
unserer Abteilung häufen sich die Probleme, und Probleme kann
man mit Heroin wegdrücken. Mir ist bewußt, daß die Schwierigkeiten dadurch nicht verschwinden, sondern nur verdrängt werden. Und daran möchte ich arbeiten. Das kann ich aber nicht
hinter Gittern tun.
Weil es hier für mich sehr gefährlich ist, wenn man mir immer

wieder Stoff anbietet, und weil ein Rückfall für mich katastrophale Folgen hätte, bitte ich Sie, mich vorzeitig zu entlassen.

Hochachtungsvoll
Petra T.

Der Sozialarbeiter:
Petra will raus. Klar, daß sie das will. Kein Mensch ist gern in diesem Knast. Ich geh' ja selbst nicht gern hin. Wenn die Frauen und die paar Leute aus dem Sozialteam nicht wären, ich würde kündigen.
Ich habe nie geglaubt, daß eine Institution so starr sein kann wie der Knast. Illusionen hatte ich nicht, als ich reinging, da war ich schon gut vorbereitet. Aber ein paar Hoffnungen, daß ich da ein bißchen Menschlichkeit hinter die Gitter bringen könnte, die hatte ich schon. Ich habe sie auch jetzt noch nicht ganz begraben. Doch da sind noch viel dickere Mauern bei den Menschen, die dort das Sagen haben, als um den Bau herum. Die haben eine Einstellung zu den gefangenen Frauen, der gegenüber muß die Vorsteinzeit geradezu progressiv gewesen sein. Als wir die Schulmaßnahme für die Frauen durchgeboxt hatten, Mittlere Reife können sie jetzt machen, da sagte doch eine von den Beamtinnen tatsächlich, Was brauchen diese Kriminellen Mittlere Reife, wir haben doch auch keine! Und den Anstaltsleiter kannst du auch vergessen. Den einen, besseren, haben sie uns abgesägt, der war zu liberal, der hatte nur ein paar vernünftige Ideen und sich nicht von vornherein gegen unsere Gedanken gesperrt. Nach ihm haben sie uns einen interesselosen Klotz auf den Anstaltsleiterstuhl gesetzt, der kuscht vor der Steinzeitmafia, schreit mit ihr nach Sicherheit im Strafvollzug, obwohl er noch von keiner einzigen Frau bedroht worden ist, drückt uns, weil er selbst gedrückt wird, ohne es zu merken. Die Schule für die Kriminellen will er streichen, weil zu wenig Frauen hingehen. Gedanken, wie der Unterricht attraktiver gemacht werden könnte, läßt er nicht zu.
Wir würden versuchen, das Strafvollzugsgesetz außer Kraft zu setzen, meinen er und seine beiden grauen Eminenzen, die Sicherheitsinspektorin und die Aufsichtsdienstleiterin. Nein, außer Kraft setzen wollen wir es nicht, wir wollen es nur nutzen, wo es für die Fixerfrauen nur möglich ist.

Das ist aber auch ein Wahnsinnswiderspruch, unter dem wir hier arbeiten. Wir haben den Anspruch und die Aufgabe, einen Resozialisierungsvollzug zu machen. Resozialisierung, oder auch Sozialisierung, setzt aber Vertrauen auf beiden Seiten voraus. Und das ist auf beiden Seiten nicht da, kann es auch gar nicht geben, oder wenn überhaupt, dann nur in einem ganz beschränkten Maß. Wir sind Teil einer Institution, in der die Frauen nicht freiwillig und nicht gern sind. Und: Wir haben die Schlüssel in der Hand und die Macht.

Kannst du dir das Gefühl vorstellen, wenn du abends um zehn zwei Frauen in einem acht Quadratmeter kleinen Loch einschließen, die dicke Eichenholztür zumachen mußt und ja nicht vergessen darfst, den mächtigen Schlüssel zweimal umzudrehen? Sie könnten sich ja sonst befreien, meint die Sicherheitsinspektorin.

Das ist eine so absurde Situation. Du hast gerade mit ihnen ein wichtiges Gespräch gehabt, wo vielleicht so etwas wie gegenseitige Offenheit gewesen ist, du hast vielleicht gerade mit ihnen gelacht, und dann ist Einschluß, so nennt sich das abends, die Menschen werden weggeschlossen, können nur auf ihren Betten hocken oder liegen, nur noch zwei Schritte vor und zurück laufen. Du gehst, wünschst den Beamtinnen noch einen schönen Abend, kannst dich in eine Kneipe setzen, der Abend beginnt ja gerade, und mit Freunden reden.

Und in dem Bau sitzen genauso Menschen wie du und ich. Nicht besser und nicht schlechter. Nur daß ich ein bißchen mehr Glück gehabt habe als die, daß ich zufällig nicht an dope rangekommen bin wie die dort.

Mich beschäftigt das. Ich träume viel von ihnen. Ich mag die Frauen, manchmal sag ich, es sind ›meine‹ Frauen, die vierzig auf der Abteilung. Alle hängen sie auf Heroin, haben verlernt oder nie gelernt, was Leben sein kann. Wenn ich dann mal mit ihnen sprechen, ihnen sagen kann, was sie da für ein Minusleben geführt haben, und wie sie es verändern könnten, dann kriege ich fast immer harte, abwehrende Worte von ihnen zu hören.

Wir kriegen die im Knast nicht runter vom Stoff. Sicher, den können wir ihnen so gut wie möglich fernhalten, gelungen ist es uns bisher nicht, und das wird uns auch nicht gelingen, so lange wir ihnen keine brauchbaren Alternativen anbieten können. Alternativen könnten sein: nicht wegschließen, Arbeitsmöglichkeiten, Freizeitbeschäftigungen, Gruppenarbeit anbieten.

Uns sagt man immer, das ginge nicht, weil es keine Räume und kein Personal gäbe. Sollen sie doch Räume bauen und Personal einstellen. Das alles sei ein Finanzproblem, predigt man und streicht die beantragten Mittel. Dabei ist es nur eine Frage der Verteilung der Gelder. Wenn ich mitkriege, wohin die verpulvert werden, ich kriege einen Haß und wünsche den Herren und Damen aus der Verwaltung und vom Ministerium ein paar Wochen im Knast.

Wie soll ich auch mit den Frauen offen über ihr Drücken im Knast reden können, wenn sie wissen, daß davon ihr Ausgang oder ihr Urlaub abhängen? Klar, daß sie rauswollen, aber klar ist auch, daß ich keine Frau rauslassen kann, von der ich weiß, daß sie sich draußen den Kopf volldrückt und für die anderen noch etwas mitbringt oder organisiert. Da hat bisher auch all mein Bitten nichts genutzt, und ihre guten Vorsätze sind draußen immer wieder über Bord gegangen, weil die Zwänge im Knast viel stärker sind als aller guter Wille. Manchmal habe ich mich über die kurzgeschorenen Haare einer Frau gewundert, nachdem sie von ihrem Ausgang zurückgekommen war. Eine kam eines Abends mit zerschnittenem Gesicht zu mir und erzählte, sie sei ins Fenster gefallen. Die Haare waren natürlich freiwillig so kurz geschnitten, und der Sturz war zufällig. Erst viel später erfuhr ich, daß das Strafen für das Nichtmitbringen von Stoff waren.

Damit komme ich nicht klar: mit der Brutalität, zu der die Frauen fähig sind. Gerade auch, wenn ich so etwas wie Zärtlichkeit und Solidarität bei ihnen erlebe. Als Petra ihre achtzehn Monate bekam, kein Mensch hatte damit gerechnet, kehrte sie heulend auf die Abteilung zurück. Sie saß nur auf ihrem Bett und weinte. Im Nu waren fast alle Frauen da. Keine sagte etwas. Zwei nahmen sie in den Arm, eine drehte ihr eine Schwarze Hand, eine holte Wasser, wieder eine kochte Kaffee, und alle ließen sie weinen. Ich stand staunend dabei. So eine dichte Atmosphäre kannte ich aus eigener Erfahrung nur aus Momenten tiefster Zweisamkeit, und ich kam mir ihnen gegenüber sehr arm vor. Natürlich wurden sie auch an diesem Abend wieder weggeschlossen.

Und dann kommen manchmal diese dicken Hämmer. Was hat das dope aus ihnen gemacht?

Drogenabhängige gehören nicht in den Knast, das weiß wahrscheinlich inzwischen jeder Justizminister, jeder Richter, jeder Staatsanwalt, und trotzdem stecken sie sie immer wieder rein, mit immer längeren Strafen. Das ist ja so bescheuert.

Wir vom Sozialdienst haben uns eine Möglichkeit für die Frauen ausgedacht, nicht die schlechteste angesichts der herrschenden Zustände, meine ich: Sobald eine Frau einen Therapieplatz draußen in einer Einrichtung hat, soll sie raus. Entweder mit Zweidrittelentlassung oder aufgrund eines Gnadenerlasses. Hinter Gittern kann man keinen Menschen zur Unabhängigkeit bringen.

Dabei ist auch dies noch schwer genug. Selbst, wenn wir die Strafvollstreckungskammern oder den Gnadensachbearbeiter dazu bringen, einer vorzeitigen Entlassung zuzustimmen, wer von den Frauen ist denn überhaupt bereit, in eine Einrichtung zu gehen, und wer kommt tatsächlich dort an und landet nicht schon auf dem Weg dorthin auf der scene?

Viele erschwindeln sich ihre frühere Entlassung mit Wohlverhalten und schönen Worten, mit Drogenabstinenz für kurze Zeit im Knast, und dann linken sie uns und sich selbst ab, steigen auf dem Weg zum Therapiezentrum aus dem Wagen aus und sagen dir Ade.

Wir müßten hier viel mehr Leute sein, um mit den Frauen diskutieren zu können über das, wie sie zum dope gekommen sind, und darüber, wie sie davon runterkommen, echt runterkommen und nicht nur mangels Gelegenheit, oder weil der Entlassungstag schneller kommen soll. Ganz selten schaffe ich es, eine Frau mal so in die Zange zu nehmen, daß sie sieht, was sie hinter sich hat und was ihr blüht, wenn sie einfach so wieder rausgeht. Aber dann pfeift auch schon das Funkgerät, weil an der Pforte ein Besucher steht, dessen Sprechstunde ich überwachen muß, oder eine Beamtin kommt, um mir zu sagen, daß sich wieder zwei prügeln.

Irgendwie kann ich das verstehen, wenn sie eine Therapie ablehnen oder wenn sie abhauen. Ich weiß aber auch, daß sie da etwas falsch machen, daß die allermeisten wiederkommen, wenn sie sich nicht vorher den Goldenen Schuß setzen. Die lockende Freiheit wird übermächtig, sobald sich die Gefängnispforte hinter ihnen geschlossen hat. Sie sehen nicht, daß sie genau wieder in die Unfreiheit purzeln. Wie sollen sie das denn auch sehen, wenn sie vorher monatelang nur durch Gitter geguckt haben?

Petra will raus. Soll sie. Egal, ob sie wiederkommt oder nicht. Es gibt wohl kaum einen Ort, an dem sie schlechter aufbewahrt wäre als hier. Und außerdem ist sie ehrlich. Sie gaukelt mir nichts von Therapie vor wie manche anderen. Auf diesen Gedanken reagiert sie unheimlich aggressiv, gerade weil sie es geschafft hat, in den letzten Monaten nichts zu nehmen.

Aber sie hat immer noch das Aufsaugende an sich, wie es alle Fixerfrauen und -männer haben. Alle Menschen um sie herum müssen für sie da sein, wenn ihr danach ist, und zwar sofort und ja keine Stunde später. Genauso wie dope zu ihrer Verfügung gestanden hat, wenn sie es brauchte.

Wenn ich das erlebe, macht mich das manchmal unheimlich sauer. Da krieg' ich einen Haß auf Petra und all die anderen.

Aber ich werde meine Stellungnahme schreiben. Und wenn sie wieder kippt, ihre guten Vorsätze doch nicht ausreichen, um ohne Drogen zu leben, vielleicht sieht sie dann ein, daß wir recht haben, wenn wir ihr und den anderen sagen, daß der Knast keinen Menschen vom Heroin heilt.

Ihre Schwester hat ja auch einiges kapiert. Die müßte man in ihren Einsichten stärken. Vielleicht gelingt es ihr, Petras Sprache so zu sprechen, daß es verständlich ist.

Der Leiter der Vollzugsanstalt für Frauen:

An das
Landgericht M.
– Strafvollstreckungskammer –

Betr.: Frau Petra T., geb. am 3.11.57, Gefangenen-Buchnr.: 661/79
Geschäftsnummer: 8 VRs 212/80
Frau Petra T. wurde am 4. Dezember 1979 wegen Diebstahls in dreizehn Fällen sowie wegen fortgesetzten Vergehens gegen das Betäubungsmittelgesetz vom Amtsgericht M. (412-113/79) zu achtzehn Monaten Freiheitsstrafe verurteilt. Die erlittene Untersuchungshaft ab 1.10.79 wurde angerechnet. Strafende ist der 31.3.81; der Zweidrittelzeitpunkt liegt bei dem 30.9.80.
In Folgenden ist die Stellungnahme des zuständigen Sozialarbeiters zum Antrag Frau T.'s auf vorzeitige Entlassung dargestellt:
»Diese Stellungnahme zum Antrag Frau T.'s gem. § 57 StGB

beruht auf zahlreichen Gesprächen mit ihr, auf Beobachtungen auf der Abteilung sowie auf Gesprächen mit den Eltern, der Schwester und mehreren Hausbesuchen, z. T. gemeinsam mit Frau T., bei den Eltern und bei der Schwester.

Frau T. wurde als jüngstes Kind der Eheleute T. geboren. Ihre ältere Schwester, inzwischen verheiratet und im eigenen Haushalt lebend, ist fünf Jahre älter.

Der Vater ist von Beruf Schlosser, die Mutter ist Hauswirtschaftsleiterin. Die Eltern waren 35 bzw. 30 Jahre alt, als Frau T. geboren wurde. Seinerzeit lebte die Familie in einer Kleinstadt. Herr T. arbeitete in einer Maschinenfabrik im Schichtdienst, Frau T. gab nach der Geburt ihrer Tochter Petra ihre Berufstätigkeit auf, um sich dem Haushalt und den Kindern zu widmen. 1963 kaufte der Vater aus eigenen Ersparnissen in M. ein Altenheim, was den Umzug der Familie in die Großstadt zur Folge hatte. Von da an arbeitete die Mutter im Heim mit. Während sie den hauswirtschaftlichen Bereich übernahm, kümmerte Herr T. sich um die übrigen betrieblichen Belange. Es wurden sechs Pflegekräfte eingestellt, die die sechzehn Patientenplätze rund um die Uhr versorgten. Das Heim ist inzwischen auf die älteste Tochter überschrieben, die eine Krankenpflegeausbildung absolviert hat und deren Mann den organisatorisch-kaufmännischen Bereich führt.

Die Eltern leben in einer geräumigen, gut ausgestatteten Vierzimmerwohnung, in der auch Petra T. einen großen Teil ihres Lebens zugebracht hat.

Beide Eltern bezeichnen ihre fast dreißig Jahre währende Ehe als nach wie vor harmonisch, wenngleich mir im Lauf der Gespräche von Frau T. einige Defizite in der Beziehung vermittelt wurden, die sie aber nie als grundsätzliche Infragestellung ihrer Ehe erlebt hat.

Die beiden Schwestern verstehen sich, besonders seit der Inhaftierung Frau T.'s, gut. Frau T. erhält von ihrer Schwester regelmäßig Besuch, während die Mutter sich nicht in der Lage sieht, in die Vollzugsanstalt zu kommen, da sie die Atmosphäre als zu bedrückend erlebt. Der Vater hat bisher einen Besuch bei seiner Tochter abgelehnt.

Frau T. empfindet ihre Kindheit und ihre Jugend als ziemlich trostlos. Ihre Eltern hätten immer nur ganz wenig Zeit für sie gehabt. Sie kann sich gut an die Zeit nach der Übersiedlung und nach der Übernahme des Altenheims erinnern. Da hätte vor allem die Mutter viel weniger Zeit für sie gehabt als vorher. Den Vater habe sie zwar früher auch nicht oft gesehen, aber seine arbeitsfreien Tage seien von Jahr zu Jahr seltener geworden. Sie sei zwar nach der Schule immer ins Altenheim gegangen, aber da hätte niemand Zeit für sie gehabt. Nur die alten Leute hätten sich mit ihr unterhalten.

Ihre Grundschulzeit sei problemlos verlaufen, und sie habe den Übergang zum Gymnasium spielend geschafft. Dort sei sie jedoch unter schlechten Einfluß gekommen. Sie habe sich den Anforderungen nicht gewachsen gefühlt, zu Hause keine Hilfe bekommen und sich dann gemeinsam mit einer Mitschülerin dem Unterricht mehr und mehr entzogen.

Mit ihren Eltern oder ihrer Schwester habe sie dieses Problem nicht besprechen können (»Vater hat sich abends vor die Glotze geknallt, und Mutter war viel zu müde. Und die Große war sowieso die Fleißige und Geliebte«). Bei ihrer Mitschülerin, die ähnliche Probleme gehabt habe, habe sie das notwendige Verständnis gefunden. Sie hätten sich tagsüber mit anderen Jugendlichen, die auch nicht zur Schule gegangen seien, getroffen und sich einen ›schönen Lenz‹ gemacht.

Nachdem ihr Klassenlehrer sich mit ihren Eltern in Verbindung gesetzt hatte, ging sie wieder ein paar Wochen zur Schule. Ihr Leistungsrückstand war jedoch bereits so groß, daß sie ihn kurzfristig nicht mehr aufholen konnte. Schließlich wurde sie nach Wiederholung der achten Klasse entlassen.

Danach arbeitete Frau T. etwa ein Jahr im Betrieb ihrer Eltern, aus dem sie nach Konflikten, vor allem mit dem Vater, ausschied. Schon vor diesem Zeitpunkt war sie in einen Kreis von Konsumenten sog. weicher Drogen geraten. Es waren vorwiegend Gleichaltrige. Für Frau T. stellt sich diese Zeit mit ihren damaligen Freunden heute noch als sehr schön dar. Es sei damals alles sehr friedlich und freundlich gewesen, und Auseinandersetzungen, die mit ihren Eltern wegen ihres späten oder Nicht-nach-Hause-kommens entstanden waren, verblassen in der Erinnerung neben den schönen Gemeinschaftserfahrungen in der Gruppe von Gleichgesinnten. Nachdem ihr Vater sie im Alter von etwa siebzehn Jahren aus dem Elternhaus hinausgeworfen hatte, lebte sie ein halbes Jahr bei wechselnden Freunden und Bekannten. Ihren Lebensunterhalt verdiente sie sich in einer Discothek als Bierzapferin.

In diese Zeit fiel ihr erster Heroinkonsum. Eine Freundin, die, wie Frau T. meint, damals noch nicht abhängig war und das Gift lediglich als Genußmittel gebrauchte, habe es ihr auf ihre wiederholten Bitten hin gegeben. (Frau T. berichtete mir übrigens recht offen über ihre Drogenkarriere.)

Die Freundin habe ihr erzählt, daß man sich nach dem Gebrauch von Heroin ganz sicher fühle und überhaupt keine Ängste mehr habe. Dies sei für sie – Frau T. – sehr verlockend gewesen, zumal sie ihre Situation schon als trostlos empfand. Sie habe besonders ihre Mutter vermißt, von der sie manchmal über Mittelspersonen Nachrichten oder auch materielle Unterstützung erhielt.

Nach anfänglichem Sniefen des Gifts begann Frau T. wenige Wochen später zu injizieren. Dies bedeutete, daß sie den Stoff, den sie zunehmend mehr brauchte, nicht mehr umsonst bekam, sondern kaufen mußte. Schon bald reichte ihr Verdienst in der Discothek nicht mehr aus, und sie mußte Geld durch Prostitution verdienen. Sie begann, gerade achtzehn geworden, in einem Massagesalon zu arbeiten.

Etwa vier Monate später erkannte sie erstmals die Ausweglosigkeit, in der sie sich befand. Die Freier im Salon hätten sie angeekelt, aber weil sie Stoff brauchte, arbeitete sie dort weiter, bis sie sich mit ihrem damaligen Freund entschloß, gemeinsam zu entziehen.

Dieser erste Versuch scheiterte. Zwei Tage später wurde ihr Freund verhaftet, als er Heroin kaufen wollte, sie flüchtete sich zu ihren Eltern.

Dort wurde sie nach anfänglichem Widerstand des Vaters wieder aufgenommen. Zu entziehen wagte sie nicht, da sie die Schmerzen fürchtete. Abends arbeitete sie täglich auf dem Straßenstrich, um Heroin kaufen zu können, bis eines Tages die Mutter den Konsum bemerkte. Zunächst versuchte die Mutter, diese Tatsache vor dem Vater und vor der Schwester zu vertuschen. Dies gelang jedoch dann nicht mehr, als es zu Diebstählen der Tochter im Haushalt kam.

Daraufhin gab es immer wieder erbitterte Kämpfe zwischen Frau T. und ihren Familienangehörigen. Während der Vater sie wieder hinauswerfen wollte, stellte sich die Mutter vor ihre Tochter und verwahrte sich gegen seine Forderungen. Die Mutter selbst habe Frau T. immer wieder angefleht, von der

Sucht zu lassen. Die ältere Schwester habe die Mutter wegen ihrer Nachgiebigkeit angegriffen.

Als sie selbst diesen Spannungszustand nicht mehr aushielt, verließ sie die Wohnung der Eltern. Danach lebte sie wieder in wechselnden Wohnungen, z. T. allein, z. T. mit anderen Leuten aus der Drogenscene zusammen.

Etwa ein Jahr später wurde sie beim Versuch eines Ladendiebstahls ertappt. (Das Verfahren wurde eingestellt.) Frau T. erkannte, daß ihr eine kriminelle Karriere drohte, und diese Tatsache veranlaßte sie, unmittelbar zu ihren Eltern zurückzukehren. Dort wollte sie mit ärztlicher Hilfe entziehen. Auch dieser Versuch scheiterte. Frau T. nahm ihrer Mutter Schmuck von beträchtlichem Wert weg und verschwand auf der scene.

Von da an verbaten Herr T. und seine ältere Tochter der Mutter, Kontakt zu Frau T. aufzunehmen. Allerdings schaffte es die Mutter in der Folgezeit noch dreimal, ihren Mann zu überzeugen, daß der jeweilige Entziehungsversuch der erfolgversprechende letzte sei.

Am 1. 10. 79 wurde Frau T. verhaftet, als sie auf der scene versuchte, eine kleine Menge Heroin an eine unbekannt gebliebene Person zu veräußern. Zu dieser Zeit wurde gegen sie bereits wegen einiger Beischlafdiebstähle ermittelt. Zu den letztgenannten Taten berichtete mir Frau T., daß sie diese begangen habe, weil sie einerseits viel Geld brauchte, andererseits aber auch den Wunsch gehabt habe, sich an den Kunden, die sie als ›Widerlinge‹ empfunden habe, zu rächen.

Den Vollzug der Untersuchungshaft und der anschließenden Freiheitsstrafe erlebte Frau T. zunächst als außerordentlich belastend. Unter dem Inhaftierungsschock stehend, begann sie unmittelbar, sich um einen Therapieplatz zu bemühen. Am Tag der Hauptverhandlung waren alle Formalitäten erledigt, und sie hätte sofort in die Einrichtung fahren können. Nachdem die Strafe nicht, wie von Frau T. erwartet, zur Bewährung ausgesetzt wurde, reagierte sie mit Aggressionen gegen sich und andere. In dieser Zeit war der Umgang mit ihr für die Mitarbeiter/innen und mich schwierig. Eine derartige Phase ist jedoch normal; ihr schließt sich bei sehr vielen Insassinnen eine lange Phase der Resignation und Passivität an, die sich, wenn überhaupt, erst wieder kurz vor der Entlassung zu mehr Aktivität hin verändert. Frau T. verhielt sich anders. Sie entwickelte sehr bald Initiativen, die zu einer Veränderung abteilungs- und hausinterner Abläufe beitrugen. Sie ließ sich in die Insassinnenvertretung wählen und arbeitete in diesem Gremium sehr konstruktiv mit. Ihrem Einsatz ist es zu verdanken, daß weitere Freizeitgruppen eingerichtet bzw. bestehende aufrechterhalten werden konnten.

Nach dem Anstaltsleiterwechsel im Frühsommer d. Js. trat Frau T. gemeinsam mit den anderen Vertreterinnen zurück, weil sie der Meinung waren, daß ihre Funktion nur Alibicharakter gehabt habe. Trotzdem hat Frau T. sich auf der Abteilung nicht zurückgezogen. Sie beteiligte sich nach wie vor aktiv am Gruppengeschehen.

Auf der Abteilung arbeitete sie regelmäßig und zufriedenstellend als Hausmädchen, nachdem sie sich von der Schulmaßnahme, wo ihr häufig Heroin angeboten worden sein soll, ausschließen ließ. Frau T's Delikte, deretwegen sie jetzt die Freiheitsstrafe verbüßt, stehen in direktem Zusammenhang mit ihrer Drogenabhängigkeit.

Ich erlebe sie als einen Menschen, der ausgesprochen soziale Fähigkeiten gelernt hat und diese in die Praxis umzusetzen weiß. Sie ist meines Erachtens ein Mensch, dem mit den äußerst beschränkten Mitteln des Strafvollzugs nicht geholfen werden kann. Trotz ihrer sozialen Fähigkeiten haben sich bei ihr aber auch gerade aufgrund der langen Drogenabhängigkeit Verhaltensweisen gefestigt, die ihr das Leben in der Freiheit nicht einfach machen werden. Ihr fehlt es an Selbständigkeit und an der Möglichkeit, sich Konflikten zu stellen, statt vor ihnen wegzulaufen. Dies wird auf dem Hintergrund ihrer Biographie verständlich: materiell überdurchschnittlich gut von den Eltern versorgt – als Kind mit Spielzeug, später mit Geld für Kino und Discothek – und emotional, von den Eltern sicher nicht gewollt, vernachlässigt, entwickelte sie sich zu einem Menschen, der Verständnis und Geborgenheit, die zu Hause nicht ausreichend waren, in seiner peer-group suchte, in der dann die Scheinlösung Drogen als die Lösung aller Probleme angeboten wurde. Hinzu kommt, daß hier offenbar Verhaltensweisen verstärkt gelernt worden sind, wie sie in unserer Gesellschaft üblich sind und wie sie auch von den Eltern geübt werden. Während die Mutter zu Schlaf- und Beruhigungsmitteln greifen muß, um mit den Problemen fertig zu werden, trinkt der Vater Bier oder ›schaltet‹ vor dem Fernsehgerät ›ab‹.

Ich habe mit Frau T. während ihrer bisherigen Inhaftierung oft über die Notwendigkeit einer Therapie diskutiert. Diese Möglichkeit lehnt sie für sich ab, da sie sich nach einem Jahr Strafvollzug nicht wieder einer von ihr als geschlossen empfundenen Institution ›ausliefern‹ will. Gewiß hat Frau T. hier ein falsches Bild von therapeutischen Einrichtungen. Die Ablehnung gründet sich auf Berichte von anderen Drogenabhängigen, die eine Therapie abgebrochen haben und die wahren Gründe für ihren Abbruch rationalisieren, indem sie die Einrichtungen als das Schlimmste, was es gibt, darstellen. Darüber hinaus ist der Drang nach unkontrollierter Freiheit nach der langen Haftzeit verständlich.

Frau T. ist sich sicher, daß sie, zumal sie seit Monaten erwiesenermaßen drogenfrei in einer Umgebung voller Drogen lebt, auch in Zukunft abstinent bleiben wird. Sie ist noch nie so lange clean gewesen wie jetzt.

Mit dieser Sicherheit steht Frau T. inzwischen im offenen Widerspruch zu ihren Eltern und zu ihrer Schwester. Die Eltern haben sich vor kurzem einer Elterngruppe angeschlossen, wo sie mit Eltern anderer drogenabhängiger junger Menschen Erfahrungen austauschen. Dort haben sie die Überzeugung gewonnen, daß ihre Tochter sich unbedingt einem therapeutischen Prozeß unterziehen muß. Sie lehnen eine Aufnahme ihrer Tochter in ihren Haushalt ab, sind aber bereit, ihr bei Drogenfreiheit Unterstützung zukommen zu lassen. Bei mehreren Ausführungen, die ich mit Frau T. hatte, wurde dieses Problem diskutiert.

Für Frau T. war dies zunächst schwer zu akzeptieren. Sie hat jedoch inzwischen den Vorsatz, ihren Eltern zu beweisen, daß sie mit ihrer Überzeugung falsch liegen. Sie hat sich inzwischen erfolgreich um einen Platz an einer privaten Ganztagsschule bemüht, wo sie ab Januar den Mittlere-Reife-Kurs besuchen will. Vom Wohnungsamt wurde ihr ein Wohnberechtigungsschein mit Dringlichkeitsstufe ausgefertigt, so daß mit der baldigen Zuweisung einer Wohnung zu rechnen ist. Bis zu diesem Zeitpunkt kann sie bei einem Bekannten zur Untermiete wohnen. Ihr Lebensunterhalt wird zunächst durch Sozialhilfe gesichert werden.

Es ist durchaus zu erwarten, daß Frau T. in Zukunft ein straffreies Leben führen wird, wenn sie drogenfrei bleibt. Erste Ansätze hierzu hat sie schon gemacht. Eine Erprobung kann

deshalb verantwortet werden. Ich befürworte die vorzeitige Entlassung Frau T.'s gem. § 57 StGB. Gleichzeitig schlage ich vor, Frau T. für die Dauer von zwei Jahren einem hauptamtlichen Bewährungshelfer zu unterstellen. Bei der Entscheidung bitte ich zu berücksichtigen, daß Frau T. Ersttäterin ist.«
Den Ausführungen des Sozialarbeiters schließe ich mich vollinhaltlich an.

Mehlig
(Anstaltsleiter)

Das Gericht:

Landgericht M.
– Strafvollstreckungskammer –
Geschäftsnummer: 8 VRs 212/80

Beschluß:
In Sachen der berufslosen Petra T., geb. am 3.11.57, zur Zeit in der Vollzugsanstalt für Frauen zu Buchnummer 661/79 hat die achte Kammer des Landgerichts M. in ihrer Sitzung am 12.9.80, an der teilgenommen haben Richter am Landgericht Metzner als Vorsitzender, Richter am Landgericht Krups und Richterin am Landgericht Ackel als Beisitzer, beschlossen:

1. Der Rest der Freiheitsstrafe wird ab 30.9.80 zur Bewährung ausgesetzt.
2. Die Bewährungszeit beträgt drei Jahre.
3. Die Verurteilte wird für die Dauer der Bewährungszeit der Aufsicht und Leitung des zuständigen hauptamtlichen Bewährungshelfers unterstellt.

Gründe:
Die Verurteilte verbüßt seit dem 1.10.79 unter Einbeziehung der Untersuchungshaft aus dem Urteil des Amtsgerichts M. (412-113/79) wegen Diebstahls in dreizehn Fällen sowie wegen fortgesetzten Vergehens gegen das BtmG eine Freiheitsstrafe von achtzehn Monaten.
Nach dem Bericht des Leiters der Vollzugsanstalt für Frauen kann verantwortet werden zu erproben, ob die Verurteilte

außerhalb des Strafvollzugs keine Straftaten mehr begehen wird. Die Verurteilte hat in die vorzeitige Entlassung eingewilligt. Gem. § 57,III StGB war die Verurteilte der Aufsicht und Leitung des Bewährungshelfers zu unterstellen.

Metzner   Krups   Ackel
ausgefertigt: Seiler, Just.-ang.

Der Bewährungshelfer:

An das
Landgericht M.
zu: 8 VRs 212/80

Betr.: Frau Petra T., geb. am 3.11.57

Frau T. wurde am 30.9.80 nach Verbüßung von zwei Dritteln ihrer Freiheitsstrafe von achtzehn Monaten entlassen. Geb. § 57,III StGB habe ich die Betreuung der Probandin übernommen. Nachdem sie mich einmal in meiner Sprechstunde aufgesucht hatte, gelang es mir in den darauf folgenden vier Monaten nicht, mit ihr in Kontakt zu kommen. Hausbesuche verliefen ergebnislos.
Gleichzeitig muß ich mitteilen, daß von der Staatsanwaltschaft bei dem Landgericht M. (Gesch.-nr.: 2 Op 6/81) erneut Anklage gegen Frau T. wegen Btm-Vergehens erhoben worden ist.
Ich rege an, einen Anhörungstermin festzusetzen.

Ruppert
(Bewährungshelfer)

Die Zeitung:
Am gestrigen Sonntagmorgen wurde in der Damentoilette am Museumsplatz die Leiche einer etwa 25-jährigen Frau aufgefunden. An Armen und Beinen waren zahlreiche Einstichstellen vorhanden. Es handelt sich vermutlich um das zweite Drogenopfer in diesem Jahr.

Der Staatsanwalt

An den
hauptamtlichen Bewährungshelfer
bei dem Landgericht M., Herrn Ruppert

In Sachen der Petra T., geb. am 3.11.57, wird mitgeteilt, daß das
Verfahren eingestellt worden ist, da sich die Sache durch den Tod
der Angeschuldigten erledigt hat.

Auf Anordnung
Kreisel, Just.-ang.

eva schott

24 stunden . . .
. . . im knast

vorsichtig öffne ich das linke auge. irgendwoher scheint die
sonne. sie sendet ihre strahlen warm durchs fenster – aber
welches fenster?
dann schrillt plötzlich der ton einer elektrischen klingel, gefolgt
vom melodischen geläute eines gongs, durchs haus.
und nun besinne ich mich: die sonne scheint durch ein mit einem
gitter bewehrtes fenster. so öffne ich auch das andere auge –
widerwillig nur, aber die glocke hat mich in die wirklichkeit
zurückgeholt. die wirklichkeit, in der ich mich seit genau sieben
und einer dreiviertel stunde befinde – eine wirklichkeit, die ich
mir nicht ausgesucht habe. und jetzt spüre ich auch meinen
körper wieder. die entzugserscheinungen, von denen ich während der nacht durch eine starke dosis beruhigungsmittel befreit
war, setzen wieder ein. und während ich mich stöhnend auf die
andere seite wälze, entsteht vor meinen augen noch einmal das
bild der ereignisse, die mich hierher gebracht haben. wieder und
wieder läuft das alles wie ein film vor mir ab. ich spüre den regen
auf meinem gesicht, die zupackenden hände der polizisten, das
gefühl der handschellen, die sie mir viel zu eng um die gelenke
befestigt haben, sehe die gesichter der männer des landeskrimi-
nalamtes, höre ihre fragen – und sehe mich stumm dasitzen,
unfähig, auch nur einen klaren gedanken zu fassen. ich erlebe
noch einmal die nacht im polizeipräsidium, die stunden auf der
holzpritsche, höre das schlagen der türen der polizeiwagen im
hof, die lauten stimmen und das gelächter der beamten – die
ganze nacht. der entzug setzt ein. die stunden schleichen dahin.
dann endlich – der morgen. graues tageslicht kommt durchs
gitter.
die zelle hat sich im laufe der nacht mehr und mehr mit frauen
aller couleur gefüllt. ich weiß nicht, wie ich den kommenden tag
hinter mich bringen soll. es gibt malzkaffee, ein trockenes
brötchen zum frühstück. gierig trinke ich den kaffee-wasser-
verschnitt, bilde mir ein, durst zu haben. nach kurzer zeit
erbreche ich mich – mir ist sterbenselend. ich will mit dem anwalt

telefonieren – aber es ist erst halb sieben. ich bin kurz vorm durchdrehen. endlich kommt ein sanitäter, gibt mir beruhigungs-mittel. dann folgen die unvermeidlichen dinge. erkennungs-dienstliche behandlung – fingerabdrücke, fotografieren.

inzwischen scheint die sonne – und ich hasse den tag. hoffnung kommt auf. hoffnung auf eine positive entscheidung des ermitt-lungsrichters. gleichzeitig breitet sich angst in mir aus. angst davor, daß ich nicht aus dem gefängnis entlassen werde. endlich kann ich telefonieren. der anwalt ist nicht da.

es ist mittag. die spannung in der zelle wächst. eine nach der anderen erzählen wir uns unsere geschichte – mehr oder weniger ehrlich. wir versuchen, uns dadurch von der harmlosigkeit unse-rer geschichte zu überzeugen. so recht will es keiner gelingen – auch mir nicht. warum vergeht die zeit nicht schneller – wann werden wir endlich dem ermittlungsrichter vorgeführt? können die da draußen sich vorstellen, durch was für eine hölle ich in diesen stunden gehe? und dann – mir scheints nach einer ewigkeit – heißt es: frau schott. mit mühe mich aufrecht haltend, gegen den zusammenbruch ankämpfend schleppe ich mich mit einem beamten an meiner seite eine etage tiefer, um die entscheidung des ermittlungsrichters zu erfahren. ich befinde mich einem manne gegenüber, der mich kaum eines blickes würdigt, mich auffordert, platz zu nehmen – wieder wirft mich diese mischung aus angst und hoffnung fast um. doch dann genügt ein blick auf den schreibtisch – und ich sehe das gefürchtete rosa papier – der haftbefehl. schnell suchen meine augen in dem wirrwarr von buchstaben nach meinem namen. ich finde ihn und weiß, die sache ist gelaufen. schon beginnt der herr, mir den inhalt des haftbefehls vorzulesen. irgendwas in meinem gehirn klinkt aus, und ich begreife nichts mehr. in mir hämmerts nur noch: es ist aus, es ist vorbei. schwach versuche ich, einwände zu machen, ihm zu erklären, daß ich einen sohn, arbeit und einen festen wohnsitz habe. die antwort besteht nur in einem: ihre bindungen kenne ich – wir sind hier nicht, um zu diskutieren. es ist aus – aus und vorbei. die sache ist gelaufen. der beamte, der die ganze zeit im hintergrund gestanden hat, nimmt mich am arm und bringt mich zurück in die zelle. in meiner schweißnassen hand halte ich das rosa papier.

wieder warten – eine – zwei Stunden. alle anderen frauen sind – bis auf zwei – schon weg, entlassen. ich höre, zum wievielten male heute schon – den schweren schlüssel im schloß: frau schott, mitkommen. obwohl ich mittags nochmals beruhigungspillen bekommen habe, hämmert mein herz wild gegen die rippen, habe ich das bedürfnis, mich ständig zu erbrechen. in diesen minuten glaube ich aufzuhören zu leben.

sie schieben mich in einen bus – ich frage nicht, wohin. es ist mir fast schon egal. wir fahren durch die stadt. ich nehme nur noch wenig wahr, werde von schüttelfrost geplagt, schmerzen. der beamte hat einen schlimmen fahrstil – ich glaube, das ist das ende. und das ist das einzige, was ich mir in dieser halben stunde fahrt wirklich wünsche und vorstelle – das ende . . . und doch bin ich so endlos weit davon entfernt. so leicht stirbt sich nicht. ich erinnere mich, daß hier meine sehnsucht nach sterben begann. mich sinken lassen in das dunkel, das mir so leicht und schmerzlos vorkommt, in eine tiefe ohnmacht zu fallen und nie wieder zu erwachen. der wagen hält vor einem großen stählernen tor. links reckt sich ein wachturm in die höhe, auf der ein wachposten steht. scheinbar ohne menschliches zutun öffnet sich das tor, der wagen rollt langsam in einen hof, bleibt gleich darauf wieder stehen. ein grünberockter kommt auf das fahrzeug zu. der beamte am steuer kurbelt das fenster herunter, wechselt ein paar worte mit dem mann neben dem wachhäuschen, steuert dann auf die grauen knastgebäude zu. wir sind in stadelheim angekommen, dem männergefängnis. ich frage mich, was ich hier soll. aus dem flügel, vor dem wir warten, kommen drei, vier beamte. wir steigen aus. einer der männer nimmt meine handtasche und persönlichen gegenstände, die mir am abend vorher im polizeipräsidium abgenommen und in plastiktüten versiegelt wurden, hinten aus dem auto und mit ins haus. vor und hinter uns gehen jetzt wachbeamte des gefängnisses. der weg führt flure entlang, an unzähligen zellentüren vorbei. wir kommen an einen aufzug. müssen warten. aber irgendwann werde ich auf der krankenabteilung einer frau vorgeführt. einer ärztin. die üblichen fragen prasseln auf mich ein: wie lange ich den drogenmißbrauch schon betreibe, wann ich das letzte mal eine spritze hatte, wieviel heroin ich jeden tag injiziere, wie es mir geht. – es geht mir höllisch. sie guckt mich an, als ob sie mich verstünde. holt eine schon bereitgelegte beruhigungsspritze heraus, jagt sie mir in den hintern. füllt ein formular aus, schiebt mich wieder aus dem zimmer. vorher eröffnet sie mir noch, daß ich in die jva aichach komme. in mir regt sich schwacher widerspruch. aber sie ist der meinung, ich brauche ärztliche versorgung. ich habe keine ahnung, wo aichach liegt und was mich dort erwartet. der entzug macht mich nahezu willenlos. wieder gehts die flure entlang, zurück in den aufzug. vor dem gebäude steht ein riesiger schubbus. doch die beamten führen mich daran vorbei zu einem bereitstehenden pkw. der auch gleich darauf losfährt. wieder vorbei am wachturm, wieder durch das stahltor. ich friere. der eine polizist meint, es geschähe mir recht, daß ich verhaftet wurde. er hat kein verständnis für drogengeschichten, egal ob eigenverbrauch oder dealen. interessiert mich nicht. einen moment lang denke ich daran, an einer ampel aus dem auto zu springen – mich auf der flucht erschießen zu lassen. aber ich bringe die energie nicht mehr auf. die spritze beginnt zu wirken. ich höre nicht mehr das geschwafel des mannes vor mir – jetzt ist mir alles egal. ich rutsche tiefer in das polster der rückbank – die sonne scheint mir ins gesicht. ganz von fern höre ich die geräusche des motors, die unterhaltung der beiden. endlich schlafe ich ein.

als der wagen hält, komme ich zu mir. ein blick aus dem Seitenfenster genügt, um mir zu sagen, daß ich angekommen bin. endstation aichach. von außen ein freundlich aussehendes gebäude – weinlaub rankt sich daran empor. beim aussteigen sehe ich den großen außenspiegel. ein tor öffnet sich, die beamten nehmen mich rechts und links am arm. einer der beiden hat meine sachen. so gehen wir nach drinnen. rechts, etwas erhöht, befindet sich eine glaskanzel, aus der jetzt ein mann in der obligaten uniform kommt. ich werde sofort weitergeführt. die männer verschwinden in der kanzel. unterhalten sich lachend, während ich mich kaum aufrecht halten kann, schwitzend und frierend in einem zugigen raum stehe. die fenster sind alle geöffnet. meine erste handlung in aichach: fenster schließen. ich stehe da, begreife gar nichts. einer der uniformierten kommt in begleitung einer beamtin. die halte ich im ersten moment für eine gefangene, der man einen schlüsselbund anvertraut hat. als erstes muß ich durch die sogenannte ›schleuse‹. hirnlos lasse ich alles über mich ergehen. die ganze szenerie, die ich schon im landeskriminalamt und im polizeipräsidium erlebt habe, beginnt von vorne. warten in einer zelle. wieder rumsitzen, frieren, schmerzen, schwitzen, erbrechen. warum erlöst mich denn niemand? ich drücke auf den knopf neben der tür. höre das klirren des schlüsselbundes. die tür geht auf. sie führen mich in einen raum gegenüber. die kammer. durchchecken. ich gebe meine persönlichkeit ab, bin nur noch eine nummer – die gefangene schott, gefangenenbuchnummer u 447. im nebenraum wird heisses wasser in eine wanne gefüllt. der aufforderung, mich zu baden, komme ich sofort nach. ich genieße das heiße wasser. für einen kurzen moment fühle ich mich ganz gut. ich schließe die augen. die stimme der beamtin bringt mich in die wirklichkeit zurück. sie fordert mich auf, die anstaltswäsche anzuziehen. in der weißen, vom vielen auskochen steifen unterwäsche ertrinke ich fast. aber das ist mir ebenso gleichgültig wie die filzpantoffeln und der graue kittel, mit denen ich mich von nun an als anstaltsinsassin zu erkennen gebe. von meinen persönlichen gegenständen bekomme ich nichts als den eyeliner und mein notizbuch. diese dinge werden mir zusammen mit einer zahnbürste, zahnpasta, zwei winzigen stückchen seife, einer ebensolchen anzahl handtüchern und waschlappen in einer plastiktüte in die hand gedrückt.

das spiel kann beginnen.

wieder taucht eine beamtin mit schlüsselbund auf. nimmt den rest, der von mir verblieben ist, in empfang. wir gehen vom keller eine etage höher. da knallt der knast voll auf mich ein. wirft mich fast um. ich sehe gitter – alle paar schritte gitter. vor mir auf-, nach mir wieder zuschließen. wir gehen durch das gebäude. es ist kreuzförmig angelegt. in der mitte befindet sich ein glasturm – die zentrale. rechts und links hoch über mir sehe ich zellentür an zellentür. ich bin unfähig, mehr zu registrieren.

die frau führt mich. wie ein schaf trotte ich neben ihr her – tür für tür – gitter für gitter hinter mich bringend. irgendwann kommen wir auf der krankenabteilung an. ich werde weitergereicht. sie schließen eine tür auf – weiß mit spion und kostklappe. meine zelle. irgendjemand redet auf mich ein – ich verstehe nichts. sehe nur das bett. spüre den wunsch, mich darin zu verkriechen. ich will endlich meine ruhe haben. der affe sitzt mir nicht mehr nur im genick, er hat mich voll gepackt. sie geben mir irgendwelche tabletten, tee. endlich liege ich, kann mich ausstrecken. falle in einen unruhigen schlaf. diese nacht bringe ich hinter mich. nehme nichts mehr wahr. keinen scheinwerfer vor dem fenster. keine kontrolle der diensthabenden beamtin. nichts mehr.

dann – ein sonniger morgen. ich liebe die sonne – unter anderen umständen. die realität hat mich wieder. eine grausame realität, der ich mich durch sterben entziehen will. doch dann lerne ich den knastalltag kennen.

Regina Bouzon

*El perro de ramon . . .**

Mit David war ich für zwei Wochen in Spanien. Wir wohnten in
einem der jetzt so selten gewordenen typisch spanischen Hotels.
Hatte wieder einmal entzogen, und die Sonne machte mein
Lebensgefühl erträglich.
Einmal nachts hatte David arge Kopfschmerzen, so daß er sich
kaum mehr bewegen konnte. Es war schon sehr spät, glaube,
etwa 3 Uhr. Ich stand auf, lief über die Terrasse, durch den
Garten, zur Rezeption, an der aber niemand mehr war. Daher
ging ich zu David zurück und sagte, daß ich rüberlaufen wollte, zu
dem neuen Hotel. Dort sei bestimmt jemand da, der Aspirin hat.
Dieses Hotel, ein skandinavisches mit zehn Stockwerken, lag am
Strand etwa 700 Meter von unserem entfernt.
Lief dann bald im Dauerlauf am Strand entlang, bis auf das
Wasser war es sehr still, der Sand dämpfte meine Schritte, fast
unheimlich. Ich fand mich schon sehr mutig. Doch ist es im Süden
nie so stockfinster wie bei uns. Obwohl, wenn es geschneit hat, da
ist es auch so ähnlich.
Das Meer mit seiner gleichmäßigen Bewegung war so ruhig. Es
ist mächtig und wirkt lebendig. Der Strand war sehr breit, und am
Rand standen kleine Kiefern. Nach einiger Zeit hörte ich mit
dem Dauerlauf auf. Verwundert über die Stille, spürte ich dann,
daß irgendetwas war, etwas stimmte nicht. Im Weiterrennen
stellte ich Überlegungen an, denn mir war es unheimlich und ich
bekam Herzklopfen. Überlegte, lauerte da wer in den Kiefern
oder war gar die Welt stehengeblieben? Nein, nein! Auch die
Ermahnung ›jetzt werde bloß nicht kindisch‹ half nicht. Da
stimmt was nicht, das fühlte ich, vielleicht ist es harmlos, wenn
ich wüßte, was da ist. Wenn ich mir etwas logisch nicht erklären
kann, werde ich schnell ängstlich.
Unermüdlich trabte ich weiter. Das Meer, so riesig und undurch-
sichtig, die immer wiederkehrenden, kleinen Wellen – es sah aus,
als würde es atmen, Spannung stieg in mir. Dann der Anblick der
so klaren Sterne, die Vorstellung, die Erde so riesengroß . . .

*. . . rumueve con el ravo (spanischer Zungenbrecher)

Und ich ganz alleine, so winzig, gehöre ich dazu??? War schrecklich schön. Mein Leben, ich, wurde mir richtig bewußt. Ich lebte
und dachte für einen Moment an München, Hektik und Zusein.
Dann war ich wieder hier und so glücklich. Wäre ich religiös
gewesen, hätte ich mich auf die Knie geworfen und gebetet.
Weiterlaufend kam mir wieder, daß da etwas war, das nicht
stimmte. Ein Schreck, da, das war es. Ich hielt meinen Lauf nicht
an. Ein großer Strandhund lief neben mir her. Beim Laufen
machte er kein Geräusch, und sein kurzes Fell hatte die gleiche
Farbe wie der Sand. Ob er mich beißen will? Nein, der lief ja
schon die ganze Zeit neben mir her. Seine Bewegung habe ich
sicher in einem Augenwinkel wahrgenommen, aber nicht regi-
striert, was es ist, und mich dann gefürchtet.
Hunden darf man nicht zeigen, daß man Angst hat. Aber, daß er
so hartnäckig in meiner Nähe bleibt, verunsichert mich. Bleibe
daher ganz zufällig stehen, schaue angestrengt, interessiert auf
das Meer, und mein Körper nimmt eine ernsthaft geschäftige
Haltung ein. Fehlt nur noch, daß ich zu pfeifen anfange. Die
Arme verschränkt, die Augen stur auf das Meer gerichtet,
beobachte ich, diesmal gezielt aus dem Augenwinkel, den Hund.
Der ist auch stehengeblieben und schaut mich an. Hüpfe etwas
verkrampft lustig weiter, der trabt mit, und wieder bleiben wir
beide stehen. – Es hat alles keinen Zweck, werde mich zum
Kampf stellen.
Tausend Gedanken schwirren mir durch den Kopf, Wörter und
Schlagzeilen wie: »Hund biß doch, wenn man rennt, Angst hat,
falsch, Hund riß Ohr ab, traue keinem.« Lauter Mist! Meine
Erfahrungen mit Hunden waren immer gut. Überlege, ob die
übliche Hundelocksprache jetzt angebracht wäre. Bei Babies
und Tieren benützt man sowas. Bei Babies heißt es: Duzi, duzi,
dududu, kneift dabei das Baby leicht in die Wange und sticht es
mit dem Zeigefinger gegen die Brust. Unmöglich, hat aber
Tradition.
Daher bücke ich mich jetzt, klopfe mit der flachen Hand etwas
hektisch auf meinen Oberschenkel, während ich die andere Hand
fingerreibend vorstrecke. Schnalze ein paarmal mit der Zunge,
wobei ich Zischlaute ausstoße, unterbrochen von zweimaligem,
im tiefsten Baß summenden »Khooohmm, Khooohmh!« Der
Hund hält fragend den Kopf schief, spitzt die Ohren und kommt
her. Lege ihm die Hand auf den Kopf und sage mit weitaus

dünnerer und höherer Stimme: »Guter Hund, nicht beißen.« Der Bann ist gebrochen, vertraulich graule ich den Hund an den Ohren.

Schnell erinnere ich mich an David mit Kopfschmerzen und laufe weg ins Hotel.

Dort waren wie erwartet Gäste wie Personal noch auf. Die vielen Leute, Stimmen, das Licht, hier war alles wieder so anders. An der Rezeption machte ich mich außer Atem verständlich: »Aspirin, Aspirina por favor.« Aha! Man gibt mir zwei, und schleunigst mache ich mich auf den Heimweg.

Den Hund habe ich in der nächsten Zeit noch öfters getroffen. Morgens, wenn ich ganz früh aufstand, da lagen oft mehrere im Sand. Hunde in Spanien haben mich überhaupt beeindruckt. Meistens sind sie herrenlos, abgemagert und werden oft mit Steinen verjagt, weil niemand sie will.

Wehmütig und mitleidig vergleiche ich ihr Leben mit dem vieler anderer und meinem.

Petra Burger

Wochenberichte
(Therapie in wöchentlichen Aufzeichnungen)

Es kommt nicht darauf an, was man erlebt hat, sondern wie stark man dabei empfunden hat. Das ist mir grad so eingefallen, als ich über die vergangenen Tage nachgedacht habe. Stark empfunden? Gar kein Ausdruck! Kreuzfeuer! Meine »Antennen« haben immer noch Überreichweite, und es kam und kommt ab und zu, daß ich das »Rückkoppelungspfeifen« nicht ertrage und sich der ganze Knast- und sonstiger Mief entlädt. Wie am Mittwoch. Ich wurde gefragt, wie ich Pichl sehe und wie ich mich fühle. Fazit: das geplante Aufnahmegespräch ist geplatzt. Dazu muß ich noch ergänzen, wenn mir zum Beispiel ein Feind ans Leben wollte, würde ich mich »stärken«, versuchen, mich selbst richtig einzuschätzen, und mich dann verteidigen – mit dem vollen, absoluten Einsatz, der allein es mir ermöglicht, mein Leben zu retten. Das *ist* meine/unsere Situation. Aber ich sehe zuviel »Spiel«, zuviel Verharmlosung. Das macht mich verzweifelt (vielleicht ist es den NS-Gegnern vor dem Kriegsausbruch ähnlich ergangen). Jeder denkt, er wäre die berühmte Ausnahme: »mir kann das doch nicht passieren« . . . »und wenn schon!« . . . ». . . ist ja immer alles gut gegangen . . .«. So, wie's gestern, am Freitag, der Sam geäußert hat. Da haut's mir den Vogel raus! Der Sam betrachtet jede Kritik am Verhalten und der Beziehung der Leute untereinander als Hausfriedensbruch. So ein Wahnsinn! Keine Veränderung, gleichbleibend »heiter bis wolkig« würde (nicht nur) hier Stagnation bedeuten. Durchhängen in einem kleinen (vielen kleinen) Punkt/en heißt Schlampereien bei Wesentlichem riskieren. Ich hab versucht, das/meine Meinung klarzumachen. Dabei hat's mich dann bei der Gruppenbesprechung am Donnerstag zerbröselt. Ich bin mir absolut mißverstanden vorgekommen. Ich habe nichts gegen den Mark, den Fritz oder den Florian. Ich pack nur diese Wand, diese Ignoranz nicht. Ich will auch keinen Unfrieden stiften, aber ich weiß auch, daß meine Vorstellung vom »Frieden im Land« anders ausschaut. Ich sagte dem Mark, daß er faul und egoistisch sei, und hab' mich geschämt, weil ich ihm ja noch nicht vorgemacht habe, wie's anders geht, und fühlte

mich ohnmächtig, weil ich weiß, daß es sinnlos ist, mit wortrei-
chen Gewaltakten TILT-Einstellungen zu brechen. Ich hab
gedacht, mich zerreißt's – so mußte ich heulen. Dann wollte ich
alleine sein. Aber die Ausbrüche haben viel gebracht. Nachein-
ander kamen Heiner, Hartmut, Heike, Boris und Mark aufs
Zimmer. Die Gespräche waren gut und die Luft gereinigt. Die
Sache mit Samuel (the rock) naja. Naja. Gut Ding braucht Weile.
Er hat uns/mich einen Millimeter näher an sich rangelassen.

Die Frauengruppe heute war wichtig für mich, weil ich grad über
meine Beziehungsprobleme zum Beispiel mit Archi schwer mit
den Jungs reden kann. Die machen da zu. Wie ich meine Rolle
und meine Schwierigkeit als Angehörige der Minderheit Frau
sehe, legte ich der Mehrheit bereits dar. Keine Spielchen, keine
Koketterie, Sympathie ja, Sex nein, und natürlich nicht das
Weiblein, sondern die Partnerin im Sinne von gleichberechtig-
tem Kumpel. Ich glaube, daß ich mich mit den Vorstellungen
durchsetzen kann oder bereits durchgesetzt habe. Dafür hörte
ich das Kompliment, ich sehe zwar aus wie 'ne Frau, benähme
mich aber wie ein »Hau-Ruck-Bauer« (im Spaß, versteht sich).
Boris und Hartmut sind o. k. Ich mag sie. Mit Sam Rotnase
rumple ich sicher noch öfter zusammen. Im Ganzen war's eine
schöpferische, aber erschöpfende Woche (halt 4 1/2 Tage).

In Zukunft werde ich, das habe ich mir vorgenommen, aus
diesem Wochenbericht ein Tagebuch machen. »Ist ja alles so
schön bunt hier« – nein, nein, kein Sarkasmus. Mir wird's nur
manchmal selber himmelangst bei dem D-Zugtempo. Was steht
da in dem Einführungsblatt: »Wer die Vergangenheit vergißt, ist
verdammt, sie zu wiederholen.« Tolles Zitat. Bloß bin ich da,
wie's scheint, nicht allzu lernfähig, und nicht nur ich. Sieht so aus,
als würden auch meine Mitpichler ab und zu von einer akuten
Amnesie befallen. Aber eins nach dem anderen. Spaziergang am
Sonntag – sehr gut. Die Gespräche oder sagen wir besser das
Plaudern hat mir gutgetan. Langsame Entspannung. Montag:
ackern. Im wahrsten Sinne des Wortes. Bei harter, körperlicher
Arbeit wie eben beim Hacken und Graben erkenne ich (m)eine
Leistungsgrenze. Der Erfolg ist klar erkennbar, das macht mich
zufrieden. Mit dem Boris zusammen macht's obendrein Spaß.
Am Dienstag ist ja dann der Mist mit Einar und Julius passiert.
Da war ich zunächst ganz schön ratlos. Gewalt ist Scheiße,
ganz klar. Aber ich bin froh, daß es als Konsequenz bei zwei

blauen Augen blieb. Über die Leute hab ich mich ein bißchen geärgert. – Nicht fragen heißt Gleichgültigkeit, zuviel fragen ist unverschämt und neugierig. Naja, ist schon schwer, da die Mitte zu finden.

Mittwoch – ohje, da bin ich schon beim wichtigsten Punkt meiner Wochenbilanz: beim Einar. Ich steh im Wald, und wenn ich sämtliche Bäume beschreiben wollte, wäre ich vom Schreiben bald handlahm. Also red ich lieber drüber. Im Moment fühl ich mich trotz einer gewissen Askese recht wohl. Ich hab ihn halt schon furchtbar gern, den Einar. Für wieviel dieses furchtbar gerne reichen kann? Nur wer behutsam in die Glut bläst, bekommt ein Feuer . . . Die Renate weiß schon, wie ich's meine. Jetzt ist Sonntagmorgen, weil ich mich mal wieder gedrückt habe, und natürlich gab's letzte Woche außer dem Frühlingsfest noch eine bemerkenswerte Sache: die Konfliktgruppe am Donnerstag. Obwohl die »Tätersuchaktion« erfolglos war, hat mich die Sache recht befriedigt. Durch sorgfältiges Zuhören und behutsames Einfühlen erreiche ich (vor allem für mich) mehr als durch Reden. Beim Thema körperliche und seelische Gewalt wurde ich nachdenklich. Dasselbe bei dem Problem von Heike. Sch . . ., ich krieg einfach keinen Draht zu ihr. Ich meide sie und weiß nicht genau warum. Dafür klappt's jetzt beim Sam. Er saß mir gegenüber und – ganz sanft – stellte sich bei mir ein Verständnis und Gefühl für ihn ein. Aber jetzt nochmal zu dem großen Schweigen. Ich war überrascht. So viel Ernst hatte ich wirklich nicht erwartet. Ich dachte eher, daß die inneren »Schweinehunde« dem Interesse für das Problem eines anderen bald ein Ende machen. Daß es nach, ich glaub, knapp drei Stunden ohne Ergebnis sowieso soweit war, störte mich nicht. Fazit: Erste Ansätze zu einem guten Gemeinschaftsgefühl. Ach ja, das gehört zu meinem persönlichen Wochenereignis: der Boris. Er sollte, sag ich mir grad, nicht am Schluß stehen. Wahrscheinlich passiert mir das, weil ich bedrückt bin, wenn ich dran denke. Das wär ja so gut, wenn das mit dem Bruder-Schwester-Gefühl hinhauen würde! Ich will's mit viel Geduld erreichen. Hoffentlich . . .

Ich mach's diesmal kürzer, weil's mir nicht so gut geht. Das Fieber schlaucht ganz schön. Das Wichtigste diese Woche ist die Beziehung zwischen Einar und mir. Ich will auch gar nicht erklären, warum, wieso, auf welche Art und Weise – rababerrababer –, ich laß es einfach, so wie's ist. Ich mag ihn, so wie er ist.

Ich sehe seine Fehler und Schönheiten, und dabei wird's in mir immer öfter ganz warm und klar. Das größte Problem sehe ich in meinem Dickschädel und meinen »Bocksprüngen«. Wenn irgendwas nicht so läuft, wie ich mir das so zusammendenk, werd ich leicht zum beharrlichen »Bohrer«. Man könnte auch sagen, taktisch stur. Ich glaub, ich mute dem Einar in der Beziehung auch ganz schön was zu. Mit den anderen Leuten bin ich unzufrieden. Da gibt's wenige Ausnahmen. Bei der Großgruppe hab ich mich richtig geärgert. Interesse? Für was? Jetzt komm ich ins Grübeln, und vor allem stinkt's mir gewaltig, wenn ich an die trüben Tassen denke. Das Ärgernis passiert bestimmt noch öfter, also laß ich's für heute. Mit meiner Gruppe komme ich ganz gut klar. Der Hartmut ist nach dem Gruppengespräch unheimlich lieb. Hat mir gestern Blümlichs gebracht. Freude, Freude! Ratlos bin ich beim Boris. Er zieht sich zurück.

Es war tatsächlich eine Martin-Woche. Merkwürdig. Das kleine Kieselchen, das die Steine ins Rollen bringt. Mein Dschungel hatte sich Ende letzter Woche zu einem beklemmenden Wust verfilzt. Am Montag, da war ich noch krank, latschte mir die Renate wegen Einars Nachtwache auf die Zehen. Meine Reaktion – das Übliche. Danach, jetzt schreib ich einfach von dem Schmierzettel ab: Manchmal fühle ich mich furchtbar müde und alt. Ich weigere mich, über das »Wie und Warum« nachzudenken. Zum tausendsten Mal meine persönlichen Farbschattierungen auszuforschen. Ist es noch grün oder grüner oder schon braun? Oder überhaupt. Und was ist, wenn die anderen gar kein Grün sehen, sondern ein Grau? Grau und grün bleibt grün = graugrün – grüngrau. Leckt mich, Grauseher! Ich lag im Bett und habe einfach nicht den richtigen Gang reingekriegt. Das war höllisch. Dann hat's mich gerissen. Raus aus dem Bett und geschrieben: »Nicht meine Prinzipien und Ideale lieben, sondern mich selbst. Jetzt verstehe ich den Film ›Das zweite Erwachen‹ . . . Wenn ich für andere lebe, ohne für mich zu leben, ist da kein Ziel, kein Erfolg. Dann nötige ich andere dazu, es für mich zu tun. Ich freu mich. Gut. Am Ball bleiben.« – Das mach ich auch. Schwierig wird's, wenn der Einar meine Schöpferpausen sabotiert. Wenn sich bei mir wieder mal alles verkrampft und ich meine Ruhe haben muß, bin ich nicht immer taktvoll und einfühlend. Leider.

Grad heute, beim Eiermalen hab ich gemerkt, wie gut's mir tut, wenn ich mich mit mir alleine beschäftige. So vor mich hinwurschtle, was Schönes fertigbekomme. Da werd ich mir selber bewußt, und seltsamerweise sehe ich die Leute auch bewußter. Nichts ist mehr überspannt. Ich bleib mal bei dem »die-Leute-bewußt-Erleben« – der Moritz. Ich habe seine Gefühle und seine »Verballung« voll gespürt. Aber die Ausstrahlung hatte keinen Bezug zu der Person Moritz. Das ändert sich erst jetzt langsam. Zu den Gruppen dieser Woche fällt mir eigentlich nur die Bezeichnung »Kraftakte« ein. Hartmut, Moritz, Heike (Margot). Bei Heike und mir taut's. So ein verhautes Frühstück hat halt auch Vorteile – in diesem Fall. Ich bin zwar immer noch ein ganz schöner Konfusius, aber die Petra als Persönlichkeit dringt langsam durch: Beharrlichkeit bringt erhabenes Heil. Diese Chinesen . . .! Wenn nur der Einar mehr die Petra und weniger seine Wünsche sehen könnte! Ich kann mit ihm reden und lachen. Das ist gut, besser – Einar. – Ach so, warum's ne Martin-Woche war. Ja, weil er mich mit draufgebracht hat, daß es für mich doch eine Möglichkeit gibt, mich wieder wohlzufühlen. Anders kann ich das jetzt noch nicht sagen. Ist halt so ein Gefühl. Es stört mich auch nicht, wenn ich ab und zu mal auflaufe.

Ich bringe einfach nichts zusammen. Ist schon Scheiße, wenn man sich nicht ausstehen kann. Zu schreiben gäb's genug. Über die Stimmung an und nach Ostern. Über das Werben um Sandra, das ich gar nicht recht verstanden habe. Dann war da noch die Fahrt nach München mit Martin und was dabei rauskam. Die Frauengruppe und mein Zorn auf Margot, die verkniffen stumme Auseinandersetzung bei der Großgruppe. Einar und Petra – ich und Einar. Zuviel trübt den Blick für das Wesentliche. Ich bin nah dran, aber es zieht sich. Punkt.

Ganz klar. Ich habe mich gegen diese Zweiteilung Peter-Petra gewehrt. Ich sehe zwar die zwei Seiten bei mir und ihren manchmal übergangslosen Wechsel, aber der Gedanke, das zu ändern, hätte (hat!) bei mir Gehirnwäschepanik ausgelöst. Weh dem, der mir ans Leder will. Dachte ich mir und hab's mir selber gegerbt. Am Dienstag, nach dem ersten Hormonschub (ich befürchtete schon, plötzlich eine hellere Stimme zu bekommen), ist es mir total mies gegangen. Ich hätt' sterben mögen. Und bekam langsam den Verdacht, daß da vielleicht doch was dran sein könnte. – Es stimmt schon, das mit dem Kriegführen gegen mich als Frau. So ganz anfreunden kann ich mich allerdings noch nicht ganz mit ihr. Oh je, ich merk grad, daß ich von der Küche so

k. o. bin, daß mir lauter Blödsinn einfällt. Ich wollt grad schreiben, naja, mein Einfluß auf mich ist ja nicht der schlechteste . . . Stimmt wirklich. Die Pille vertrag ich langsam. Mein Mißtrauen gegen Renate verliert sich. Ich kann mich zur Zeit ganz gut leiden, und die Zwangsjacke streif ich immer öfter ab. Das Ding kostet ganz schön Kraft. Ich hab's am Mittwoch in unsrer Gruppe gemerkt. Geredet wurde über Sam's Treiben (ich finde, daß er sich treiben läßt) und über mein Problem. Der Sam geht immer gleich auf wie eine Dampfnudel, wenn ich seine »Hintertürsprüche« hinterfrage. Hoffentlich geht ihm bald mal ein Licht auf. Boris und Hartmut sind mir ab und zu recht fremd. Aber ich wehre mich dagegen, daß das nur an mir liegt. Hartmut muffelt zur Zeit wieder ganz schön, und wenn er so einen auf »Zwiderwurzn« macht, geh ich ihm aus dem Weg. Aber Kuchenbacken kann er. Boris hat mir bei seiner Feier am Mittwoch gefallen. Die anderen waren auch gut drauf. Bei mir hat's ein bißl gedauert, bis ich mich warmgelacht hatte. Der Einar war erstaunt über meinen Mut zum Häßlichen. So hat er meine Grimassenschneiderei beim Spiel bezeichnet. Ich hab's, wie soll's anders sein, in den falschen Hals bekommen, weil ich eben was gegen knitterfreie Weiblichkeit habe. Gottseidank war mein Wurfgeschoß eine der fast unverwüstlichen Blechtassen. Danach kam ich mir ganz schön blöd vor, vor allem weil Einar geduldig und verständnisvoll reagiert hat. Der Julius hat mir von seinen Julius-Charly-Sprüngen erzählt. Ich glaub, er hat mich voll verstanden, ihm geht's ja ähnlich. Jetzt ist's halt so – seit dem Gespräch mit der Renate fühle ich mich irgendwie besser. Ich bin nicht mehr so verunsichert. Die Gruppe am Donnerstag war 'ne richtige Erholung. Miteinander träumen verbindet. Ich habe gute Träume und schöne Gefühle erlebt.

An die Sache am Freitag denk ich ungern. In der Küche gab es Streit. Zwischen mir und Einar. Ich glaube, ich spielte da voll Macht aus. Klar hatte ich recht, gerade deswegen war es mein Fehler, daß ich mit diesem im-Recht-sein (und die Übrigen im Rücken) den Einar niedergewalzt habe. Er schlug nach mir. Die Stunden danach war alles in mir abgestorben. Nach einem Gespräch mit Doris kam Einar ganz traurig und sagte mir, er verstehe es, wenn ich mich von ihm zurückziehe. Da war ich vielleicht sauer. Ich hätte eher erwartet, daß er Haare raufend, auf Knien um Verzeihung gefleht hätte (wie der Gerd), aber so was! . . . Einar war natürlich total verwirrt, und die Situation bekam etwas Komisches. Ich hab ihn einfach bloß noch gern gehabt. Was aber nicht heißt, daß ich meine Meinung in puncto Schlagen geändert habe. Ein zweites Mal dürfte das nicht passieren. Der Einar weiß es auch.

Diese Küche, der Einar, die Leute, ganz Pichl – ein bißchen viel, wennst alles auf einmal machen willst, findst net, Petra? Gut machen willst's, versteht sich. Perfekt. Die Frage ist nur, was überwiegt. Die Liebe zum Perfekten, Unangreifbaren oder die Furcht vor dem Unbeliebtsein. Woher das bei anderen kommt, ist klar. Machtausspielen ist ja auch eine beschissene Sache, da darf man sich wehren. Dabei ist grad Macht etwas Erschreckendes für mich. Ob ich sie habe oder zu spüren bekomme. Mit der Küche hat der Mist jedenfalls angefangen. Ich will's gut machen und hab halt das Drachenimage schnell erreicht. Das ist schon merkwürdig. Man kann sich allein durch die Angst vor Ablehnung unbeliebt machen. Beim Hartmut und Boris hatte ich das Gefühl. Zuerst das ungute Gefühl, weil ich den »Elitejob« nur durch Hartmuts Haxn bekam. Dann die Sache mit dem Kaffee. Die Angst vor stillen Vorwürfen hat sich ganz schön aufgebaut bei mir. Dazu kommt noch, daß ich selber fast nicht loben kann. Das beste Lob ist einfach, wenn ich am Umfallen bin. Wenn dann das »Schulterklopfen« ausbleibt, ist's freilich fad. Erbost bin ich, wenn jemand kommt und sagt: Du Arsch, vertrödelst Deine Zeit mit Spielereien. Tu endlich was. Meine Gruppe hat sich vernachlässigt gefühlt. Ich war am Umfallen und erbost (siehe oben) – (die haben was gegen Dich . . .), also rein in den Tarnanzug, runter in den Schützengraben – Reserve – Feuer frei!

Die Gruppe am Donnerstag: oh mei. Da hab ich, wenn ich von meinen Wunschvorstellungen ausgehe, eine miserable Figur gemacht. Ich hab gar nicht begreifen können, was die alle eigentlich von mir wollen. Jetzt fällt mir das Lied vom Ambros ein: So alah wiera Staa . . . und so unbeweglich. Ich laß mir doch nicht einreden, daß ich keine Gefühle zeige. Diese blinden Rosinanten! Bei der Großgruppe mit Paul und Oskar hat's mich gefroren. Beim Paul war ich ein paar Augenblicke lang verzweifelt. Wehr Dich, wehr Dich! Den Gedanken hab' ich gespürt. Ich war nicht enttäuscht von den beiden. Es war ein unangenehmes Spüren von Mitleid und Zorn. Das Thema Rausch ist für mich tabu. Ich lehne Schwäche in der Beziehung ab. Jetzt ist es so, ein richtiges Interesse an den zweien habe ich nicht, obwohl ich grad den Paul mag. Das gemeinsame Ziel, das wir vorher hatten, ist halt in Frage gestellt worden.

Also. Zu dem Ausflug am Sonntag konnte ich zuerst gar keine rechte Lust entwickeln. Die Sache mit der Speisekammer und mit Hartmut war noch am Gären. Aber dann war's gut. Obwohl mich die vielen Eindrücke fast so ausgewaschen haben, wie's der Kalkstein in den Steinbrüchen war. Einfach so zusammensein – gar nicht so schlecht. Am Dienstag beantworteten wir in der Aindlinger Schule die Fragen der Schüler und Lehrer. Drogenfragen. Ich bin mir blöd vorgekommen, als ich sagte, daß ich 1970 angefangen habe. Das war mir peinlich. Nachdenklich haben mich die Fragen und die Antworten natürlich gemacht. Der Rudolf kam mir nicht steinern vor. Das ist ein irre gutes Gefühl, wenn man weiß, daß einem geglaubt wird. Oh, ich seh grad, das war ja der Montag, in der Schule. Am Dienstag ist der Mark durch unser Tor. Er wollte gehen. Da ist mir erst richtig aufgefallen, wie sehr ich ihn vermissen würde. Und, daß ich eine feige Sau bin. Wir haben eine sehr gemeinsame Wellenlänge. Sagt Mark. Ich weiß es auch. Wenn er mich ablehnen würde, wär das schon was anderes, als wenn's der Robert macht, wie vorhin. Die Julius-Robert-Gang macht mir zu schaffen. Den Robert kenne ich zuwenig. Unter Julius' Fittichen heißt das Zweier-Gespann: Macht. Ich bin wachsam und mißtrauisch. Kommt was Gutes? Nein. Zuerst keine Reaktion vom Robert, als ich ihm sagte, daß ich bei mir nur eine beginnende Ablehnung merke. Das war letzte Woche. Am Donnerstag bei der Gruppe hat mich Julius bewußt an meiner wunden Stelle – Kopfgezeter – angegriffen. Ich habe mit ihm ja über meine »Sprünge« gesprochen, drum empfand ich's als persönlichen Angriff. Ausgerechnet in einem Augenblick, wo bei mir eben gar kein Kopfgezeter war. Das tat weh. Boris hat mir geholfen. Manfred auch. Gott sei Dank. Ich hab ganz schön geheult. Nach fünf Minuten war's vorbei. Wer Kampf will, der soll ihn haben. In meiner Gruppe fühle ich mich jetzt freier. Ich hab's bei unseren Gesprächen auf der Wiese gesagt. Betroffen war ich, weil ich die Probleme von Hartmut und Sam nicht so mitbekommen habe. Ich bezog das Verhalten damals auf mich. Jetzt kenne ich wieder ein wenig mehr von ihnen. Dasselbe trifft auf den Oskar und die Donnerstagsgruppe zu. Nicht mehr und nicht weniger. Das Vertrauen zwischen Einar und mir wächst, aber es gibt ab und zu Kämpfe. Ich glaub aber, daß die dazugehören.

Seit Montag hat mich dieser Wahnsinnige von Frauenarzt in die Wüste, sprich ins Bett verbannt. Untätigkeit verursacht bei mir leider auch ein gewisses Unbehagen. Darum habe ich mir gesagt: Sieh das Gute an der Sache, nimm's als 'ne Woche der stillen Besinnung und meditiere über dich und die Welt und was es sonst noch gibt. Und jetzt folgt ein Satz mit X. Am Dienstag kam Rita, am Mittwoch die Lisa. Natürlich bin ich ein bissel eifersüchtig auf die Zuwendung, die sie von allen Seiten kriegen. Wär ja schlimm, wenn's mir nichts ausmachen würde. Wie gut, daß es da ein angeborenes Vorurteil gibt, durch das man letztlich doch am besten abschneidet. Trotzdem habe ich beim Einar Angst gehabt. Furcht vor der Erfahrung vielleicht, doch nur eine two-months-love-affair zu sein. Wenn ich Angst bekomme, stirbt jedes Gefühl, jedes freundliche, echte Gefühl ab. Ich glaub, der Einar kann gar nicht erfassen, wie sehr er mir oft die Furcht nimmt. Ich fühle mich dann wohl und mag die Menschen. Den Hartmut zum Beispiel. Oder den Boris und den Mark. Ich war die Woche offener, weil ich weniger Angst habe. Am Donnerstag bekam ich doch noch einen Dämpfer. Ich mußte um meinen Tee kämpfen. Oder besser, gegen das Gefühl ausgeliefert zu sein, wie im Gefängnis oder die Jahre vorher dem Gift. Wenn ich so nachdenke, war es trotz Wirrwarr und kaputter Speisekammer-tür eine gute Woche. Hartmut meinte, daß sein Gefühl zu mir und zur Gruppe auch ohne »Gruppendruck« besser geworden sei. Das ist bei mir auch so. Was mir irre gut tut ist, daß ein paar Leute zu mir kommen und mir ihre Probleme mit dem Verliebt-sein oder Schwierigkeiten mit dem Alleinsein überhaupt erzählen. Das bringt mir selber ganz schön viel.

Ich bin empfindlicher geworden, verletzbarer. Deshalb hat mich der Angriff von Boris und Sam so getroffen. Ich wollte mir das »mich-bewußt-Wahrnehmen« nicht mehr zerstören lassen. Das ewige Kämpfen und Einigeln habe ich satt. Deshalb wollte ich gehen. Mit meiner Gruppe konnte ich nicht mehr zusammensein. Ich bekam außerdem das absolute Tilt-Gefühl. Außer Nichts – nichts. Der Bernhard hat, glaube ich, irgendwie das Richtige gesagt. Die sture Gleichgültigkeit war weg, und ich bin noch da. Meinen Perfektionismus in der Küche leg ich so weit's geht ab, und es läuft besser. Daß Manfred und Birgit jetzt in unserer

Gruppe sind, finde ich gut. Mein neues Zimmer habe ich heute wohnfertig gemacht und bin ganz zufrieden. Schwierig wird's halt jetzt, wenn ich mit dem Einar zusammensein will. Ich hab ihn schon narrisch lieb, wenn's mir auch oft schwerfällt, mir selbst einzugestehen, wie stark das Liebhaben ist. Ich kann oft gar nicht mehr richtig richtig vernünftig sein. Und mir fällt dann oft der blöde Spruch ein: Liebe macht blind. Naja. Die Feste waren gut bis Spitze. Fest . . . fester . . . am . . . Im Moment bin ich trotzdem daneben. Diese Oskar-Paul-Geschichte hängt mir zum Hals raus. Das, was bei mir heute während der Gruppe los war, kann ich noch nicht ganz begreifen. Gottseidank hat mich niemand direkt gefragt. Übrigens: Schön, daß du wieder da bist – Renate.

Diese Woche kam die Eva. Zuerst hatte ich Angst, die könnte mir den John mitbringen. Jetzt bin ich froh, daß sie ihn mir mitgebracht hat. Außer sich selbst. Ich hab die Eva lieb. Sie hat vieles, was ich noch lernen will. Warum ich froh bin? Zuerst habe ich mich gefürchtet vor den Vergleichen. Jetzt weiß ich, daß ich sie längst mache und daß sie für meinen wichtigsten Abschied sein müssen. Die Birgit wollte gehen. Das war am Freitag. Ich war wütend und mal wieder total hilflos. Ich bin froh, sie noch hierzuhaben. Zwischen Evas Ankunft und Birgits Abbruchversuch ist ein Wachsen von guten Gefühlen zum Hartmut und das Wachsende, in erster Linie körperliche Schwächegefühl. Ich lehne es ab. Ich renne dagegen an. Der Arzt sagt – zu niedriger Blutdruck – ich weiß nicht so recht. Bei der Gruppe am Donnerstag ging er mir kurz auf 180. Paul! Alle Woche wieder. Von der Perspektive »es allen-Leuten-rechtmachen-wollen« aus verstehe ich jetzt zumindest das Verhalten von Paul. Damit kann ich was anfangen. Schau an: Jetzt hätt ich um ein Haar wieder was gelöscht. Ich lerne ein fast neues Gefühl (für mich) kennen. Die Eifersucht. Gar nicht so einfach. Aber gut. Julius' Geburtstag. Die Tortenschlacht vor der Vollendung des Kunstwerks. Im Moment brauch ich ein bissel Ruhe. Es werden mir zu viele Leute. Und die Sache mit dem John – da kau ich dran.

Trotz Durcheinander eine Woche untereinander. Bei uns in der Küche läuft es wie geschmiert, und wenn ein leerer Topf 10 Minuten länger als nötig rumsteht, faß ich das nicht mehr als persönlichen Angriff auf. So viel, wie ich mit Eva, Hartmut, Einar und Sam gelacht habe, brachte ich die ganzen letzten

Wochen nicht zusammen. Das Durcheinander kam ja von Moritz und Heikes Abbruchversuchen. Auf den Moritz hatte ich eine Wut, weil er seine ganze Scheiße auf Birgit abgeladen hatte. Bei der Heike bin ich ganz schön rotiert. Was mich noch mehr ins Schleudern gebracht hat – der Abstand zum Einar. Das war das größte Durcheinander. Mir fällt auf, daß es für mich irrsinnig schwer ist, mich an solche Konflikte zu erinnern. Um was es ging, wie, warum nicht, ob überhaupt, usw. – als hätte ich einen Donnerbalken vor dem Kopf. Ich erinnere mich ja auch kaum an Streit mit dem John: Ich erinnere mich jetzt beim Streit mit Einar nur daran, daß ich die Flucht antreten wollte, weil ich merkte, er sammelt Minuspunkte bei mir. Gesagt oder gemeint habe ich: laß mich mal ein bissel alleine, damit ich dich nicht langweile und nicht in die Ecke gestellt werde. Dann waren auf einmal zwei sprachlose Tage das Ergebnis und stammelnde Hilflosigkeit meine Reaktion. Wer meint was? Kraftprobe? Motivationsprüfung? Teenagerspiele? Renate, sag mir ja nie, daß ich mir was vormache, bevor ich selber nicht sicher bin, daß es nicht stimmt. Ich weiß nach dem Gespräch mit dir, daß ich geliebt werden will und daß ich nie kapiert habe, wie sehr ich es brauche. Ein bißchen Liebe und der Rest 'ne chemische Formel. Die Gruppe heute steckt mir noch in den Knochen, ich merk's. Es war, als hätte der Hartmut meine Gefühle erzählt. Aber der Sam war die andere Stimme. Hinterher ging's mir wieder gut. Ich bin mir verstanden vorgekommen. Blöde Formulierung, aber ich kann's – ich hab gemerkt, die mögen mich richtig.

Daß es dem Hartmut schlecht geht, habe ich am Tag nach unserer Nachtwanderung (irre!) schon gemerkt – hab mir auch denken können, daß die Eva was damit zu tun hat. Aber wie und was genau, und vor allem, daß es ihn so runterhaut, hat mich ganz arg getroffen. Ich schieb so was immer gern weg, obwohl ich froh wäre, wenn ich nur irgendwas machen könnte. Aber noch froher bin ich, daß die Renate den Hartmut durch den Tunnel gebracht hat.

Die Beziehung zum Einar war diese Woche ganz schön verfahren, um nicht zu sagen mies. Ich weiß, daß sich ein paar Leute fragen, warum und wie wir überhaupt eine Beziehung haben. Vielleicht weniger wegen dem Altersunterschied, sondern, so denk ich mir, weil wir beide doch ganz schön schwierig sind, dazu noch recht eigensinnig. Die besten Voraussetzungen für Nonstop-Schwierigkeiten. Irgendwie bin ich's leid, ständig für mich meine Motivation umzugraben, das Unterste nach oben und umgekehrt, und jeden unbequemen Stein als persönliches Versagen zu betrachten. Als er am Donnerstag so verzweifelt war und der Schmerz durch sein schillerndes Schneckenhaus brach, hätt ich ihn erdrücken können vor Erleichterung. Außerdem kenn ich das Gefühl, nirgends daheim zu sein, selber zum Erbrechen gut genug. In puncto John tut sich was bei mir – mein erster Traum in Pichl, und ich kann mich sogar daran erinnern. Die Träume (seit drei Tagen) sind anstrengend. Ich rede im Schlaf und wache von den Schweißausbrüchen oft auf. Daß Heike und Günther abgehauen sind, ist für mich kein Thema mehr. Die Heike mag ich einfach zu sehr – trotzdem fühle ich mich ihr gegenüber nicht mehr so ungezwungen. Zum Günther habe ich außer Ärger überhaupt kein Gefühl. Irgendwie tut er mir auch leid. Warum? Weil ich glaube, daß ihm in Sachen Gift noch eine ganze Kronleuchterfabrik aufgehen muß. Das entschuldigt aber nichts Geschehenes. Morgen komme ich auf den »Weg«.* Nicht der 2. Schritt – einer unter vielen, vielen. Ich weiß aber, daß ich mich langsam ändere.

Am Sonntag war's soweit. Obwohl ich als Fuchs kläglich versagt habe, waren fast alle zufrieden. Ich sehr. Am Montag ging der Hartmut. Nicht plötzlich, aber so absolut, daß wir alle die Nerven verloren haben. Mir kam die ganze Scheiße der Geliebten und auf ewig Verlorenen mit solcher Gewalt hoch, daß alles andere zurückweichen mußte. Ich wollte nicht mehr verlieren. Ich will nie wieder Verlierer sein. Nicht, wenn dahinter Gift und Rausch stehen. Wir habe einer neben dem anderen gekämpft – Einigkeit macht stark – und verloren. Oder gewonnen. So sehe ich es jetzt. Wir haben gesehen, daß es weitergehen muß – egal, was passiert. Was mich noch mitgenommen hat, waren die Gegensätze: die hoffnungslose, selbstmörderische Resignation von Hartmut und das Aufbäumen von Sam. Es war zuviel. Der Einar war auch noch am Hängen. Zuerst habe ich noch verbissen alles ertragen wollen, und dann war alles weg. Ich hatte einfach für nichts mehr Kraft. Nicht für Hartmut und für Einar, nicht für die anderen und schon gar nicht für mich. Am Mittwoch war ich dann wieder auf den Beinen. Wie immer. Selbstzerstörerische Zähigkeit? Ich

* 2. Schritt im Therapiekonzept

glaub schon. Wo kann man sich mehr peinigen als beim Kämpfen? Streichelt man sich nicht ein bißchen beim Aufgeben? Nur so ein Gedanke.

Der Hartmut ist wieder da. Ich hänge an ihm nach wie vor. Was ich mir wünsche, habe ich gesagt. Was ich von der Gruppe hielt, auch. Zu lange, quälend, zu viele Schweiger, nicht effektiv (Kleingruppe!), zuviel Sensationslust. Ich glaube, daß Hartmut hochkommt. Ich wünsche es mir. Der Ausflug war Spitze, wenn auch hart bezahlt. Trotzdem wieder kein Schaden ohne Nutzen. Die Beziehung zum Einar ist schwierig. Wir müssen beide noch viel lernen. Ich habe ein starkes Gefühl für ihn. Irgendwas ist daran so neu und fremd schön, daß es mich hilflos und verwirrt macht.

Die Wochenberichte ab dem 17. schreibe ich jetzt nach. Das heißt, den ersten übertrage ich von meinem Spickzettel. Im Zurückschauen kommt mir manches, was ich da notiert habe, schon wahnwitzig vor. Ich schreib's trotzdem ab: Es wird langsam heller. Diese Woche war ich gut drauf. Das Doppel mit Renate war zwar wie erwartet kein Konfliktdisput mehr, aber ich glaub, allein, daß sie beim Gespräch zwischen Einar und mir dabei war, hat manches verändert. Was genau, weiß ich nicht – ich fühl's nur. Gestern abend hatte ich ein unbeschreiblich schönes Gefühl. Ich hab' mir gedacht, das schreibst du in deinen Wochenbericht. Ich glaub', es ist 'ne ganze Weile her, daß ich glücklich war. Ich meine richtig glücklich. Trotz dem Thema in unserer Gruppe: Sam – Hartmut, was Sam über seine Sauferei gesagt hat, war so klar für mich. Bei seinen Erinnerungen an früher und dem Erzählen seiner Ängste war ich nicht überrascht. Weil so vieles so fugenlos in das Bild meiner eigenen Vergangenheit paßt. Beim Hartmut sagte ich, was zu sagen war. Ich hoffe nicht mehr auf zweifelhafte Zufälle. Aber Hartmut bleibt H. und Sam bleibt S. Mein Gott, und die Renate hätte ich umarmen können. Sie ist nicht mehr so entrückt und beunruhigend verständnisvoll. Und ich bin tatsächlich noch menschlich. Ansonsten zwickt mich mein Ohr und das gelegentliche Nichtstun bei der Renovierung. Über das Wiedersehen mit Martin und Ulrike habe ich mich gefreut. Der Martin hat sich mit mir dann noch unterhalten und mir die Ursache seines Unbehagens (aus dem er ja keinen Hehl gemacht hat – nur wie) erklärt. Ich verstand seine Besorgnis, ohne wieder selbst in Panik zu geraten.

Das Theaterstück am Samstag war riesig. Es kamen viele Leute aus dem Dorf. Das Arbeitspensum in der Küche war mindestens genauso riesig, weil Hartmut und Birgit außerdem auf einem Ausflug waren. In der Woche sind dann auch Hartmut und Sam verschwunden. Evas Reaktion war, daß sie total ausgeflippt in den Weiher gesprungen ist. Mich berührte der Abbruch kaum. Zumindest bei Hartmut. Sam fuhr ja dann auch mit Bernhard hierher zurück und brachte in der Großgruppe sehr viel. Ich habe ihn ganz schön bewundert. Den Angriff von Renate fand ich seltsam. Die Klausur rückte näher, irgendwann hatten wir eine saugute Frauengruppe, und mit dem Einar ging es mir sagenhaft gut.

Dann ging es am Samstag los nach Söll. Söll war anstrengend, trotz der guten Atmosphäre. Den kleinen Zank mit Mark vor der Fahrt vergaßen wir beide schnell. Am Sonntag spätabends ging's dann zurück nach Pichl. Der Montag begann in der Nacht um halbeins mit einer kleinen Enttäuschung. Alle anderen wurden von jemandem erwartet und begrüßt – ich nicht. Kein Einar, keine Pichlsteiner – niemand. Naja! Dafür freute ich mich irre in der Früh, als ich den Einar in den Arm nehmen konnte. Er erzählte, daß er sich in Sophie verliebt hätte. Ich verstand das sehr gut, aber ich glaube, als ich anfing zu begreifen, war's aus. Angst, Schmerz, Zurückweichen. Der Einar hat selbst mal gesagt: Wenn du mal dein letztes Mißtrauen über Bord wirfst und jemanden . . . ich will das jetzt nicht zuende führen. Der ganze Tag war höllisch. Am Abend sprach ich mit Dagmar, Eva und Einar oder besser sie mit mir. Ich habe mich gewehrt: mit Kälte. Dagmar sagte mir viele zutreffende Sachen über meine nicht verarbeiteten Enttäuschungen in der Vergangenheit, die ich jetzt mittrage oder übertrage. Ich war so leer, daß ich den Bullen-besuch nur als Alptraum mitbekam, und genauso spielte sich der nächste Tag ab. Es war alles so unwirklich wie ein böser Traum. Ich bekam ab und zu Schüttelfrost und dafür kaum ein Wort heraus. Auch als Sophie am Nachmittag mit mir redete. Ich habe gemerkt, daß ich wieder am Töten bin – mich innerlich absterben lasse und immer starrer werde. Das Risiko, von mir aus meine Gefühle zu zeigen, ging ich ein. Einar konnte mich nicht umar-men – er wollte nicht heucheln. Ich habe gedacht, mich zerreißt's, ging aufs Floß und ließ mich von den freigelassenen Gefühlen hin- und herwerfen. Es blieb alles in mir. Immer, wenn es kurz vor dem richtigen Ausbruch, dem Ausflippen war, kam die

Mauer. Immer wieder. Ich nahm nichts mehr wahr. Bleib doch noch da. Der Horst war immer in der Nähe. Nach der Musik war ich am Endpunkt. Ich hatte das Gefühl, als würd's mir die Beine wegziehen. Das mit der Großgruppe habe ich aufgegeben, ich wäre für die anderen geblieben und der Schmerz wäre es auch.

Die Einzelheiten vom Wegrennen habe ich in der Großgruppe bereits erzählt, und vergessen tu ich es auch nicht so schnell. Es ist so: ich gebe mir jede Chance, bevor ich verspüre: jetzt habe ich das Recht, mich endgültig fertigzumachen. Das Mädchen Chico war eine Chance, das Reden mit Sophie und Julius auch, aber ohne die Hilfe von Eva, Horst, Julius und Sam (nein, ich habe unwahrscheinlich viel Hilfe bekommen) hätte ich es bis jetzt nicht ausgehalten. Aber gerade jetzt merke ich, daß ich schon wieder am Zurückweichen bin. Ich muß noch viel lernen. Ich fürchte auch, daß sich Horst irgendwie in mich verliebt hat. Er sagt nein und trotzdem – ich sei bisher ein Grund gewesen, daß er noch nicht weg sei. Das Toben und Schmerzen, wenn ich Einar sehe, läßt langsam nach.

Es ist spät, wir waren heute noch weg, und das Fest gestern hat auch ganz schön geschlaucht. Für mich war der Samstag mehr als gut. Ich fühlte mich unwahrscheinlich frei. Dann war da noch die Ruth und die schönen Sachen, die sie mir gesagt hat. Das Gespräch mit Martin klärte mir ein wenig den Blick auf mein Verhalten. Die ganze Woche war ein Auf und Ab. Manchmal fühlte ich mich lebendig und frei. Manchmal einsam und verloren. Birgit ging – und kam wieder, und ich merkte, daß ich mich an sie gewöhnt habe. Ich gewöhne mich langsam auch an das Alleinsein. Ich bejahe es jetzt. Es klappt aber nicht immer.

Nein, es hat nicht immer geklappt. Ich habe versucht, Einar zurückzugewinnen. Das ist locker geschrieben, ich habe nämlich, wenn ich's genau nehme, nicht die blasseste Ahnung von so was. Vielleicht ist es deshalb schief gegangen. Ich glaube inzwischen, daß Einer auf einem ganz üblen Konsequenztrip ist und bei einer Menge Unsicherheit selber kämpft, aber . . . ich war Montag und Dienstag mit ihm zusammen; habe meines gesagt und seines gehört — es reicht nicht aus. Ich muß spüren, daß ich liebgehabt werde. Lieb-gehabt. (Vergangenheitsform in der Gegenwart – sehr treffend.) Ich schalt' halt im Moment oft den Kopf ein, wenn's geht. Aber wie gesagt, ich bin ein miserabler Verlierer.

Am Mittwoch war ich sehr deprimiert und hatte abends Streit mit Horst. Geholfen hat mir, daß ich jetzt um Hilfe bitten kann – ganz im Gegensatz zu früher. Helfen kann ich mir jetzt auch eher lassen, weil ich meine Gefühle eher nehme, sogar wenn mir der Verstand sagt, daß es sich um einen vollkommen blödsinnigen Anlaß handelt, der nicht einmal der Rede wert ist. Der Knoten im Kopf kam vielleicht (oder zum Teil) von dieser Einstellung.

Heute ist mir aber noch was anderes aufgefallen. Ich unterschlage gerade bei der Sache mit Einar einen Teil meiner Empfindungen. Die Wut. Mir wird schon ein bissl mulmig, wenn ich nur dran denke, so wie jetzt. Die Arbeit: die körperliche Anstrengung auf dem Acker hat mir irrsinnig gut getan. Die Musik: geht mir kaum ab, und am Freitag bin ich trotz Licht und ohne schwingende Röhrenknochen das erste Mal, seit ich da bin, nur durch die Musik ausgeflippt. Zuerst beim Nur-Hören – dann beim Tanzen. Über unsere Gruppe bzw. Boris, Manfred, Birgit und Sam denke ich zur Zeit viel nach. Schmarrn. Ich weiß grad nicht, wie ich das sagen soll. Ich wollte noch am ehesten schreiben: so 'ne Art Familiengefühl, aber das haut genauso wenig hin. Das Thing* heute: es ist beruhigend, daß es eine Menge Leute gibt, die kaputter sind als wir – oder daß wir unter den besseren Normalen die unnormal Besten sind. So ein Hauch von Arroganz ist manchmal doch ein wahrer Seelenbalsam.

Der »Drogenkreis« am Sonntag hat mir gezeigt, daß ich viel und doch nichts weiß. Ich fühle oft nur, aber wenn mir keine Erklärungen einfallen, behalt ich's für mich. Das Sonnige hat mich aufgewärmt, bei der Gartenarbeit ging's mir gut nach dem Motto: je dreckiger, desto wohler – ich war sehr dreckig. Mein Gruppenfeeling wird auch immer besser – das Vertrauen wächst. Nur mit meiner Stärke und dem Achten, das die anderen mir zeigen, wenn ich sicher bin, komme ich nicht ganz zurecht. Ich habe dann irgendwann Angst, ich könnte es wieder verlieren. Oder wieder mißverstanden werden. Stärke und Schwäche wechseln bei mir so schnell. Beim Einzel am Freitag ist mir kurz der Boden weggerutscht. Ich brauch halt für alles 'ne (zumindest) Erklärung. Ich habe mich irrsinnig gegen das »Strampeln« gewehrt. Ich fühle Ansprüche, und da reagiere ich von Haus aus

* Kneipe

empfindlich. Nachdem mir die Renate die Bio-Energetik-Theorie vertrauter gemacht hatte, ging's mir zwar besser, aber ich war auch nachdenklich, kam mir vor, wie 'ne abgestellte Rüstung: überall zu hart, hohl und ohne »Energiefluß«. Am Freitagabend bei der Musik ist mir dann noch was mit dem Einar passiert. Ich bin mir noch nicht ganz klar, was da bei mir los ist.

Ich kämpfte die letzten paar Tage wie ein Tier gegen mich selbst. Gegen wachsende Kälte, Mißtrauen, Mich-Zurückziehen, gegen das Gefühl, draußen zu stehen. Ich will mich endlich nicht mehr an Problemen und Leuten verzetteln (ich meine unverhältnismäßig viel Kraft investieren). Ich will mich auf das Wesentliche konzentrieren, sonst geh ich schneller baden als ich denken kann. Zur Zeit macht »es« mich an. Ich glaube inzwischen, daß ich für so große Gemeinschaften absolut ungeeignet bin. Bei Freundschaft bin ich bisher in die Vollen gegangen – oder ich hab's gelassen. Aber 26 x total überfordert mich. Und »keep-smiling« bringts mir auf die Dauer nicht. Auf halbseidene Resonanz verzichte ich lieber. Auch innerhalb meiner Gruppe. Ich möchte auch gebraucht werden. Ich merke gerade, daß meine Sätze recht knapp sind – ist auch kein Wunder, weil ich ziemlich enttäuscht bin (Eva, Horst, Sam). Ich habe wieder diese Paranoia, in die alte Einzelgängerrolle gedrängt zu werden. Vielleicht fordere ich auch zuviel.

Das Problem mit Eva und Söll haben wir beredet. Ich glaube, ich war ziemlich offen und sagte ihr darum auch Unangenehmes. Aber ich kann niemanden mögen, wenn ich nur die guten Seiten sehe und es scheue, mich mit den Schwächen und Fehlern auseinanderzusetzen. Dasselbe trifft genauso zu in der umgekehrten Form. Mensch, ich bin ganz schön k. o. Bin heute für Eva und Horst in der Küche eingesprungen, im Tierpark umhergelatscht und mit Bernhard, Sam usw. über die Ursachen der allgemeinen Unzufriedenheit diskutiert. Das letzte ist ein Thema für sich. Ich denke noch darüber nach. Ich denke zur Zeit überhaupt viel nach. Was ich eigentlich will – zum Beispiel. Es ist diese Woche einiges anders mit mir. Ich fühle mich meistens wacher (oder aufgedrehter) als sonst, nehme mehr und schneller auf und reagiere spontaner. Vielleicht ist das der Energieüberschuß, der mir bleibt, seitdem der Einar weg ist. (Ich werd' schon unruhig, wenn ich nur an seinen München-Trip denke.) Ja schwitz ich denn . . . jetzt bin ich eh' schon so hohl, und nun sabotiert der Bernhard meine bisher eiserne Selbstdisziplin mit Urlaubsdebatten. Ich hab' das dumpfe Gefühl, den hab' ich auch dringend nötig. Wenn ich an die anstrengende Woche denke, wird das Gefühl zunehmend deutlicher. Paul ist endgültig weg, die Lucis sind gefahren, Olaf nervt mich mit seinem Schnüffelgezeter. Effi hat gekündigt (Scheiße), die Seuche verschonte mich bisher, aber Montag, Dienstag fühlte ich mich morgens ganz schön schlapp. Nach der Gruppe um Boris fragte ich mich: Welche Schuld bezahle ich mit mir? Nach der Gruppe um Ralfs zweiten Schritt – was ist in Pichl tabu? Der Streit mit Horst hat mich erschreckt und vorsichtiger gemacht. Nicht so viel Selbstverständliches, fällt mir dabei ein. Ich spüre viel Sehnsucht und male viel.

Ist vielleicht gar nicht so gut, wenn ich jetzt den Wochenbericht schreibe. Ich mag Traurigkeit nicht immer gleich schwarz auf weiß festhalten. Weil sie mich erstens beim Schreiben lähmt, und zweitens hab' ich Angst, daß eine dicke, fette Depression draus wird. Natürlich gibt es einen realen Grund. Der Anlaß ist halt wieder mal der Einar. Wenn ich mit jemandem so eng zusammen bin (egal, ob's zeitlich begrenzt ist oder nicht), will ich spüren, daß ich Mensch bin. Wenn der Einar seinen »Drübersteher« raushängen läßt, macht mich das wahnsinnig sauer oder maßlos traurig. Ich reagiere zwar nicht immer sofort, schieb's auf und lenke mich ab – rede endlich doch darüber – was passiert? – Nichts. Die spontane Geste bleibt aus, das erleichternde Wort unausgesprochen. Zum Kotzen. Ich fühle mich bewußt übergangen und klein gemacht. Petra – wo bleibt deine Konsequenz? Du meine Scheiße, ich kann das Wort nicht mehr hören – nie war sie ferner als heute. Ich kämpfe verbissen um etwas, was mir zwar zusteht, aber ohne sicher zu sein, ob die Bemühungen überhaupt sinnvoll sind und das Ziel erstrebenswert ist. Ich ziehe, wie immer, auch was Gutes aus der Sache. An dieser Art Windmühlenkampf bin ich früher oft gescheitert; habe aufgegeben. Zuneigunghabenwollen – Ernstgenommenwerdenwollen – Aufmerksamkeiterreichen – bis zur Selbstaufgabe. Stur bis zur Selbstzerstörung. Ich merke zur Zeit natürlich auch die Auswirkungen dieses Versagerfeelings. Manchmal möchte ich einfach alles hinschmeißen und rennen, bis mir die Luft ausgeht. Dann fühle ich trotzdem ab und zu meine Stärke stehenzubleiben. Ich lade mich kräftemäßig immer wieder auf. Bei der Arbeit im Garten

(Freude!), bei Gesprächen mit Leuten, die ich mag (da gehört die Ellen inzwischen dazu), beim Malen oder Tanzen. Im Augenblick kann ich den »Dynamo-Petra« allerdings vergessen. Zum Aufladen bräucht's jetzt ein mittleres Atomkraftwerk. Ich könnt' mir einen angenehmen Gedanken in Erinnerung rufen. Zum Beispiel die Großgruppe am Dienstag. Mei tut des gut, wenn wir ernstgenommen werden. Oder die Ausstellung; obwohl ich zeitweise zu dem Schluß kam, daß es wohl das beste wäre, wenn ich mein Zeichenwerkzeug umgehend in den Container schmeiße – bei den Vor-Bildern. Auf den Urlaub freu' ich mich auch narrisch. Und jetzt schab' ich gleich weiter an der Madonna rum. Wir waren grad in diesem komischen Dings-Unterbräu oder wie das heißt. Natürlich bin ich saumüde, obwohl ich innerlich schmunzeln muß, wenn ich an diese kuriose Landfete denke. Jetzt schreib ich halt nur kurz so die wichtigsten Eindrücke in der vergangenen Woche auf. Da war erst mal am letzten Sonntag der Mist mit der Jacke und die Folgen. Rotation forte. Die Arbeit im Garten war einfach großartig. Wenn ich den Schweinehund überwunden habe und das Werkeln läuft, fühl' ich mich einfach sauwohl und lebendig. Da schmeckt das Essen, da lacht sich's kernig, die Bewegungen und überhaupt alles wird mühelos und selbstverständlich. Am Mittwoch hat mich dann die Rückkehr der Lucis trotzdem ein bissel aus dem Gleis geworfen. Ich hatte und habe Angst, daß sich an der Zufriedenheit (nicht nur bei mir) plötzlich oder schlimmer allmählich was ändern könnte. Ich könnte mir zwar sagen: gar nicht so schlecht – Zufriedenheit wird leicht zur Trägheit – aber wer sehnt sich schon nach solchen Veränderungen? So, nur ins Blaue hinein, fürchte ich mich freilich nicht. Ich habe darüber ausgiebig nachgedacht. Paar Sachen sind bisher auch richtig gewesen. Am Freitag war ich ganz schön gereizt. Dabei gerate ich jedesmal in eine Zwickmühle. Ich möchte es mir nicht raushängen lassen und den Leuten lieber aus dem Weg gehen und habe dabei das Gefühl, daß das auch nicht gerade das Richtige ist. Die wichtigsten Menschen sind zur Zeit außer Sam (beim Boris bin ich nie so ganz sicher, aber seine Wichtigkeit ist mir wahrscheinlich nur nicht so bewußt) die Frieda. Der Einar nervt mich sehr, weil ich möchte, daß er mich nervt. Er sagte, er kann mit »der Macht« nichts anfangen und wäre sie lieber los. Das Problem kann ich ihm vielleicht abnehmen. Nur noch acht Tage bis Sardinien – Juhu!

Wenn ich den Wochenbericht vor zwei Stunden geschrieben hätte, wäre er inhaltlich anders und wahrscheinlich wesentlich länger geworden. Vor zwei Stunden ging's mir – milde ausgedrückt – beschissen. Zittrig, nervös, geladen – under current – oder wie man sonst sagt, geladen explosiv. Aber wie gesagt, das war noch um 10 h. Ich glaube, da hat mich ein voller »Entzugsschub« erwischt. Nein, keine Drogensehnsucht. Manchmal fühle ich mich sehr schwach und unsicher. Es wird Zeit, daß ich diese Beziehungsnachwehen einstelle. Mir wird es langsam zuviel. Wie und auf welche Art und Weise ist mir inzwischen einerlei. Ich weiß nur, es muß sein. Ich merke, daß mich Boris und Sam verstehen, manchmal brauche ich nicht mal was zu sagen und wundere mich, wenn ich spreche selbst oft, wieviel Vertrauen ich zu den beiden schon habe. So, jetzt Wochenrückblick im Fernschreiberstil: Kartoffelacker – Ende, Gruppe mit Lucis: Motto: was ich Dir länst sagen wollte, Beziehungen (Julius, Ulrich, Sam). Pointe (meine): die Unvollendete – oder: Fixer neigen zur Passivität; Renate ist wieder da; Gruppe am Mittwoch: Beziehung Julius und Sandra, um das, was wächst und lebt; is koa Brot im Kastn, verhungert aa d'Liab; Ellen rotiert, morgen kommen Manfred und Bernhard und dann – Italien, Zeit wird's.

Die Tage auf Sardinien waren einfach phantastisch. Ich habe einen ganzen Schatz an Erinnerungen und Eindrücken mitgebracht. In den 14 Tagen habe ich auch manches gelernt. Was oder wieviel wäre ein bissl viel für einen Wochenbericht. Die Erholung vom Therapieernst kann ich aber ganz gut brauchen. Die »Unvollendete« ist eine geblieben. Noch eine. Ich sage mir die ganze Zeit: Das gibt's doch nicht, daß dir so ein Mensch in den Knochen sitzt wie Krebs. Ich empfinde Machtlosigkeit, nichts mehr tun können – schweigen müssen. Mir fällt gerade auf, daß ich bisher noch nicht oft zum Aufgeben gezwungen wurde. Der Ausdruck aufgeben hört sich vielleicht merkwürdig an, vor allem, wenn ich mir überlege, was ich überhaupt erreichen wollte. Es kann sein, daß der »so ein Mensch« in Wirklichkeit 2 sind – John und Einar = 3 Fragezeichen. Aber wer A sagt, muß nicht sofort B sagen. Am Mittwoch ist mir die Wichtigkeit von Boris, wie oft in der letzten Zeit, bewußt geworden.

Ich fühlte mich in Augsburg, als ob ich alleine und vollkommen nackt durch die Straßen gelaufen wäre, ohne Möglichkeit, mich in einen versteckten Winkel oder in einen Flur zu flüchten. Ich war so wahnsinnig müde und habe keinen Platz zum Ausruhen gefunden. Ich habe mir gesagt, du schaffst es nicht, du schaffst es nie. Aber den ganzen Horror noch einmal, wenn ich nur dran denk, könnte ich losbrüllen und um mich hauen. In meinem Kopf kreisen ständig die Gedanken: John – Sicherheit und Vertrauen, was bedeuten mir die Menschen, ich darf nur nicht mehr oft sagen, daß ich schwach bin, wieviel Kraft habe ich noch, ganz neu anzufangen, Einar – wieviel hat er mit meiner Angst vor Männern oder der Angst vor dem Vergreisen zu tun? Ich mißtraue meinem Körper und vertraue immer mehr meinem Gefühl oder Instinkt. Ich habe zur Zeit kaum Verlangen nach körperlicher Nähe, aber ich weiß, es schläft nur.

Pichl besteht nur aus – jetzt habe ich grad versucht, zu zählen. Ich war bei 5, fing von vorne an, da kamen 2 dazu, jetzt sind's 9 oder 10 Leute. Immerhin, mehr als 1/3, mit dem Rest spreche ich so gut wie nichts. Bis auf ein paar Ausnahmen finde ich das ganz in Ordnung. Aber in so einem Fall hingehen und vor allen sagen: Ich finde dich zu arrogant, oder: Du bist zwar ganz nett, aber für mich zu oberflächlich, oder: wenn ich deine Stimme höre, meine ich, die Gabel kratzt im Topf . . . usw? So was kann ja leicht zum Bumerang werden. So was reizt ja, auch mal mich gründlich unter die Lupe zu nehmen. Kann ich momentan nicht brauchen. Grüble eh zuviel.

Die Sache mit Manfreds Kiffen zu erwähnen oder besser, mein Gefühl dabei, wäre (ist) eine Pflichtübung. Ich habe nämlich keins, vielleicht weil Shit für mich keine Bedeutung als Gewohnheitsgift hat; und so keine Alarmreaktion auslöst. Von der bloßen Überlegung her nehme ich den Rückfall ernst. Mein Gefühl zu Renate ändert sich ständig. Manchmal finde ich sie faszinierend, manchmal fällt es mir schwer, sie ernstzunehmen. Einmal habe ich Achtung vor ihr, das andere Mal denke ich mir: Mein Gott, wie kann sie nur . . . Fremd bleibt sie mir bei all dem. Aber das macht nichts. Gut Ding braucht Weile. Hab trotzdem ein gutes Gefühl. Bei der letzten Gruppe war ich ab und zu ganz schön baff.

Kurt Blesinger

Geborgen

Geborgen und behütet
im Mutterschoß der Therapie
beim geringsten Versuch
selbständig zu sein
ertönt ein einschläferndes Wiegenlied

Ich versuche wachzubleiben
und soviel zu tun
wie in meinen Kräften steht
vielleicht kann ich dadurch
den Pegel der Unselbständigkeit
herunterschrauben

Der Therapieschuß

Auf dem gebogenen Löffel der Zeit
werden Tränen der alten Erinnerungen aufgekocht
da sie sich nicht ganz auflösen
muß noch ein wenig Zukunftsillusion
dazu
Spritzt man sich das Ganze
in die Vene der Resignation
dann kommt sofort der Kick
der einem dann die ganze Angst
zu gehen nimmt

eva schott

24 stunden . . .
. . . therapie

der mann holt aus und sticht zu – ich spüre, wie das messer in
meinen körper eindringt – das blut zu fließen beginnt – das leben
zu ende ist – eine hand mich streichelt, jemand meinen namen
ruft – die stimme langsam in mein bewußtsein dringt – ich meinen
arm unter der decke hervorziehe – mit meiner hand die hand
berühre, die mir übers haar streicht – ich drehe mich rum und
mache die augen auf. der albtraum ist vorbei – ich bin in pichl, der
da an meinem bett steht, ist der weckdienst.
»eva, aufstehn, in einer viertelstunde ist frühsport.« ein wenig
schwierigkeiten beim zurückfinden, beim aufstehen – aber ich
finde doch meine trainingshose, die turnschuhe, das t-shirt – in
dieser reihenfolge angezogen. gehe noch schnell zum gesichtwa-
schen, zähneputzen. dann nach unten in die halle, dem großen
treff- und sammelpunkt um viertel vor sieben. da sitzen schon
einige – genauso verschlafen, müde noch wie ich. als dann endlich
alle da sind, gehe ich aus dem haus, den weg zum tor hinunter.
und exakt da, wo der weg rund um den weiher anfängt, beginne
ich zu laufen. morgenblind. sehe den weg vor mir, höre mich
keuchen. in der mitte des weges überkommt mich wieder mal wie
jeden morgen die große versuchung stehenzubleiben, schlappzu-
machen. aber wieder mal – wie jeden morgen – erlaube ich mir
das nicht, laufe meine runde zu ende – exakt bis dahin, wo der
weg um den weiher zu ende ist. keinen schritt mehr. mein
kreislauf ist auf touren – gut. innerlich verfluche ich jede einzelne
zigarette des vortages. aber sobald ich oben am haus angekommen bin, meine kurzatmigkeit besser ist, habe ich das schon
wieder vergessen – meine vorsätze vom tor bis zum haus. noch
zehn minuten, also ein paar mal alles kreisen, was sich so kreisen
läßt. kopf, schultern, arme, hüften, beine. ein paar rumpfbeu-
gen, hände auf die erde. und dabei verstohlen nach den anderen
schielen, wenn ich merke, eine übung fällt mir schwer. die erste
möglichkeit, mir selbst ein wenig bestätigung zuverschaffen.
jemand ruft: sieben uhr – ich gehe mit den anderen ins haus
zurück, setze mich in der halle hin und – rauche meine erste

zigarette an diesem schönen dienstagmorgen. gehe dann oben ins bad – verflucht, jetzt ist schon wieder meine seife verschwunden – und eine fremde zahnbürste in meinem glas. erstmal fragen: kann ich deine seife benützen?

rückkehr ins zimmer, arbeitshose und pullover angezogen und stiefel – ach was, die ziehe ich nachher nach dem frühstück an. stelle sie griffbereit, lege noch einen zweiten pullover zurecht und meine handschuhe. es ist kurz vor halb acht. ich muß mich beeilen, bett machen, zimmer aufräumen. vor allen dingen hab ich diese woche badputzdienst. da steht noch eine und wäscht sich die letzten traumreste aus den augen. jeden morgen dasselbe. die waschbeckenputzerei, erst das linke, dann das rechte – an das in der mitte kann ich noch nicht, weil da die schläferin steht. das klo schrubben. die spiegel polieren. endlich kann ich auch das dritte becken putzen. grade dann: putzkontrolle. es gibt nichts zu beanstanden? na schön, da kann ich ja zum frühstück gehen – es wurde sowieso eben gerufen.

in der halben stunde frühstückszeit esse ich mein morgendliches müsli, trinke zwei tassen kaffee, rauche eine zigarette und noch eine. die unterhaltung ist entsprechend der relativ frühen stunde – lahm. und so langsam tauchen auch die ersten gedanken zu dem vor mir liegenden tag auf. was muß ich dringend machen – was steht an – im garten und auch sonst. es ist viertel nach acht, zeit, die tische abzuräumen, arbeitsbesprechung. setze mich zu unserer gärtnerin. eine diskussion entsteht, wer hat am gestrigen tag einfach die hacken im gemüsebeet liegen lassen. die auseinandersetzung wird ein wenig aggressiv. unangenehm am vormittag. es wird ein bißchen lauter – keiner war's. das ende: ein appell – wieder mal. inzwischen hab ich noch eine zigarette geraucht und ein paar vorgedreht für die arbeitszeit. ich schaffe es – wieder mal –, den arbeitsbeinn um ca. 10 minuten zu verzögern. ich muß ja noch nach oben, um meine stiefel anzuziehen und die handschuhe und den pullover zu holen. aber endlich bin ich auf dem weg zum gartenhaus. und dann mit spaten, hacke und rechen im garten angelangt. stumm beginne ich, das eine beet zu bearbeiten. im laufe der nächsten halben stunde entledige ich mich meines zweiten pullovers, werfe die handschuhe auf den weg.

es ist ein phantastisch schöner herbsttag – die frau, die mit mir arbeitet, beginnt ein lied von leonard cohen zu singen – ich stimme ein. nach zehn minuten sind wir beim albern, fast grölen

angelangt. wir beschimpfen uns spaßeshalber auf bayrisch, nehmen die entsprechenden posen dazu ein. »zenzi und mare im
garten von pichl.« die erste zigarettenpause. die andere geht nach
oben ins haus, holt tee und buttermilch. die sonne brennt, wir
sitzen auf der gartenbank, beginnen ein gespräch. überlegen uns,
warum wir beide seit ein paar tagen in diesem moment noch sehr
überdreht, in der nächsten sekunde tief deprimiert und zum
weinen aufgelegt sind. ein junger mann – hausbewohner wie wir –
geht mit einem geschulterten rechen vorbei. wir besingen ihn mit
einem lied aus der »west-side-story«. er grinst, bleibt stehen – wir
haben es wieder mal geschafft, der großen erkenntnis aus dem
weg zu gehen. ein schuldbewußter blick auf die uhr zeigt, sagt
uns, daß es zeit ist, sich wieder an die arbeit zu machen –
pausenzeit überzogen. das beet ist bald umgegraben, die restli-
chen gewächse, die nicht bis zum frühjahr verrotten werden,
entfernt. liegen auf dem komposthaufen. ich benütze den wechsel des arbeitsgerätes – vom spaten zum rechen – zu einer
erneuten zigarettenpause. kaum mache ich die ersten züge, drehe
mein gesicht der sonne zu, genieße die wärme – sitze ich schon
wieder auf der bank – überrasche mich selbst dabei. erhebe mich
gleich wieder und nehme mir das beet erneut vor. die groben
erdschollen müssen noch zerkleinert, viele steine entfernt werden. vom dorf höre ich die kirchenglocken läuten. zwölf uhr. in
einer viertelstunde arbeitsbesprechung. also, geräte wegräumen,
abfälle beseitigen. ich erinnere mich besonders stark des appells.
treffpunkt gartenhaus. jeder erzählt, wie es ihm während des
vormittags gegangen ist, wie er selbst einschätzt, wie er gearbeitet hat. ich warte auf den zeitpunkt, da der tagtägliche disput mit
dem jungen mann beginnt. und bald: ich finde, du arbeitest zu
wenig, bist du zufrieden mit dir? er: ja, ich finde schon, daß ich
ganz gut gearbeitet habe. ziemlich konsequent, bis auf . . . – ich
kenne das schon.
kurz nach halb eins – zurück im haus. im zimmer erstmal einen
tiefen seufzer ausgestoßen – die handschuhe auf den tisch
geworfen, die gummistiefel . . . verdammt, jetzt habe ich die
schon wieder im hause anbehalten. hoffentlich habe ich die
treppe nicht dreckig gemacht, denn das gibt dann wieder ein
gezeter. ich war in gedanken bei dem gespräch der letzten woche
mit meinem mann, bei dem es um unseren gemeinsamen sohn
ging. ich muß abschied nehmen von dem kind für die dauer der

therapie – das tut weh. ich denke, irgendetwas in mir ist zersprungen. aber – als ich um viertel vor eins gewaschen und umgezogen in der halle zum essen erscheine, ist von einer außergewöhnlich verschmutzten treppe keine rede. glück gehabt. morgen werde ich besser darauf achten.

das essen steht auf dem tisch. trotzdem warten alle. das gedrucke darum, wer heute den »spruch zum tage« bringt, beginnt. jemand von den betreuern soll heute mal sich was einfallen lassen – immer wir. viel hin und her, endlich, ein sehr schöner spruch von laotse, der mich sehr nachdenklich macht.

das essen schmeckt gut – wie immer. gespräche an den einzelnen tischen – dann sind alle satt und zufrieden. jemand klopft an sein wasserglas. »hört mal alle her – mir ist ein päckchen tabak weggekommen. also, wenn ich den erwische . . .« allgemeine empörung, neuer diskussionsstoff, mittel zur täterermittlung werden erwogen und wieder verworfen, sicherheitsmaßnahmen zur vorbeugung, es wiederholt sich alles.

um viertel nach eins – nach mehreren zigaretten gehe ich zum einkauf. »kannst du mir tabak mitbringen, 4 x, und 8 mal blättchen – und eine fanta?« – na gut, wenn ich mir auch jedesmal schwöre: das nächste mal lasse ich mir meine sachen mitbringen. das ist wieder einer von diesen tor-haus-vorsätzen!

dann, als die einkäufe auseinandersortiert sind, gehe ich in mein zimmer – öffne das fenster ganz weit. spüre meine müdigkeit. lege mich aufs bett, es bleibt bis zur kleingruppe eine stunde. kurz vorm einschlafen klopft jemand an meiner tür. wartet nicht – kommt einfach rein. ich werde sauer. grade wollte ich mir überlegen, wie ich den anderen in der kleinruppe dazu verhelfen kann, daß sie mir dabei helfen, wenigstens ein bißchen mir auf die spur zu kommen. ich fühle mich seit diesem gespräch in münchen ausgesprochen leer und dann wieder ausgefüllt mit schmerz, den ich nirgends loswerden kann. aber gut, ich verschiebe die überlegungen noch ein wenig. »kannst du mir bitte, wenn du mal zeit hast, diesen riß in meinen jeans zunähen?« – er wartet reaktion ab. ich akzeptiere. »und wenn's dir nicht ganz so viel ausmacht, vielleicht auch noch einen neuen reißverschluß reinnähen?« – ich sag ihm, ob er nicht mal lust hätte, sich aus solchen geschichten und abhängigkeiten zu emanzipieren – schlicht ausgedrückt: er soll sich halt mit mir hinsetzen und das versuchen zu lernen. er braucht sonst in 10 oder 20 jahren immer noch jemand, der ihm die klamotten repariert.

durch mein sauersein bin ich ein wenig ungerecht – schließlich hilft er mir auch, wenn ich mit irgendwelchen sachen nicht zurechtkomme. aber ich bin halt ungnädig gestimmt, weil aus meinen überlegungen gerissen. ich sage ihm, daß ich es mache, sobald ich zeit und auch lust dazu verspüre – er umarmt mich ganz dankbar und geht erleichtert wieder. oh verdammt, jetzt ist nur noch eine halbe stunde zeit – und ich spüre, wie meine aufregung wächst. es fällt mir immer noch nicht grade leicht, meine probleme so vor der ganzen gruppe auszubreiten. ich mache mich selbst am meisten durcheinander, wenn ich versuche, mir eine »rede« zurechtzulegen – und ich weiß das auch ganz genau. mein herz schlägt bis zum hals. es ist halb drei. schnell noch eine zigarette angezündet.

während der gruppe herrscht rauchverbot. so besteht keine gefahr, daß ich mich ablenke, daran festhalte oder sonst unkon-zentriert bin. wir sieben leute setzen uns mit unserem betreuer in einem kreis auf die erde. erst noch nervöses kichern, dann plötzlich ruhe. die blicke sind gesenkt. endlich: der erste beginnt. ich möchte gerne ausgang haben. das für und wider wird erwo-gen. bevor wir ausgang bekommen, müssen wir das schon begründen, warum und was wir während des ausgangs machen wollen. ich höre kaum zu, bin viel zu sehr mit mir selbst beschäftigt – werde immer nervöser. gut, der junge mann hat seinen ausgang bekommen – anderthalb stunden fürs erste mit bericht in der gruppe, was für ihn gelaufen ist während des ausgangs. schweigen. schweigen. ich reibe meine hände aneinan-der, verschlinge sie leicht, spüre mein herz klopfen, versuche durchzuatmen – es geht nicht. ich beginne zu sprechen mit ganz heiserer stimme. schlucke nochmal, und dann beginnt es zu sprudeln. ich bitte die anderen um hilfe. das leben erscheint mir im moment nicht wert, es zu überstehen – mehr tue ich nicht – ich lebe nicht – ich überlebe. ich trete mir den ganzen tag auf die füße. ich erzähle noch einmal von dem mehr als drei stunden dauernden gespräch mit meinem mann, das sich weniger um uns beide als um das kind drehte. ein sinnloses gespräch. mein mann kam von anfang an in die konradstraße mit der einstellung, daß unser sohn auf keinen fall nach pichl kommt. seine forderung an mich: erstmal therapie fertigmachen, erstmal eine basis schaffen. und dann kann man ja noch einmal darüber reden, ob du das kind zu dir holst. und damit verlor ich mein eigentliches ziel. alles schien mir sinnlos. dieser verlust, der mir in diesen tagen ein totaler zu sein schien, tat so weh. es ist schwer, das ohne gift auszuhalten. ich habe bisher geglaubt, ich hätte schon viele schmerzen ausgehalten, aber in den letzten beiden tagen merkte ich, daß alles gar nichts war gegen das jetzt. ich stehe da, ganz klein, traurig, hilflos, resigniert. morgens, wenn ich aufwache, fällt mir das kind ein, und mein erster impuls ist: wozu aufstehen, es ist doch so total sinnlos. aber dann sage ich mir: bist du hier zur therapie oder was? also, dann stehe auch gefälligst auf. ich treibe mich den ganzen tag vorwärts, aber wenn ich alleine bin, geht gar nichts mehr. stundenlang liege ich auf dem bett, starre aus dem fenster, bin unfähig irgendwas zu tun. ich kann mich hundertmal ermahnen – sonst ist das immer sehr erfolgreich – es geht nichts – rien ne va plus. ich nehme am tagesablauf teil, weil's halt sein muß, nicht weil ich will. die trauer macht mich fertig. ich möchte so gerne richtig weinen, spüre die tränen am unteren lidrand – es geht nicht. verdammt noch mal, ich kann's wirklich nicht. – ich bin am ende mit meiner schilderung und meiner kraft – die anderen fragen, ich antworte – und endlich, endlich kann ich weinen. nur knapp, aber es geht. ich begreife in diesem gespräch, was für einen stellenwert ich meinem kind gegeben habe, wie gefährlich das für das kind und mich ist. ich fange an, wirklich zu begreifen, welche chance es für mich bedeutet, daß das kind nicht hierher kommt, ich endlich zeit und gelegenheit habe frei zu entscheiden, ob und was ich für mich tun will. mein gefühl ist zwar noch nicht ganz einverstanden mit dem, was mein kopf da begriffen und beschlossen hat, aber das macht nichts. ich habe meine erfahrungen. nach anderthalb stunden verlasse ich die gruppe, ende. es ist vier uhr, und ich flüchte mich in die badewanne. bin durchgeschwitzt und müde.

im zimmer setze ich mich an den schreibtisch. muß doch jetzt endlich mal meine idee zu einer neuen geschichte in die tat bzw. in worte umsetzen. die geschichte einer dreißigjährigen, die versucht, einen neuen lebensraum zu finden. ich fange an, die schreibmaschine zu bearbeiten, werde ganz hektisch, habe kaum zeit, eine zigarette zu rauchen. empfinde es als störung, als zum abendbrot gerufen wird. keine zeit. aber lust auf eine tasse tee. die bringt mir niemand, also gut, runter in die halle. aufpassen, daß mich niemand in ein tiefsinniges gespräch verwickelt, ich bin in meiner geschichte drin – es geht mir wieder besser. ich habe auch in der gruppe erfahren, daß es immer eine sache des zulassens von traurigkeit ist, wenn sie einen so fertigmacht. ruhig auch mal durchhängen. aber es geht mir im moment besser.

der tee ist heiß, aber gut. und wenn ich mir's so genau überlege, die wurst auf der platte sieht schon sehr lecker aus. na gut, ein brot, soviel zeit hast du ja noch. und will grade nach dem letzten bissen aufstehen, mein geschirr wegräumen. meinen fuß auf der ersten stufe der treppe – eva, wo willst du denn hin? weißt du nicht, daß du heute abend spüldienst hast? verdammt. aber das läßt sich leider nicht ändern. also mit langem gesicht auf dem beeil-trip in die küche. herrgottnochmal, warum trödeln die denn so lange rum. ich möchte doch gerne nach oben und weiterschreiben. denn um halb acht habe ich heute abend webkurs und das bis neun, dann werde ich die geschichte heute nicht mehr vollenden können. es ist viertel nach sieben. in einer viertelstunde kommt unsere webkursleiterin. ich freue mich normalerweise auf meinen lieblingskurs. aber ich habe heute so viel in mir drin, was ich ganz gerne wenigstens in form dieser geschichte loswerden will. aber unsere webfrau ist eine sehr liebe frau, die viel verständnis und einfühlungsvermögen hat. sie merkt, spürt, daß ich heute sehr angespannt bin. fordert mich zum erzählen auf, erzählt von sich. meine hände beginnen währenddessen mit der handspindel die ersten wollfäden aus einem unbearbeiteten vlies zu spinnen. ich stehe aufrecht währenddessen und spüre, wie die anspannung nachläßt. auch die anderen erzählen, was so bei ihnen während des tages passiert ist. eine kleine »gruppe« fast. ich fühle mich wohl und spinne sehr viel an diesem abend – wickle am ende das erste mal ein selbstgesponnenes wollknäuel auf.

wir sitzen nach neun noch einige zeit zusammen im gruppenraum auf der erde – es riecht nach schaf, und ich werde im verlaufe dieses gespräches ganz ruhig.

gegen zehn uhr wird es langsam ruhig im haus. ich gehe noch eine halbe stunde zu meiner freundin und deren freund ins zimmer. setze mich zu den beiden aufs bett. wir diskutieren noch ein wenig über sinn oder unsinn unseres aufenthaltes in pichl. als ich dann endlich – und es war natürlich keine halbe, sondern mehr als eine stunde – zurück in mein zimmer komme, denke ich noch nach über den tag, über die vergangenen vierundzwanzig stunden meines lebens in pichl, von denen ich weiß, daß ich sie gelebt habe.

mumien

mullbinden
die das ausbluten nicht stoppen
klammern
die die wunden aufreißen
pflaster
die stinkenden eiter festkleben

was, mensch, was
wird übrigbleiben
von dir
nach deiner entmumifizierung?

Rudolf Klehr

Es gibt kein Zurück und kein Anders
Frieden über verwahrlosten Gräbern
Die Illusion muß weitergehen
Die Sonne in Deinen Augen
Ich kann darin das Leben sehen
Sag, läßt mich die Sonne die Angst vergessen
Oder kann man mit Liebe den Tod aufwiegen?
Ich bin so fremd in dieser neuen Welt
So wirr ist alles um mich her
Und tief im Innern läßt noch oft
Ein großer Eisblock mich erschauern
Der rührt von Augen, deren letzte Tränen schon lange geweint
Augen, die durch alles und jeden hindurchschauen
Vom Affen geritten und gezeichnet
Fürs Leben verloren

Regina Bouzon

Träume mit Featuring Eisenherz

Nach acht Monaten Therapie im Schloß Pichl bin ich mal mit
Karl, einem Mitglied meiner Gruppe, für drei Tage nach München zu ihm nach Hause gefahren.
Spätnachmittags kamen wir bei dem Haus, in dem Karls Mutter
nunmehr alleine wohnt, an. Beim Reingehen fiel mir auf, daß,
obwohl es noch hell war, bei den Fenstern an der Vorderfront die
Läden zu waren. Karl deutete auf das unterste Fenster: »Das ist
mein Zimmer.« »Wieso sind die Läden zu?« »Meine Mutter mag
das, sie ist hier alleine.«
An der Tür empfing uns Karls Mutter, eine kleine dicke Frau,
herzlich. Wir zogen unsere Mäntel und Schuhe aus und gingen
gleich in Karls Zimmer, unsere Taschen abstellen. Wir gewohnt
marschierte ich zum Bücherschrank, um die Titel zu studieren.
Nach den Büchern kommen die Schallplatten. Da Karl mich jetzt
alleine ließ, um mit seiner Mutter zu reden, legte ich Pink Floyd
auf und las fasziniert Prinz Eisenherz. Band 1–10 waren vorhanden, und Pink Floyd waren fünfmal vertreten. Nach einer
Stunde, betört von den Klängen Pink Floyds und den gar so edlen
Taten Eisenherzes, blickte ich wehmütig zurück: Wie wars
damals 69–70 – mit der Moreplatte hatte es angefangen, bei
Umma-Gumma steckte ich bereits voll drin. Unwirklichkeit
greift nach mir. Der Wecker rasselt bei Time von Dark Side of the
Moon, während Aletha und Prinz Eisenherz um Prinz Arne
bangen. Karls Mutter kommt, stört mich, ob ich nicht etwas
bräuchte. Starre sie entgeistert an, fühle, wie sich mein Mund zu
einem charmanten Lächeln verzieht, höre mich schließlich antworten: »Nein danke, sehr lieb, wirklich, nein danke!« Beobachte, wie sie die Vorhänge zuzieht, deren Saum aufs Fensterbrett einschlägt, und dann abtritt.
Sehe jetzt Karl vor mir, hier in seinem Zimmer, wie er zu ist,
Drogen nimmt, mit der Zigarette einschläft, und das Tag für Tag,
immer ist der Vorhang zu und der Saum auf dem Fensterbrett
eingeschlagen, das Licht brennt, und er weiß nicht, ob es Tag
oder Nacht ist. Die Tür ist zu und Karl auch . . .
Inzwischen verhöhnt mich Lou Reeds Velvet Underground. Rotzi-

ger! Bleib mir, wenn schon nicht vom Leib, wenigstens von der Seele! Habe Atemschwierigkeiten und Herzklopfen. Renne an das Fenster, reiße den Vorhang auf, alles zugemauert! Da ist kein Fenster! Entsetzt laufe ich zur Tür – verriegelt!

Verliebt schmeichelt mir Wish you were here. Prinz Arne ist in Sicherheit, der Wickinger Boltar ist mit ihm bereits auf dem Schiff und Heimfahrt. Gerwain flirtet mit Lady Anne, während ihn König Arthur bei der Tafelrunde vermißt.

Doors When the Music is over, zeig mir meinen so schwer gefallenen Abschied, ich bin nicht mehr bei ihnen.

Werde ein Teil dieses Raumes, Form, Raum, Zeit, Ton, Ich, Alles ist ein Ganzes, empfinde ein unbeschreibliches Glücksgefühl.

Auf einer Klippe liege ich bereits im Arm von Eisenherz, der mich sündig anblickt. Jimmy Hendrix Electric Ladyland rast. Taumelnd vor Glück wandere ich in Alaska übers Eis. Wärme durchflutet mich. Niederkniend reiße ich mir die Finger blutig bei dem Versuch, ein Loch ins Eis zu graben. Ein riesiges Feuer bricht aus und verschlingt mich. Jetzt verbrenne ich in Alaska im Eis, und Jimmys Gitarre weint dazu.

Inzwischen halte ich, noch etwas geschwächt, Eisenherz, meinem Gemahl, die soeben geborenen Zwillinge Alice und Aletha entgegen. Unser Glück ist vollkommen – er kniet nieder, küßt mir die Hand.

Bo Hansons El ahraiarah hoppelt happy. Spüre bedrohlichen Zweifel aufkommen . . . war es ein guter Tausch? Will ich nicht lieber ein Junkie sein? Und mit dem Zweifel, der Trauer und Wehmut kommt der Zorn. Du Schwein, du hast mir zehn Jahre genommen, jetzt probierst du es wieder, ha, da kann ich nur lachen . . . Geh weg, du ekelst mich an wie du rumhängst und wieder einschläfst mit der Zigarette, pfui, geh weg!

Im Turmzimmer schüttle ich Zauberer Merlin die Hand: »Danke Messire, Ihr habt mir sehr geholfen!« Empört schmeiße ich das Eisenherzheft in die Ecke, schalte die Musik aus und gehe mit Karl ins Wohnzimmer fernsehn.

Beim Fernsehen denke ich schmunzelnd an Hal Forster, sollte man verbieten, der hats faustdick hinter den Ohren.

eva schott

heimatlos

schneckenhausverlust
lebensversuch in einem
schildkrötenpanzer
ausbruch der eiszeit
». . . größenwahnsinnige schnecke
starb orientierungslosen erfrierungstod . . .«

überleben 79–81

im herbst spinne
ich mich ein
– ein traumkokon
im winter
ist mir warm
kann ich
– ein schmetterling
im sommer
mein haus verlassen

Kurt Blesinger

Abschied

Der gefällte Baum kann
mir nun keinen Schatten
mehr spenden
Während ich durch den
tiefen Wald laufe, denke
ich an die heißen Tage
an denen ich unter diesem Baum saß
und mich wohlfühlte
Nun bin ich auf dem Wege
mir einen neuen Baum zu suchen
in diesem großen Wald
Meine tiefe Trauer wird durch
einbrechende Sonnenstrahlen gedämpft
und ich sehe trotz Tränen in meinen Augen
freudestrahlend dem Sommer entgegen

III Was bist du nur für ein Mensch

Walter Herzensfroh

Du weißt nichts.
Du kannst nichts.
Du willst nichts.
Was bist du nur für ein Mensch?

Städte, gehalten von Spinnweben.
Wärmespendendes Licht.
Kristallklares Wasser.
Ein kleines Kind streichelt eine Katze.
Ich bin das kleine Kind.
Endlose Wiesen, mit kleinen gelben Blumen
und blauem Himmel.
Warmer, sanfter Wind, der mein Gesicht streichelt.
Ein Absturz, angenehm, in endlose Tiefen.
Aufkommend, in watte-ähnlichen Städten,
gehalten von Spinnweben.
Durch die Watte hindurch,
wie ein in die Luft geworfener Stein seine Bahn ändert
und mit wachsender Schnelle zur Erde strebt,
mein Körper entflieht,
zerbricht zu tausend Stücken.
Plötzlich ein Wendepunkt in meinen Wünschen,
ein übermächtiger, unerklärlicher Trieb.
Der Wind hört auf, mein Gesicht zu streicheln.
Die Städte werden mit Dunkelheit überzogen.
Auch hier gibt es Ruhe und Frieden.
Die Opfer bleiben aus,
werden nicht mehr angezogen vom kristallklaren Wasser.
Veilchengeruch um ein Kinderkarussell.
Tiefblau, wie das Wasser im Ozean.
Und Alles schläft.
Sogar die Angst.

eva schott

I
der baum –
zeigt seinen stamm kaum.
nur wenn ihn sturmwinde durchwehen,
kann man ihn sehen.

II
du bist wie ein vereistes fenster –
wie mühselig, immer und immer wieder löcher zu
schmelzen –
am liebsten würde ich die scheibe zertrümmern . . .

III
siehst du die bunten bänder
baumeln?
das sind meine träume, die sich am fensterkreuz
erhängt haben . . .

IV
alles um dich – ist so wohlgeordnet –
alles in dir – ist so wohlsortiert –
manches um mich – ist so chaotisch –
aber so vieles in meinem chaotischen durcheinander –
ist so wohltuendes leben . . .

V
staubkorn sein –
mit dem wind der sonne entgegenfliegen –
sich drehen und hingeben –
dem gefühl der schwerelosigkeit –
ein bißchen glänzen –
ein wenig matt sein –
höher und höher kommen –
weite spüren –
unendlichkeit ahnen –
vom licht durchschienen –
immer transparenter werdend –

irgendwo –
in der atmosphäre sich auflösen –
zu hause sein . . .

worte

so viel besprochen
schnell zerbrochen
traumbesprechung
leise – kotzbedürfnis – leise
jeder erstickt auf seine weise

Karin Schiwik

Warum fragst du mich denn jeden Tag,
was willst du hier?
Und ich antworte dir jedes Mal,
ich brauche Hilfe.
Hilf mir!
Du gehst dann,
mit einem Lächeln auf dem Gesicht,
an mir vorbei.

Ich bin allein.
Verdammt, was soll ich denn sonst zu dir sagen?
Die Gefühle,
die ich noch habe,
kann ich nicht in Worte fassen.
Es ist so schwierig für mich!

Anette Raabe

Gefühls-Moment-Aufnahmen

Im Rahmen meiner Arbeit, die zusätzlich zur therapeutischen Arbeit auch den Umgang mit Institutionen dieser Gesellschaft, wie dem Gefängnis, der Psychiatrie oder einer Versicherungsgesellschaft bedeutet, die unmißverständliche Forderung an mich stellt zu sehen, zu hören, zu fühlen, bin ich gezwungen, nicht nur Andere, sondern auch mich selbst in meiner (Drogen-)Abhängigkeit zu erleben, mich ihr zu stellen.
Drogenabhängigkeit ist nie nur die Abhängigkeit von Drogen, sondern immer auch die Abhängigkeit von bestimmten Bedingungen, Beziehungen, Menschen. Drogenabhängigkeit ist für mich oft das unerfüllte, aber auch unstillbare Bedürfnis nach fragloser Liebe, Geborgenheit und Freiheit; und ebenso oft muß ich mich fragen, ob ich selbst eigentlich weiß, was das ist: Liebe, Geborgenheit, Freiheit.
Die Texte sind Gefühls-Moment-Aufnahmen, die in einem Zeitraum von ca. einem Jahr entstanden sind.
Es war mir wichtig, in diesem Rahmen diesen einen Aspekt der Drogenarbeit, die Auseinandersetzung mit meiner Hilflosigkeit als Drogenberater, meine Abhängigkeit oder, besser gesagt, der Schwierigkeit ehrlich, un-abhängig zu sein darzustellen.

Menschen
in Schwarz,
sitzen
auf Stühlen,
stehen
auf Flächen,
tanzen bewegungslos,
wippen mit dem Fuß
einen unbekannten Rhythmus
oder
küssen die Hälse neuer Gäste.
Menschen,

schwarz,
verkleidet,
sitzen,
stehen steif.
Still,
ohne einander zu berühren,
weinen sie leise,
lachen harte, kalte Tränen
und stoßen damit gefüllte
Gläser zu Scherben,
um ihre Angst,
ihr Leben zu feiern.

So kommen sie mir vor, die einen und zu oft auch die sogenannten »Anderen«.
Es ist mir egal, ob sie sich »zu« drücken (fixen), »zu« saufen, sich
unter der Arbeit begraben, ihre Abende vor dem TV verbringen
oder sich nur den Kopf mit kalten Gedanken »vollknallen«!
– Gegenleben!

»Wir waren mehr ineinander verliebt, als daß wir uns geliebt
hätten. Einen Menschen lieben erfordert Freiwilligkeit; und sie
ist nicht wahr, die Liebe, wenn man nur aus Angst allein zu sein
einen anderen liebt.
Wir haben nur den anderen gefordert, nie uns selbst. Wir waren
ineinander verliebt und sind faul geworden über die Zeit«,
schrieb ich, als ich mich nach drei Jahren »dramatischer Liebe«
von meinem drogen-abhängigen Freund trennte.
»Wir hatten einen Vertrag, eine Lebensversicherung abgeschlossen: jeder zum Preis der Angst des Anderen.
Ich habe Angst allein zu sein, aber ich werde es schaffen.
Ich will versuchen meinen Schatten zu überwinden, ehrlich zu
sein, offen –, nicht Angst vor dem Abrutschen zu haben, sondern
Angst vor dem Stehenbleiben.
Ich will sehen –, hören –, fühlen –!
Mein Körper will ganz werden, nicht Jacke noch Hose bleiben!«
schrieb ich in mein Tagebuch und –
machte mich zielstrebig auf den Weg »Drogenberater zu
werden«!

Nachwehen einer Entscheidung
oder aber
Chronologie keiner Entwicklung
Im Bewußtsein,
spürend,
eine andere zu sein,
nicht die
als solche geliebte,
ausgebrochen,
gescheitert,
liegengeblieben
irgendwo –,
auf einem Weg, der
nicht der meine ist.
Aus Angst, mich
vor mir selbst verkriechend,
vor nichts als
der verlorenen Liebe,
die eben keine ist.
In einer anderen Ecke dieses Raums
find' ich mich schon nicht mehr wieder:
trotzig, in mir selbst verklemmt,
suche ich, Raum zu haben,
anstatt ich selbst zu sein.
Unentdeckt,
verschlossen möcht ich mich ausbreiten
in all meiner Häßlichkeit!
Mich,
mal hemmungslos beschissen fühlen
gelingt mir kaum –,
mal hemmungslos beschissen sein
gelingt mir gar nicht;
liegengeblieben, auf einem Weg,
der nicht der meine ist,
pflücke ich
Vergißmeinnicht.

Ein Ganzes glitt aus meiner Hand,
ein Traum,
und fiel

und brach entzwei.
Herbst in mir
ohne Schutz gegen grelles Sommerlicht
– schutzlos gegen mich
noch gegen andere
falle ich.
Aufgeprallt
versuche ich,
Gefühl zu deponieren,
dort wo es mich
nicht mehr betrifft.

Appelle an Dein Unverständnis:
Ich hasse mich
und alle, die mich lieben,
und möchte doch
geliebt werden.
Es tut weh,
und schnell soll's gehen,
meine Liebe, die verlogene,
die Haß verdecken soll,
und doch aus Angst
zu Liebe wird –
Appelle an Dein Unverständnis:
Was ist das Liebe?
Doch,
sag's mir nicht!
Ich möcht's so gern erfühlen.

Plötzlich,
weißen Wänden gegenübergestellt
– Raum –,
verläßt mich meine »Haltung«.
Im Licht ist nur mein Schatten.
Ich halt's nicht aus,
entschlafe meiner Wirklichkeit
erstarre in ein andres Dunkel.
Häutungen?
In ein Nichts gefallen,
ein Loch ohne Rand.

Dies Loch heißt Angst,
aber,
irgendwann, werde ich mich
doch wieder an die Wand denken,
um mir dann
Rücken an Rücken,
gegenüberzustehen!
– Ratlos meiner selbst entmachtet.

Vielleicht sollte ich dann,
meine Kopflosigkeit ausnützend,
einfach mal weinen!

Morgens
wieder aufgewacht,
fallen sie mir alle wieder ein:
meine nichterledigten Träume,
Wünsche,
mich verpflichtenden Hoffnungen
oder
hoffnungsvollen Verpflichtungen.

Entzug:
Ein Kopf zerschellt
und
planlos wütet Körper:
Atemlos:
Straßen feinden,
Fenster grinst herab,
Schritte –
knirschen
gellen
Tod.

Im Glashaus
in dem Träume
wie erfror'ne Tränen sich verlieren
erstickt ein Goldmund
den Narziß lächelnd dort bewacht
Atemnot –

Das Gesicht an
Mauern von Glas gedrückt
zusehen –, endlich,
frißt sich ihr Kalt in meine Augen.
Schauer,
offner Körper, bauchzerkrampft,
verstockt er sprachlos
Atemnot –
Und fließt es endlich wieder,
dann sehn' ich mich nach mir,
nach Wärme und
Flüssen von Bewegung,
die zu erspüren
Leben heißt.
Und doch –,
verschlägt es mir den –
So wenig Freiheit habe ich!

Allein,
mit Angst
vorm Sterben einer Innenwelt,
die hochkriecht in Dir
mit Duft von Blumen, die
doch schon längst getrocknet sind,
die Dich frieren macht,
die Dich verschließt,
ganz fest,
erdrückt,
erstickt
und noch einmal alleine macht!
Bis du ausbrichst
aus Gier nach Deinem Kinderlachen,
Kindertränen
mit all' der Wut Deiner Ohn-Macht,
wenn Du's jetzt kannst
und endlich an Dein Leben glaubst!
Dann bin ich
voll
und ganz
und da.

Und eines Tages sehe ich wieder
und gehe durch die Straßen
bis zum Horizont.
Mein Herz läuft barfuß,
und es fröstelt mich zu sehr,
als daß, . . .
– meine Stimme versteckt sich noch ein wenig hinter Geflüster,
mein Mund hinter der vorgehaltenen Hand,
und kalt guckt mich der wetterlose Himmel an –
trotzdem:
erste Gehversuche
für mich,
ohne gegen Andere
zu sein!
Ein Clown versucht, die Schminke abzulegen,
ohne von einer Sprachpfütze in die andere zu hüpfen,
um sich seine feucht-fröhliche Existenz zu beweisen!
Ich lach' und kauf' mir was:
ein Buch, das ich schon längst gelesen habe,
oder ein Kleid, das ich nie tragen werde,
– ohne den Mut zu verlieren,
gehe ich wieder
und sehe durch die Straßen
bis zum Horizont.
Ich bringe mich nach Hause
und wortkarg,
doch mit viel Liebe
nehmen meine 12 m² mich auf,
und erst geborgen
in unbequemer Haltung liegend
falle ich mir wieder auf.
Dann bin ich
voll
und ganz
und da.
Und die Linien meiner Hand
führen zu meinem Mund,
der offen ist –
und hungrig.

Nur »Nicht den Hunger verlieren«!
Zeit ist ein Riese und dennoch keine Ewigkeit.
Der Spiegel meiner Träume zerbricht
aber »Scherben bringen Glück«, hat
man mir mal gesagt;
und wär' ich auch gern herbstzeitlos
in diesem späten Sommer,
so werde ich tauchen
in die Bewegung meines Körpers,
sie wird mich tragen,
sie scheint mir stark,
da durch sich selbst bestimmt.
Was sind denn Rosen gegen Pusteblumen?

Kurt Blesinger

Liebe

Liebe ist ein schönes Wort,
doch von Worten allein kann der Mensch nicht leben.
Ohne Liebe ist das Leben nicht lebenswert.
Was soll ich tun?
Leben heißt Lieben.
»Ich liebe allein das Leben«,
sprach der Dichter und
schoß sich eine Kugel in den Kopf.
»Ich brauche keine Liebe«,
sagte der Einsiedler, bevor er sich erhängte.
»Ich brauche Liebe!« sage ich
und steh' voll und ganz dahinter.
Denn wer nicht liebt, der wird nicht alt,
infolgedessen stirbt er bald!

Leere

Ich bin leer, das fühle ich,
kann mich nicht mehr richtig freun.
Sehn' mich zurück in die Vergangenheit,
als ich hatt' noch echte Freud.
Was die Zukunft bringen mag,
erträum' ich mir jeden Tag,
doch nie wird mein Traum die Wahrheit sein.
So träume ich dahin und zähle jeden Tag,
den ich durch einen Traum verloren hab'.
Ach, Kurt, ach, Kurt,
so komm zurück
und sieh alles, so wie's wirklich ist.
Sonst wirst du nie kapieren,
Warum Du auf der Erde bist.
Du sollst die Kälte spüren und Wärme geben immerzu.

Angst

Früher hatte ich Angst vor allem,
was mir unbekannt war.
Heute habe ich Angst vor mir selbst,
denn ich kenne mich nicht mehr.
Von Gefühlen verwirrt,
sehne ich mich nach Ruhe und Kerzenschein.
Flucht, Flucht und noch einmal Flucht,
ich habe große Angst vor mir,
dem Unbekannten *Ich*.

Sehnsucht

Tiefe Sehnsucht erfüllt mein Herz,
ein angenehmer Schmerz, dann
stille Trauer der Vergangenheit,
nur einmal die Zeit zurückholen,
erleben und dabei wissen, daß
es schon vorbei ist.
Noch einmal in dem tiefen Abgrund liegen
und dabei wissen, daß man schon gerettet ist.
Noch einmal im Walde sich verirren, mit
der Sicherheit, wieder herausgefunden zu haben.
Noch lebt die *Ratte* in mir.
Sie ist harmloser, aber auch schöner geworden,
raffiniert wie eh und je
versucht sie mit aller List zu überleben.

Ruhe

Endlich hab' ich Ruhe und Zeit,
nachzudenken über hier und über mich,
jetzt bin ich gelassen, und mir geht es gut,
war weg mit meinen Gedanken und bin
wieder zurückgekehrt.

Einsam

Das Ticken der Uhr geht mir schon lange auf die Nerven,
ich sitze im Zimmer, schaue auf den alten braunen Schrank
und warte – auf wen und wie lange weiß ich nicht –
ich warte und warte – aber es kommt niemand.
Mit der Zeit fallen meine Wangen ein,
die knochigen Hände führen eine Kippe zum Mund,
der einem Friedhof ähnelt, und ich weiß –
der Tod ist nahe –
Verlassen und alleine warte ich, bis er mich holt!

Willenlos

Ich weiß nicht, was ich will,
weiß nur, ich will nicht stehenbleiben,
ob vorwärts oder zurück, das ist mir völlig gleich.
Voll von Energie möcht ich vieles tun, kann einfach
nicht ruhn.
So sage ich mir, was soll ich hier,
Zeit absitzen, obwohl ich gar nichts abzusitzen hab,
warten auf Post, Ausgang, Brücke*?
Ich hab noch nie gern gewartet,
bin so ungeduldig
und trotzdem lasch und müde,
so kam ich zum Ende
und weiß, daß ich nichts weiß.
Und weiß, daß ich alles will
und auf alles verzichten will
und alles können will,
und gar nichts können macht mir auch nichts aus.
Ich weiß einfach nichts!
Im Kreis spazieren gehn ist auch ganz schön,
macht aber auch müde –
obwohl man nicht vorwärts kommt dabei.

* letzter Therapieschritt

eva schott

innenleben

innenleben
innen
leben
es ist zeit
ich muß endlich
meinem innenleben
ausgang geben

ich will

ich will mich
nicht mehr offenhalten –
ich will mich
nicht mehr verströmen –
ich will mich
in der dunkelheit verlieren
bevor es hell wird
und
ihr mich einholt

Rudolf Müller-Schwefe

Selbstgespräch

Wie fängt das immer an? Ach so, ja:
Aufwachen, zuhause oder jedenfalls mit jenen Leuten, mit
denen du Brot & Zeitung teilst, aufwachen im 7-Uhr-Verkehr, so
schrecklich wie ein Wecker, und schmerzhaft die Sehnsucht nach
den autofreien Sonntagen. Träume zwischen zwei Ampelphasen,
ganz weit zurück, vor die neolithische Revolution: Eiszeit-
mensch, aus der nächtlichen Wärme eines Tierfelles erwachen,
taufrische Reflexionen des Regenbogens im sonnendurchtränk-
ten Frühnebel an jener Wasserstelle, noch liegend ein Blick so
weit wie die labyrinthischen Zweigmuster und ihre losen Blatt-
umhänge; eine Spinne kriecht über die haarige Hand und, anstatt
einen Verkehrsunfall zu verursachen, sucht sie gemächlich ihre
Beute unter deinen riesigen Augäpfeln. Oder auf der Wolfsinsel:
trübe, milchige Dunkelheit in der rauchigen Stille des Waldes
und die Ruhe der Aderflüsse unter den lautlosen Streifen der
Nordlichter. Willkommen ein Regen und später ein paar Worte,
die sind, was sie sagen, und Gedanken, die gabeln sich mit den
Ästen. Das Lebendige flößt Angst und Vertrauen ein; beheima-
tet also.
Nostalgisch noch unter der Dusche, eingeholt von Einsichten &
Ansichten über jenen Schritt, der uns Herrschaft und Ausbeu-
tung bescherte, eine immerwachsende Feindseligkeit, die mit der
Seßhaftigkeit über den Planeten kriecht.
Zum Aufwachen die kalte Dusche, Vertrauen in unsere Zivilisa-
tion (wasch dir den Tiergeruch aus den Achseln!): Der Tag
beginnt, wenn der Kaffee die Betäubung des Schlafs durchbricht
und die Zeit eines Tages nach Nahrung schreit.Und deine
Ungeduld, bis endlich das Frühstück die Leere des Magens und
den dumpfen Hunger des Hirns zudecken kann. Mit Brötchen
und Kaffee samt Zubehör will die Morgenzeitung (nein! derer
zwei!) eingenommen werden, während die verhaßte US-Armee
dir die ersten Super-Hits durch die Ohren schießt, und warum
nur kann die erste Zigarette nicht schon zwischen die kauenden
Kiefer passen . . . und dann suchen deine mit Schlagzeilen
verstopften Augen den Raum ab nach der Möglichkeit einer

zusätzlichen Tätigkeit, nach einem zusätzlichen Genuß, einem zusätzlichen Sinn für diesen Morgen, der sich noch sträubt gegen die Stolperfahrt durch den Tag, durch Erinnerungs- und Traumfetzen, durch gehetzte Beschäftigungen, in die jene Ausblicke einbrechen, die dich jagen, bösartige Reklamespots der Realität: unpersönliche, weiße Kälte, die Lichtinseln der Straßenlaternen, starre, unbewegliche Schatten, gepflasterte Gehwege und Straßen, leere Stille, die jeglichen Laut schluckt, Gartenzäune und manikürte Hecken und Sträucher, peinlich gepflegte Vorgärten und Schaufenster ... eine welke und strenge Ordnung, ein Gefängnis für alles, was leben will, und die anonyme Schadenfreude grinst von überall her, und du haßt sie und ertrinkst in deiner Ohnmacht, läßt dich einfangen von all den eingeimpften Verhaltensmustern, der Enge und Peinlichkeit, der drückenden Last dieser Versteinerung, die dich in diese Landschaft stellt wie einen beschnittenen Busch am Straßenrand ...

Nein, da fliehst du lieber in die Großstadt, und auch nicht irgendeine, sondern DIE Großstadt, die hat ihr ganz eigenes feeling, Mann. Sicher, zunächst tritt es dir fremd gegenüber, eine Art unverständliche Hektik und Brutalität, sinnloser Krach.

Aber langsam und beharrlich rückt es dir näher, wird vertrauter, kriecht unter die Haut, ergreift Besitz von deinem Körper, deinen Gedanken, Gefühlen, Hoffnungen, unmerklich, bis du darin aufgehst, versinkst. Und du darfst dich nicht wehren, sondern mußt es wollen, dieses riesige Rauschen, das dir von innen gegen die Schläfen pocht, die Gesprächsfetzen und Motorengeräusche, Kinderschreie und Sirenen, die tausend Schritte der Herde und das Quietschen der Hochbahn, mußt es über dir zusammenschlagen lassen wie eine Flutwelle, mußt eintauchen in die Straßenschächte, Steinberge, Häusermassen und mitschwimmen im Geschiebe der schwitzenden Körper und rauchenden Autoschlangen, im Gedränge der leeren Gesichter und Schlagzeilen, mußt diese unvergleichbar schwüle Luft einatmen, die immer wechselnden Schwaden von Benzingestank, Schweiß, Smog und Großküchengerüchen, mußt deine Augen den Schatten der Feuerleitern und Blitzen der Neonmuster, dem Grau des Betonhimmels und dem Farbchaos der Plakatwände überlassen, mußt dich ausliefern dem totalen Rock'n Roll der immerfort wechselnden Umgebungen und draufloshämmernden Situationen, mußt zergehen in diesem Rhythmus, ihm deine Sinne in den

Rachen werfen, bis er deinen ganzen Körper erfaßt, dich völlig durchdringt, bis du ihn nicht mehr spürst, weil du ein Teil von ihm bist . . . und so kennst du jene tranceartige Ekstase, die aufglüht wie eine Zigarette, die du in den Fahrtwind hältst.

Das andere, der Katzenjammer eines frühen Morgens, kommt dann, ohne daß du etwas tun könntest. Da spürst du, wie eine große Melancholie im Bauch wächst, angesichts des Elends der glasigen Blicke, der toten Fenster, rattenbevölkerten Gassen und verwesenden Lumpen anschwillt und dich ganz und gar ausfüllt, wenn du mit hohl klappernden Schritten den parolenbeschmierten Mauern entlang gehst, den Geruch von Schweiß und Haß in der Nase, und deine Gedanken wandern von Sirenentod zu Sirenentod, und du siehst deine eigene Hilflosigkeit im Alltagslächeln eines schwarzen Gesichts; dann möchtest du den Gedanken entfliehen, diesem Kreuzfeuer so vieler Zerrspiegel, und einfach so daliegen, an die Decke starren und die Zimmerecken absuchen nach jenen Schmutzbeuteln, die einmal einer Spinne ein Netz gewesen waren. Und du bist diese schwere, feucht-kalte Trauer ebenso intensiv, wie du ganz die schwüle Hektik gewesen bist, die sie wieder ablösen wird. Und beides zusammen . . . es ist das feeling, Mann, das feeling, und wenn es da ist, ist es wie der Glühfaden eines Tagblitzes, und wenn du ein altes Großstadtgesicht siehst, nicht aus irgendeiner, sondern aus DER Großstadt, dann ist es wie ein Tropfsteindenkmal davon, im Abfallgebirge des Allgemeinwohls.

Und doch fragst du dich, ob das nun »das Leben« sei, das sie dir immer versprochen haben und von dem sie seit einigen Zeiten sagen, du hättest es noch vor dir. Und sie sagen noch mehr, sie sagen »Träumer«, »Phantast«, und »Spinner«, und du nimmst deinen Abschied von den Träumen der Steinzeit und den rauschartigen Zuständen, die dich in die Wüste der schmerzhaften Sehnsüchte entlassen, wenn sie vorüber sind. Du reißt dich also am Riemen, räumst deinen Kopf auf, krempelst die Ärmel auf und sagst dir, was zu sagen ist: dein Nicht-Mitmachen, Mann, ist blind. Du spürst das unbefriedigende Nagen wie Termiten im Körper, aber du weißt nicht, was Befriedigung ist; du leidest unter Unselbständigkeit, aber du kennst keine Selbständigkeit, du fliehst vor Einsamkeit, aber du weißt nicht, was Zusammensein bedeuten kann, du leidest unter dem Leistungsdruck, aber ohne ihn schlaffst du ab, du verfluchst die Ungerechtigkeit, aber du träumst nur von einer besseren Welt . . . Na, und so suchst du also als erstes die große Mutter Revolution auf, du arbeitest für sie, und da triffst du Menschen, auf deren Gesichtern schon das zukünftige Paradies wetterleuchtet, und wenn du dich dann einigermaßen zurechtfindest im Labyrinth der einäugigen Theorien und aus dem fernen Chile eine Hoffnung herüberweht, dann fahren eines Tages die Panzer in dein Zimmer ein, deine Hoffnung geht hinter dem Schreibtisch in Deckung, und du wirst müde, schon wieder Lehren ziehen zu sollen aus den Morden der Reaktion. So schaust du zu, betäubt von den Terrornachrichten, und du denkst an deine Helden, die auf eine sehr amerikanische Weise sterben, und du möchtest den anonymen Mördern, den Gleichgültigen, Drahtziehern und Schreibtischtätern zurufen: Wenn wir erst unsere Lehren ziehen, dann wundert euch nicht, wie uns das entstellt, dann hängen wir unsere Trauer nicht mehr in den Regen, dann glauben wir nicht mehr an ein Gutes in Euch und Uns!

Aber noch hältst du aus, suchst die korrekte Linie jenseits der Verzweiflung der Gewehre, tauchst ein in die große Redefabrik und abendliche Kneipentouren, da gehst du mit jenen Freunden hin, die alle des Abends den Tag auskotzen wollen. Und einmal sitzt ihr an einem Tisch, da ist schon jemand, der scheint auf euch zu warten. »Heinz«, sagt eine Bierfahne, und: »Bauarbeiter«, und er beginnt zu reden, gestikuliert dabei. »Ihr seid die falsche Linie«, sagt er, und du erschrickst, weil dein Gesicht eine Linie preiszugeben scheint, die du selbst gar nicht kennst, und Heinz schickt immer mehr Bierwolken über den Tisch und redet weiter: »Ich muß das wissen, hab doch Freunde im ZK, ihr macht das nicht richtig, ich bin doch Arbeiter.« Und während dein Freund verzweifelt klarzustellen versucht, wer welche Linie hat, sackst du weg in den Zigarettenqualm, verschwindest in Gesprächsfetzen, Streitereien, im dumpfen Getöse der Musikbox und schaust dich um: ein paar Leute tanzen. Alt & verbraucht alles, schmutzig & trübe, und eine Handvoll Menschen, alt & klein, und das große Vergessen in ihrer unsinnigen Besoffenheit. Aber immerhin: keine Haupt- und Nebenwidersprüche hier, kein Klassenkampf und keine Produktivkräfte, nur bierselige Streitereien. Und plötzlich steht sie dann an eurem Tisch, die kleine alte Frau, schwankend, glasigen Augs wie die Hexe in deinem Kindergedächtnis, steht da und sagt mit hoher, kreischender Stimme:

»Jungs, dat ist nett, ick lad euch alle ein«, setzt sich und sieht vergnügt von einem zum anderen, bis sie Heinz erblickt, der aus seinen Belehrungen erwacht. »Hau ab«, sagt er, »du Hure – Faschistenweib.« Da steht sie auf und schreit zurück: »Du Hurenbock.« Aber Heinz kommt in Fahrt. »Ich bring dich um, nee, ich nich, das macht 'n anderer, aber umgebracht wirst du, das ist Beschluß vom ZK, da ist nichts zu machen, das ZK ist eisenhart. Jawohl, umgebracht, du Verräterin.« Sie setzt sich wieder, heult und schreit euch mit wackelndem Kopf ihre halbe Geschichte entgegen. »Ich hab's ja nicht getan«, sagt sie zu Heinz, »sei nicht grausam.« Ute legt ihr den Arm um die eingesunkenen Schultern, während du versuchst, Heinz zu beruhigen. Aber der läßt nicht locker. »Die Partei weiß Bescheid«, lallt er, »du wirst UMGEBRACHT, Faschistenhure.« Und sie wimmert nur noch: »Gleich kommt mein Karl, paß auf.« Heinz steht auf, ballt die Faust, und dein Kopf dröhnt, und du denkst, man muß etwas tun. – Aber plötzlich ist es ganz still, keine Musik mehr, das Gelalle verstummt, ein paar husten wie im Theater, und alle blicken auf die Gestalt in der Tür, da steht ein Zwerg mit riesigem Kopf aufm Buckel, viereckiges Gesicht, herunterhängende Unterlippe, graue, zurückgekämmte Haare, über Stirnfalten, schwarz-verbrauchter Anzug & silberner Schlips . . . Humpelt auf die Frau zu, fixiert Heinz. »Sieh dich vor«, flüstert er, nüchtern und kalt, und Heinz grinst verlegen und schweigt fortan. Und du gehst nach Hause und hast mal wieder was erlebt, aber wenn du einschläfst, kommt dir schon wieder jenes nagende Gefühl, und morgens fragst du dich wieder, was du bloß willst, was du tun willst in all den Jahren, die Horst-Eberhard Richter immerhin mit seinen Büchern beglücken wird, und in einer klaren Minute gestehst du dir deine Lustlosigkeit ein, weil du nach einer Begeisterung suchst, die du im sogenannten Leben vermutest und in seltenen Momenten erlebt hast. Was kannst du schon werden?

Entweder einer von diesen bebrillten, blassen, stachelbeinigen, wasserköpfigen Akademikern, die mit ihrem Wissen nichts anzufangen wissen, als es endlos aufzuschreiben und vor sich hinzuplappern. Oder einer der »schicken Linken«, freiberuflich und scharfzüngig, die ihre Ideen und Träume an eine traurige »Machbarkeit« verkaufen. Oder du kannst deine Revolution in die Institutionen tragen, und dann entdeckst du deine neuen Interes-

sen, Gewerkschaften und Gehaltsforderungen und einen neuen
»politischen Ansatz«, der den Absatz deiner Berufsgruppe ver-
bessert. Und natürlich kannst du dein Sicherheitsbedürfnis in
einer proletarischen Partei befriedigen, da stirbst du dann den
Kader-Tod. Irgendwann, denkst du, irgendwann auf dieser
Suche nach dem Leben, auf dem Weg dieses immerwährenden
Versuchs, die nagende Leere vollzustopfen, irgendwann auf
dieser Irrfahrt durch die heiligen Hallen der Parteien und Sekten,
durch die Schlafzimmer der Groschenheft-Liebe, die Zimmer-
fluchten einer Karriere, die Marihuana-Nebel und die Ausflüge
in die Wunder der Wahrnehmung, irgendwann muß doch mal
was PASSIEREN!
Ja, so weht dein trauriger Atem über den Schreibtisch, und es
fehlt noch, also mußt du das nachholen, daß du deinen Zynismus
ausschüttest über jene, die in der Kerzeneinsamkeit ihres Kat-
zenjammers die große Resignation beschwören, mit dem Heiligenschein in der Farbe der untergehenden Sonne an der berühm-
ten Weggabelung unserer Märchen in Denkerpose vor sich
hinschimmeln und ihre Feigheit zu leben beweinen. Und manchmal gehen sie auch diesen oder jenen Weg ein paar Schritte, um
schnell zurückzukriechen in den großen Mutterschoß einer me-
lancholischen, untätigen Einsamkeit. Denn sie verlieben sich
manchmal, aber es ängstigt sie zu lieben, denn sie haben manchmal Verständnis, aber sie verstehen nichts, denn sie reden oft,
aber leben tun sie kaum.
Über wen du da nun wohl redest?
Und dann kannst du von vorne anfangen mit deiner Sucht zu
leben. Und beim zweitenmal, da fällt dir John ein, klein, picklig
und einer der Kamikaze-Jünger Jesu; der fuhr dich im dichtesten
Verkehr über eine rote Ampel und begegnete deinem heiligen
Zorn mit der lapidaren Festellung, er habe vorher gebetet.
Oder Kerstin, achtjährig, die in einer Kindergruppe die betreu-
enden Studenten fragte, ob sie etwa Kommunisten seien? Und
sie wurden rot und still, und es hob eine größere Erklärerei an,
wer oder was unter welchen Umständen als Kommunist zu
bezeichnen sei, es sei schwierig, und ob jemand *denkt*, er sei
Kommunist, heiße noch lange nicht . . . Und Kerstin schüttelte
nur den Kopf und sagte: »Schade, ich finde Kommunisten
nämlich gut.«
Und es fallen dir die Momente des Glücks ein, und du mußt sogar

zugeben, daß du in all den Jahren der Suche einen Weg gefunden hast, eine Orientierung, einen Standpunkt . . . und die Sucht zu leben ist zu einer Sehnsucht geworden, einem Motor, den du in dir spürst und der dich vor Stillstand bewahrt. Und nur wenn er leerläuft, mußt du zur Feder greifen, weil das »Leben« selbst das Schreiben nicht braucht.

Karin Schiwik

Ruhig liegt es da.
Eine angenehme Dämmerung umgibt es,
das Dasein.
Von leichten Wellen und Wogen getragen,
wandert es,
das unsichtbare Objekt.
Jede Zelle weicht ihm aus.
Einige werden durchbrochen.
Wärme.
Eine Stimme gibt Anleitung.
Monoton.
Das Dasein weicht leicht.
Heiße Ströme treten auf.
Zeitweise Stillstand, zeitweise Kreisen.
Dann wird die Reise fortgesetzt.
Ruhig liegt es da,
das Leben.

Am Anfang
Nicht größer als ein Stecknadelkopf
Etwas später
Die Größe einer Zigarette
Gespürt habe ich dich
Mir sind vor Freude die Tränen gekommen
Jetzt bist du so groß wie der Bleistift
Mit dem ich dies hier schreibe

Ilona Landsmann

Folge der reinen Natur
Lebe mit den vier Jahreszeiten
In Deinen Gedanken muß die Blüte sein
In Deinem Herzen muß der Mond sein
Wenn in Deinen Gedanken die Blüte nicht ist
Bist du wie ein Barbar
Wenn in Deinem Herzen der Mond nicht ist
Bist Du wie das Tier
Scheide vom Barbarischen
Trenne Dich vom Tier
Folge der reinen Natur und kehre zur Schöpfung zurück
Das heißt
Vollkommenheit

Viele Augen sind auf mich gerichtet
Doch sie sehen nur mein Äußeres
Lasse ich aber die Hüllen fallen
zerreißen sich alle Lippen die Mäuler
über meine Empfindlichkeit
Die Kleidung meiner Gefühle muß hart
und kalt auf all die Gesichter wirken
Ansonsten bin ich der Macht der Augen ausgeliefert
Und die Macht der Lippen wird mich zerstören
Das *darf* nicht sein

Sylvia Rupp

Manchmal wünschen wir
tot zu sein,
weil Trauer uns umgibt
wie ein dunkler Schleier.
Und wir vergessen dann,
wie sehr wir das Leben schon geliebt haben.
Wie wir die Sonne, die Blumen, die Freude lieben.
Und wir vergessen dann,
daß Leben nicht nur Freude heißt,
sondern auch Trauer und Tränen.
Vielleicht sollten wir lernen,
unsere Traurigkeit zu lieben,
und so auch das Leben.
Denn Leben heißt nicht nur Trauer,
sondern auch Freude.

(Für Eva)

Auf dem dunklen, stinkenden Wasser
der ausgegossenen Gefühle
schwimmt das faulige, modernde Treibgut der Angst,
und geht trotz der drückenden Last nicht unter.
Im dunklen Loch der Einsamkeit
sitzen Gefangene der Leere,
ihrem leeren Gegenüber
gegenüber.
Kotzen verkaufte Gefühle aus,
und die Schwingungen verhallen in grausiger Stille.
Der stetig fallende Tropfen Einsamkeit
gräbt ein tödliches Loch in ihre Stirn.
Und der Tropfen wird zu dunklem, stinkendem Wasser
ausgegossener Gefühle.

Dein Schatten in den Sonnenstrahlen
unter meiner Tür.
Unschlüssig wartende, dunkle Formen,
Schattenfiguren, die nicht wissen, ob.
Warum trittst du nicht ein?
Wolltest du mir die vielen schlaflosen Nächte wiedergeben,
die ich an dich verloren habe?
Willst du mit deinem Schatten meine Türe öffnen?
Warte bis es dunkel wird,
dann vergehen auch die letzten Formen deines Bildes,
das nur noch in den Strahlen der Sonne bestehen kann.

Wasser

Phantastische Tiefen
Umhergetriebene Lautlosigkeit
Mit der Kraft einer unberechenbaren Meeresklaue
Sinken
Fallen
Schweben
Und während ich ersticke
Habe ich zum ersten Mal das Gefühl
Gelebt zu haben
Phantastische Tiefen
Zerschmettern mich in Schwerelosigkeit
Und Schweben ist Leben

Karin Schiwik

Die Sonne

Ich stehe hoch am Himmel
und bin Herr über die Planeten um mich,
denn ich stehe fest.
Meine Kraft zeugt und erweckt Leben.
Jedes Lebewesen blüht auf,
wenn meine Strahlen es berühren,
denn ich bin warm und spende viel Licht.
Wer zu nah an mich herankommt,
muß verbrennen.
Um diese Wärme auszuteilen,
dafür lebe ich.
Und solange meine Strahlen euch berühren,
lebt auch ihr.

Ilona Landsmann

Möchte liegen, möchte sterben,
möchte schreien, möchte weinen . . .
doch was ist das?
Etwas Warmes küßt mich im Nacken . . .
Was ist das?
Ich spüre seine weichen Lippen,
sein warmer Atem läßt mich erschauern . . .
Was ist das?
Meine Hände zittern,
bin unfähig, alles von mir zu weisen . . .
Was ist das?
Warum läßt mich dieses Gefühl nicht los?
Geh' Gefühl, geh'! Ich will dich nicht mehr spüren . . .
ich kann dich nicht mehr gebrauchen! Zu oft tust du mir weh –
ich geh' an dir kaputt . . .
Aber was ist das?
Etwas Warmes küßt mich im Nacken . . .
Nein, geh' Gefühl . . . geh', . . . geh' . . .

Sylvia Rupp

Sonderangebot

Angebot und Nachfrage,
Liebe im Sonderangebot,
Zärtliche, sanfte, werbende Worte,
verpackt, in Berechnungsgeschenkpapier,
mit dem roten Strumpfband einer Hure als Schleife.

Weiche, wogende Liebe,
du wärst so schön,
könntest so echt und traumhaft sein,
wärst du nicht in Berechnung,
Lüge und Täuschung eingebunden,
verziert mit dem schmierigen Band der Geilheit.

Liebe, du wärst ein so unbezahlbares Geschenk.
Was du aber wirklich bist,
ist ein in Berechnungsgeschenkpapier verpackter Artikel.
Geschenkt, um beschenkt zu werden.
Gegeben, um zu bekommen.
Liebe im Sonderangebot gegen Liebe im Sonderangebot.

Liebesdealerei
je nach Angebot und Nachfrage.

Meine Gefühle zu dir
sind
wie eine gespannte Feder.
Ich würde sie gerne loslassen.
Aber die Spannung
würde dir das Gesicht zerfetzen.

eva schott

offenheit

erzähl mir was von dir
ich habe dich so lieb
mach auf
laß mich in dich reinsehen
sprach sie
damit
wenn ich zusteche
ich gleich
und sicher
dort treffe
wo's tödlich ist
dachte sie

schonzeit / schon zeit?

vorsichtig leise,
das eis könnte brechen
und was
tust du dann
wenn du dich
plötzlich spürst?

behutsam, warm
das gefühl könnte erfrieren
und was
tust du dann
wenn du plötzlich
vom eis umgeben bist?

IV Geschichten

Walter Herzensfroh

Sturm ballte sich auf.
Ein von Angst gehetzter Reiter zog über die Felder.
Ein zusammenziehender Schmerz in den Tiefen einer bösen
Seele.
Sie hofft auf Liebe und Gnade.
Eine Mauer hindert sie daran.
Von weitem, tief unten, das Lachen des Reiters.
Geh, geh, hau ab!
Hört die Seele, ganz leise, ein bißchen wie eine Nachtigall.
Früher schickte sie Strahlen, blendend, wie die eines Rubins.
Da war Frieden, ja sogar Schafherden. Kinder tanzten im Kreise.
Nektargeruch überzog das Land, und war Schutz vor Gefahren.
Über die Grenzen hinaus war Wüste, endlos karg.
Inmitten nur ein Stein.
Ein aus den Tiefen verbannter Greis darauf,
bewegungslos, sein Blick war starr.
Manchmal hörten ihn die Kinder in der Nacht klagen.
Das war lange her.
Die Schafe weiden nicht mehr, kein Nektargeruch.
Blutgeruch überzieht jetzt die Tiefe.
Der Klang eines styropor-ähnlichen Geräusches wird wahr.
Das Bellen aufgeschreckter Regenwürmer,
Katzen tanzen im Kreise.
Fingernägel, die Elefantenrüssel halten,
kämpfen um eine Kröte.
Terroristen, Gewalt in den Tiefen.
Wann wird es soweit sein?
Die Körner liegen bereit, das Saatgut muß gesät werden.
Das Duften der Kornfelder wird sie alle vertreiben,
und dann herrscht wieder Frieden.

Kurt Blesinger

Die Insel des ewigen Glücks
(oder Die wahrlich phantastischen Abenteuer des Pedro Gastalli)

In einem Fischerdorf am Meer lebten drei Jungen, die immer viele Streiche ausheckten, um die Erwachsenen zu ärgern. Ihre Namen waren im ganzen Dorf bekannt. Pepe war der älteste, aber auch der kleinste. Hucky war der größte und kräftigste – und dann war da noch Pedro, ein ziemlich ruhiger Junge mit viel verrückten Ideen.

An einem lauen Sommerabend, es war schon dunkel, hörten die drei auf ihrem Nachhauseweg ein etwas lautes Gespräch, welches aus der »Roten Laterne« drang. Neugierig blieben sie stehen und lauschten den Worten, von denen sie aber nur Bruchstücke vernahmen (Schiff, nie jemand an Bord, Mary Jane, Meer, Insel des ewigen Glücks.) Diese Worte allein genügten. Sofort wußten sie, von welchem Schiff gesprochen wurde. Ja, ja, die alte Mary Jane, niemals war sie ausgelaufen, es war ein Geisterschiff, das im Hafen lag, und niemand kannte seinen Besitzer. Auch hieß es, daß wenn jemand seinen Fuß auf dieses Schiff setzte, es für ihn nur noch Unglück gäbe. Trotz dieser Gerüchte liefen sie schnurstracks von der Hafenkneipe weg aufs Schiff zu.

Da waren sie nun, am dunklen Hafen. Vor ihnen lag das düstere, ziemlich morsche Schiff, um das es so viele seltsame Gerüchte gab. Dennoch betraten sie es ganz leise, aber glücklich. »Endlich weg von unserem Dorf«, sagte Pepe. Pedro stimmte zu und sprach von einer Insel des ewigen Glücks, auf der immer die Sonne scheinen sollte. Er war, als die anderen schon auf dem Weg zum Schiff waren, noch kurz in die »Rote Laterne« hineingegangen und hatte noch eine Pfeife, Tabak und etwas Kautabak gekauft. Da schnappte er noch von dem Ecktisch, an dem zwei ihm unbekannte, ziemlich hagere Typen saßen, die Koordinaten dieser Insel auf. Richtung Süd-Ost, 4 Strich Backbord, 3 Strich Steuerbord – so legten sie ab.

Hucky war ein bißchen pessimistisch, aber Pedro und Pepe waren ziemlich zuversichtlich. Das Schiff war sehr seltsam eingerichtet. Ein Raum war lila und hatte nur Hängematten und eine große Kerze als Inventar.Der andere war kahl und weiß. Der kleine komische Tisch, der seltsamerweise nur 20 cm über den Boden reichte, stach ihnen sofort in die Augen und ins Herz. Starr blieben sie stehen, denn er hatte die Form eines Sarges, und auf der Tischplatte war ein weißes Pulver in Form eines Kreuzes darauf gestreut. Im dritten Raum fühlten sie sich wohler, denn er hatte bunte Wände, und auf einer Wand war eine Spirale, so groß wie die Wand selbst, in Regenbogenfarben angebracht. Auch waren Decken an Bord, und in der Mitte stand eine große Wasserpfeife. »Hier fühl' ich mich wohl«, sagte Hucky, »hier mag ich bleiben, und in keinem anderen Raum mag ich mich aufhalten.« So blieben sie tagelang in diesem Raum, denn die anderen beiden Räume – besonders der kahle weiße – waren ihnen zu unheimlich. Um ihre immer hungrigen Mägen zu stillen, rauchten sie andauernd eine Pfeife, da sie jedoch nur eine hatten, ließen sie diese kreisen. Als jedoch der Tabak zu Ende war, sahen sie die Wasserpfeife abschätzend an, denn in ihrem Kopf war etwas, das sie nicht kannten. Seltsamerweise hatte diese Pfeife auch genau drei Schläuche, und so entschlossen sie sich aus purer Verzweiflung, dieses Gerät anzuzünden. Aber kaum hatten sie die ersten Züge gemacht, so begann die Spirale sich zu drehen. Ganz langsam, dann schneller, immer schneller. »Kommt mit, bitte kommt mit«, schrie Hucky, ihn erfaßte panische Angst. »Schnell, folgt mir doch!« Dann ertönte ein grelles, langezogenes »Nein«, danach ein Plätschern, das sich immer weiter entfernte. Hucky war von Bord, doch beide nahmen keine Notiz davon. Sie saßen sich gegenüber, konnten aber nicht miteinander sprechen. Ganz langsam, ihre Augen waren auf den Kreisel gerichtet, tauchte aus dem Kreisel heraus ein kleiner, immer größer werdender Schatten hervor, der sich als eine Menschengestalt entpuppte. Schwarz bekleidet, mit falschem Lächeln und kleinen Augen, welche in seinem dürren Gesicht fast unsichtbar wurden, forderte er sie wortlos, mit sanfter Gestik auf, ihm zu folgen. Sie standen auf, ganz langsam, und gingen in Richtung Kreisel. Als sich der Schatten umdrehte, um den Kreisel zum Stillstand zu bringen, setzte ein Gewitter ein. Alles war dunkel, man hörte nur das Rauschen der Wellen. In dem Kreisel war eine runde Tür angebracht, und als der Schatten diese öffnete, drang Licht herein und sie wurden in Angst und Schrecken versetzt. Auf dem schwarzen Umhang des Schattens sahen sie jetzt das Zeichen: ein aus weißen Punkten gefertigtes Kreuz.

Jetzt wußten sie, daß sie dem Unglück nicht entrinnen konnten. Sie folgten dem schwarzen Schatten und traten durch die runde Öffnung in das Zimmer ein, das sie tagelang gemieden hatten. Der weiße Raum war ihnen jetzt ganz angenehm und überhaupt nicht mehr unheimlich. Sie setzten sich um den Tisch herum, auch die schwarze Gestalt nahm Platz und zwar so, daß diese an der Schmalseite des Tisches saß. Das Kreuz zeigte auf ihn wie ein Pfeil den Weg weist. Mit einer magischen Kraft brachte er beide dazu, von dem Pulver auf dem Tisch zu kosten. Dann fielen sie in einen ohnmachtähnlichen Schlaf. Als sie, mittlerweile war es Tag und auch der Schatten war verschwunden, erwachten, hatten sie alles vergessen, was geschehen war. Nur vermißten sie Hucky. So gingen Pepe und Pedro an Deck, und ihr Herz wurde fast zu Stein, als sie sahen, was vor ihnen lag. Nun, sie waren an einer Insel gestrandet, und ein Bild von natürlichem Frieden lag vor ihnen. Saftige Wiesen, Bäume, so gerade gewachsen, als wären sie alle Schiffmasten, die nur noch umgehackt werden müßten und dann ihrem Zweck dienen könnten. Ein hellblauer, wolkenloser Himmel lag über ihnen und war von einer knallgelben Sonne erleuchtet, welche wie Feuer auf die Insel herunterbrannte. Diese normalerweise unerträgliche Hitze wurde von einer sanften, kühlen Windbrise zu einer angenehmen Wärme gedämpft. Alles war still, die Insel schien unbewohnt. »Wir müssen eingeschlafen sein, und als wir hier strandeten, wird Hucky von Bord gegangen sein, um das Land ein bißchen zu erkunden«, sagte Pepe, und Pedro antwortete mit einem glücklichen Lächeln: »Er ist halt ein alter Abenteurer. Komm, gehen wir ihn suchen.« So gingen beide an Land, und als sie das nahegelegene Wäldchen betraten, hörten sie ein lautes Krachen. Sofort drehten sie sich um und sahen, wie das Schiff, das sie an diese Insel gebracht hatte, vor ihren Augen mit einem lauten Tösen zusammenfiel und verschwand. Verzweifelt und hilflos zugleich schauten sie einander an. Kopfschüttelnd und den Tränen nahe erfaßte Pedro das Wort: »Was nun, das soll die Insel des ewigen Glücks sein, wo ist Hucky, wie kommen wir je hier weg?« Kaum hatte er diese trostlosen Worte gesprochen, tauchten am Himmel unzählige schwarze Vögel auf, die durch ihre krächzenden Schreie eine Angst bei ihm auslösten, die ihm unerträglich erschien. Er begann zu laufen und sah gar nichts mehr, vergaß alles, auch Hucky und Pepe, rannte einfach nur ziellos davon. Aus Angst vor etwas, was er nicht kannte. Mit seiner Kraft am Ende, sank er vor einem großen Berg nieder, den zu besteigen ihm nicht möglich war. Alle Sinne schwanden ihm, und er hatte einen fürchterlichen Albtraum. Schwarze Gestalten, die mit Fleischeräxten umherliefen, ausgehungerte Kannibalen, die mit leuchtenden Augen und wässrigem Mund auf ihn stürzten, und da war noch ein verzweifeltes Rufen von einer ihm bekannten Stimme. Das weinende Gesicht, die verzweifelte Gestik seiner wild umherlaufenden Mutter ließen ihn aus dem deliriumähnlichen Schlaf erwachen. Aufgeschreckt, vielleicht durch Gedankenüberanstrengung, wußte er, er mußte zurück. Er rannte ans Ufer, blickte sich um. Da sah er etwa 30 Meilen entfernt eine Insel. Er wußte, daß er es mit aller seiner noch zur Verfügung stehenden Kraft schaffen könnte. »Eine Oase in der kahlen Wüste«, dachte er laut, und mit dem Mut der Verzweiflung sprang er ins Wasser. Er schwamm um sein Leben, und nach fünf Stunden verließ ihn das Bewußtsein. War er verloren?

Ein kleiner dürrer Mann hatte von Pedros Zielinsel aus etwas auf dem Wasser treiben sehen und ein Boot ausgeschickt. Pedro erwachte in einem Raum mit hohen weißen Wänden. Er sah, daß auf seinem Bett der kleine Mann mit dem Bart saß, welcher zu ihm sprach: »Hab keine Angst vor mir, ich heiße Nathan und bin Herr dieser Insel.« Pedro wollte antworten, aber Nathan strich zärtlich mit seiner Hand Pedros Haare aus dem Gesicht und sprach: »Ruhe Dich aus, Pedro, sammle Kraft. Morgen werde ich Dir meinen Diener senden. Schlafe, Pedro, schlafe ein, hier lauert keine Gefahr mehr. Schlafe, schlafe, schlafe.« Mit den beruhigenden Worten noch im Ohr schlief Pedro ein. Er schlief zwei Tage, dann wurde er von einer dunkleren Stimme geweckt. Erholt öffnete er die Augen, und vor ihm stand ein elegant gekleideter Mann im mittleren Alter, welcher ebenfalls wie Nathan einen Oberlippen- und Kinnbart hatte. Nur hatte er etwas längeres Haar und eine verhältnismäßig große Nase. Er sprach, mit einem ruhigen Tonfall: »Ich heiße Stefano und bin ein Untertan von Nathan. Pedro, laß Dir sagen, von Deiner Sorte gibt es viele auf dieser Insel. Ich will Dir schildern, was Dich hier erwartet.« Pedro antwortete: »Wieso, was soll mich erwarten? Ich möchte zurück, ganz einfach ist die Sache für mich. Ihr braucht mir nur ein Boot zur Verfügung zu stellen!« »So einfach ist das nicht. Immerhin ist der Schwarze Schatten jetzt in Dir, und

bevor Du gehen kannst, muß der Schatten erst entwichen sein!«
sprach Stefano, und dann erklärte er Pedro, was mit ihm
geschehen war. »Als Du auf der anderen Insel warst, sprang der
Schwarze Schatten in Dich, und nun ist er immer noch in Dir. Er
wird versuchen, mit allen Mitteln, die ihm zur Verfügung stehen,
Dich auf seine Insel zurückzulocken. Pedro, laß Dir sagen, auch
wenn Du im Moment den Schatten nicht in Dir vermutest, so ist
er doch da. Wir müssen ihn ganz langsam vertreiben, und von
daher mußt Du schon einige Zeit hierbleiben, genauer gesagt, 1½
Jahre. Wir versuchen erst, die Beine des Schattens abzuschnei-
den, dann den Körper und als letztes den Kopf!« Pedro erschien
dies sehr merkwürdig, dennoch willigte er ein: »Ich werde
hierbleiben, auch wenn es mir schwerfallen wird, doch ich glaube
Dir, Stefano.«

Und so weilte Pedro auf der Insel, zufrieden und mit dem festen
Willen, den Geist aus seinem Körper zu vertreiben. Am Anfang
war es ein Leichtes, bis dann ein Montag kam und Pedro einen
starken Hunger verspürte. Als es dann nur Salat gab, schnappte
er sich El-Ures, einen Spanier, der noch nicht so lange auf der
Insel weilte, und versuchte, mit ihm auf die Insel des ewigen
Glücks zu gelangen. Sie saßen beide auf einem Baumstamm und
versuchten, mit Hilfe ihrer Hände heimlich zur ersehnten Insel zu
gelangen. Als es Abend wurde und die beiden die Kraft verließ,
schrien sie laut nach Hilfe und wurden erhört. Ein Boot brachte
sie zurück, und am übernächsten Tag war Versammlung aller
Bewohner der Insel. Pedro wurde von einem Diener Nathans,
welcher mittellanges Haar und blaue aggressive Augen mit
kleinen Pupillen hatte, gezwungen, in einem großen Spiegel den
Schatten zu suchen. Als er ihn fand, schrie er und brach in Tränen
aus. Von da an mußte er ständig gegen den Schwarzen Schatten
kämpfen, war ein paarmal dran, zur Insel des ewigen Glücks zu
flüchten, schaffte es aber trotzdem, den Schwarzen Schatten aus
seinem Körper zu locken. Er gewann Freunde auf dieser Insel der
geistigen Arbeit und fuhr mit diesen zu einem Land, das er vorher
nicht kannte. Dort lebt er heute auf einem Bauernhof und muß
viel arbeiten. Denn wer nicht arbeitet, wird vom Schwarzen
Schatten gefangen und zur Insel des ewigen Glücks gelockt.

Heute schaut Pedro mit glücklichen Augen in die Welt und
erfreut sich immer wieder – wie er sagt – an den kleinen Dingen
des Alltags.

Sylvia Rupp

Der Wald

Der Wald, der das Dorf eingrenzte, lag ruhig und dunkel, und verbreitete seinen grünlichen Schimmer über dem Schnee. Leise und leicht umtanzten kleine Schneeflocken die Bäume und verloren ihre Kälte, wenn sie sich zum Schlaf auf den Zweigen niederließen. Es war fast dunkel, der Wind ruhte sich aus, und der Schnee deckte behutsam alles zu. Das Licht, das aus den Fenstern im Dorf drang, vermischte sich mit dem Glitzern der Schneeflocken und erwärmte die Dunkelheit. Alles war ruhig. Es schien, als sei dies der friedlichste Anblick, den man sich denken kann.

Es war jetzt schon so dunkel geworden, daß der Wald wie eine schwarze, unheimliche Mauer aussah. Plötzlich schien das Gehölz zu leben. Es knarrte, Äste fielen zu Boden, die Bäume schüttelten sich den Schnee von den Zweigen, es knackste und ächzte im ganzen Wald, als würde ein Windsturm hindurchfegen. Viele aufgeregte Stimmen waren zu hören, manche sprachen laut, andere leise, auch schluchzte und wimmerte es. Die Wipfel der Bäume wippten und beugten sich tief. Das Getose im Wald schien immer lauter zu werden. Dann erhob sich eine mächtige Stimme, und die Unruhe verstummte. »Freunde, seid still, beruhigt euch. Hört mir zu. Wir müssen gemeinsam einen Entschluß fassen.« Es war eine riesige knorrige Tanne, die gesprochen hatte. Sie war der älteste Baum hier. Jeder hörte auf sie, denn die Tanne hatte schon viel gesehen und erlebt, und was sie sprach, war weise und klug. »Ihr wißt«, sagte sie, »daß heute der Tag ist, den die Menschen Weihnachten nennen.« Ein Raunen und Rauschen erklang.

»Ja, wir wissen es«, antworteten die Bäume traurig. »Ja, wir wissen es«, hallte es noch einmal durch den Wald. Wieder ertönte die Stimme der mächtigen alten Tanne. »Viele von uns werden auch in diesem Jahr wieder sterben müssen. Die Zweibeinigen töten meist die Jüngeren, die Kinder von uns. Wir wissen nicht warum, und wir kennen nicht den Weg, den unsere toten Freunde gehen. Auch ich, die ich schon so alt bin, habe nie erfahren, was die Menschen an diesem Tag tun.« Müde ächzend klangen die Worte des alten Baumes, und alle anderen Bäume lauschten so gespannt, daß alles Knarren und Rauschen im Wald verstummte. »Wir müssen uns gegen die Menschen wehren«, schallte es laut, und es schien, als würden Stamm und Wipfel der Alten, im Zorn, wachsen, als sei sie größer denn je. »Ja, ja, wir müssen uns wehren«, jubelten alle Bäume auf einmal, und klatschten ihre Zweige vor Freude, bogen ihre Wipfel hin und her und nickten zustimmend. »Aber was können wir tun? Wie können wir gegen sie kämpfen?« Von allen Seiten knisterten Fragen durch das Dunkel.

»Rate uns, alte Tanne. Du bist weise und kennst die Zweibeinigen.« Der hölzerne Riese schwieg.

Vom Dorf herüber klang der Schlag der Kirchenuhr, siebenmal schlug die Glocke. Sacht und stumm legte sich der Schnee auf die Dächer der Häuser und schwieg von all dem, was er gehört hatte.

Die Straßen waren menschenleer, und doch schien alles voll Leben. Der Wind jagte die weißen Flocken auf, die munter umherwirbelten, und es sah aus, als versuchten sie sich gegenseitig zu fangen; die alten Straßenlaternen verstreuten ihr gelbes Licht in warmen Kreisen. Ihre Flammen flackerten, als wären sie zufriedene Nachtwächter, die dem Treiben lächelnd zusehen. Irgendetwas Besonderes lag in dieser Nacht. Über dem Dorf war ein heller Schein, und obwohl es dicht schneite, war es kein gewöhnlich kalter Winterabend. Der Eiswind wehte ganz vorsichtig, streifte zart an den Hauswänden entlang, als wäre er neugierig und erwartungsvoll. Weder die Kühe in den Ställen brüllten, noch jaulten die streunenden Hunde, wie sie es sonst in der eisigen Winterdunkelheit taten. Alles lag hell und silbrig schimmernd, alles war voll Leben und doch ruhig.

Nur der Wald blickte dunkel zum Dorf hinüber.

Ob dies wohl das war, was die Menschen Weihnachten nannten? War es dann Weihnachten, wenn die Schneeluft sich vom Leuchten der Laternen erwärmen ließ und dem Wind befahl, sich zum Schlaf niederzulegen? War es der eigentümlich friedliche Schein, der über das Dorf zog? Oder war dann Weihnachten, wenn die Schneeflocken sich zu ausgelassenen Kindern verwandelten und spielend durch die Straßen wirbelten?

Aus allen Fenstern strömte Licht, das seine Schatten auf die Straßen warf. Es duftete nach guten Speisen. Es roch nach

Bratäpfeln, Zimtsternen, nach gutem Braten, und noch allerlei andere verlockende Düfte zogen aus den Ritzen und Spalten der Türen. Überall in den Stuben brannten bunte Kerzen. Alles erstrahlte freundlich im flackernden Licht. Da waren Zweige und Äste aufgestellt, behangen mit goldenen Sternen, mit Orangen und Nelken. Es glitzerte und blitzte. Silberne Nüsse hingen an den Fenstern, und an den Scheiben konnte man rot- und blau-schillernde Sterne erkennen, als seien die Himmelsgestirne auf die Erde gefallen, als drückten sie ihre neugierigen Gesichter gegen das Glas, um zu sehen, was geschieht.

Die Menschen in den Häusern sangen und lachten. Sie spielten alte Lieder, fröhliche und traurige Klänge. Und immer, wenn ein paar sanfte Töne auf die Straße fielen, schmolz der Schnee unter ihrer warmen Schönheit hinweg. Die Gesichter der Kinder waren vor Aufregung gerötet; große glänzende Augen, die den Feuer-schein widerspiegelten, lustig, aufmunternd klatschende Kinder-hände, die sich zum Reigen festhielten und durch die Stube tanzten. Und die Alten saßen zufrieden mit faltigem Lächeln in ihren Lehnstühlen, während sie genüßlich die geschnitzten Pfei-fen stopften. Die Eltern lasen Geschichten und verzauberten die lauschenden Kinder in Wesen einer anderen Welt, umhüllten sie in längst vergangene Zeiten. Alle lachten, tanzten, es wurde geschmaust und erzählt. Da gab es keine Traurigkeit, keinen Streit, nichts Böses. Alle Häuser waren erfüllt von Freude, Frohsinn und Zufriedenheit. Die Menschen erstrahlten in der Wärme des Feuers, der Kerzen und der Freude. Und das Dorf erstrahlte in der Freude der Menschen und verbreitete sein Licht, wie ein schützendes helles Nebeldach. Es herrschte eine seltsame Stimmung! Sie verbreitete sich überall, wie die knisternde woh-lige Wärme eines Kaminfeuers. Weihnachten nahm sein Kind, das kleine verschneite Dorf, sanft und zärtlich liebend in die Arme und hüllte es in den Mantel des Friedens.

Als die Kirchenuhr mit acht dumpftönenden Schlägen die Stille unterbrach, öffneten sich alle Türen der Häuser, und die Men-schen traten auf die Straßen. Sie waren warm angezogen, dicke Wollschals, Handschuhe, schwere hohe Stiefel. Spielend rollten sich die Kinder durch den Schnee. Schreiend und lachend warfen sie die weißen Flocken in die Luft. Erstaunt, mit geöffneten Mündern, blickten sie den winzigen glitzernden Eissternen nach, wenn sie sich sacht auf ihre Mäntel legten und erloschen, wie echte Sterne. Alle Männer und Frauen trugen leuchtende Fakkeln und Laternen, *und* sie trugen Äxte und blitzende Sägen. Immer neue Menschen kamen. Das Geschrei der Kinder, das Gelächter und Gemurmel wurden lauter und lauter. Die Flammen der Fackeln erhellten die Straße, als sei es Tag. Alle, Kinder, Frauen, Männer, auch die Alten hatten sich versammelt, so wie es an Weihnachten im Dorf immer der Brauch gewesen war, um gemeinsam, zur Ehre des Festes, Tannen zu fällen. Später wurden die Bäume dann verziert und prächtig geschmückt, als Zeichen der Weihnachtszeit.

Dann verstummte die Menge, die inzwischen einen langen Zug gebildet hatte. Ganz vorne hatte sich ein Junge, der einen großen goldenen Stern trug, hingestellt, und jetzt war ein Mann neben ihn getreten, der ein dunkles, hölzernes Kreuz trug. Beide begannen ein traurig klingendes Lied anzustimmen, und nach und nach wurde der Gesang lauter, hallte klar durch das Dorf. Das frohe Lachen der Dorfbewohner hatte sich in feierlichen Ernst gewandelt. Der Zug setzte sich in Bewegung. Andächtiger Gesang, feierlich schwebend hob sich der Klang vieler Stimmen in den Himmel. Es ging nur langsam voran, denn es war mühsam, durch den hohen Schnee zu stapfen, der fast bis zu den Knien reichte. Als sie auf der weißen Ebene, die zum Wald führte, angelangt waren, sahen die vielen Fackellichter aus wie ein golden leuchtender Wurm, der langsam durch die Dunkelheit kroch.

Der Wald blickte düster und grimmig auf die brennende Menschenkette. »Sie kommen, die Zweibeinigen kommen«, wisperten ängstlich einige junge Zweige. Sonst lag alles ruhig, obwohl der Wind durch die Äste blies. Keine Bewegung, kein Geräusch, kein Knarren und Ächzen. Wie ein riesiges Ungeheuer lauerten die Tannen, wie ein Raubtier lag der Wald im Verborgenen, kurz vor dem Sprung auf die Beute. Plötzlich erhob die alte Tanne noch einmal ihre Stimme. »Freunde, die Menschen kommen«, tief und zornig donnerten ihre Worte durch die Finsternis. »Denkt an unseren Plan. Sie sind unsere Feinde, sie haben kein Mitleid mit uns.« Der Boden erzitterte unter den Stämmen. Und die Bäume antworteten unter rauschenden Wipfeln: »Wir wehren uns, wir kämpfen, wir werden uns wehren!« Dann war wieder Stille, eine unheimliche, bedrohliche Stille.

Inzwischen hatte der Zug den Waldrand erreicht. Die leuchtend gelben Fackelkreise ließen das erste Baumgrün erkennen. Wieder spielten die Kinder ausgelassen im weichen Flockenwirbel. Sie lachten. Der Gesang war verstummt. »Im Namen Jesu Christi«, rief die Menge laut, »laßt uns gemeinsam, zur Ehre Gottes, in den Wald gehen. Ein jeder schlage einen Baum für sein Haus.«

»Ein gesegnetes Fest«, und als riefe der Wald die Worte der Menschen zurück, lief das Echo durch die Bäume »Gesegnetes Fest«. Dann packten sie ihre Äxte, die Frauen hielten die Fackeln und Laternen, die Kinder jubelten, und alle Dorfbewohner gingen in die Dunkelheit des Waldes.

Die Schwärze, die zwischen den Bäumen lag, war erdrückend, und sogar dem hellen Flammenschein fiel es schwer, sein Licht zu verstreuen. Die Menschen waren still. Nur das Knacken alter Äste, die unter ihren Fußtritten brachen, war zu hören, und das Knirschen des Schnees. Manchmal blitzte die Schneide einer Axt auf. Langsam verteilte sich die Menge. Die Frauen hielten sich fest an den Fackeln, und die Kinder drückten sich ängstlich an ihre Mütter. Plötzlich zerriß ein angsterfüllter, erschrockener Schrei die unheimliche Stille. »Vorsicht Leute, gebt acht.« Ein eisiger Windstoß löschte das Licht der Fackeln. »Rettet euch!« Das tosende Brausen des Windes verwischte und vernebelte die gellenden Schreie der Frauen. Der Boden bebte und erzitterte unter ihnen. In schauerlichen Böen zogen das Weinen der Kinder, ihre hilflosen Rufe nach den Müttern durch die kalte, drohende Finsternis. Immer wieder klang es, als schlügen die riesigen, schweren Zweige der Tannen mit heftigen Hieben auf den Schnee. Im Wald dröhnte und donnerte es, es krachte, als würde die Erde zerspringen.

Langsam vertrieb das Morgenlicht die Schwärze der Nacht, und die Sonne legte ihre goldenen Strahlen über den Himmel. Der Schnee war weiß und schillernd wie ein kostbarer Schleier. Mit ihren wippenden grünen Armen begrüßten die Tannen den Tag, und ihre Zweige nickten freundlich im Wind. Über den kleinen Hang, der kurz vor dem Dorf lag, schob sich langsam eine Schar Kinder. Ihre Kleider waren starr von der Kälte, die kleinen Gesichter und Hände blaugefroren. Die großen erschrockenen Augen weinten, und immer wieder riefen die Kinder nach ihren Eltern zum Wald hinüber, blieben im hohen Schnee stehen und drehten sich suchend um. Die Kinder wußten nicht, was geschehen war, sie konnten nicht begreifen, wo die anderen geblieben waren. Sie waren ganz alleine, kleine erschrockene Wesen, die von den Grauen der Nacht erschöpft in das Dorf zurückkehrten, das einsam und verlassen vor ihnen lag. Nur die Kirchenuhr schlug in klagenden Tönen, sonst war alles still und ausgestorben. Der Wald hatte sie alle geholt, die unheimliche Dunkelheit hatte sie ausgelöscht, alle waren verschwunden, nur die Kinder hatte der Wald geschützt. Was die Bäume getan hatten, wie sie sich gewehrt hatten, wußte nur der schwarze Nachthimmel, nur die niederfallenden Schneeflocken hatten es gesehen, nur die Sterne konnten davon erzählen.

Die Bewohner des kleinen Dorfes tauchten nie wieder auf. Es gab niemanden, der je verstand oder erklären konnte, was damals, in der heiligen Weihnacht, geschehen war, warum die Menschen im Wald verschwunden waren. Und es hat nie wieder ein Mensch diesen Wald betreten oder dort eine Tanne gefällt.

Regina Bouzon

Ich bin entzückt –
(Geschichte ohne Ende . . .)

In einem jungen Wald auf einem steinigen Hügel saß eine kleine Katze, sie war hungrig und auch müde. Die Katze hieß Sara, ruhte sich aus und leckte ihr struppiges Fell. Eine Eule auf der Jagd flog lautlos vorbei, machte kehrt, setzte sich auf einen Baum, dessen Äste über den Hügeln hingen.

Die Katze Sara sagte: »Ach, ich hab' so Hunger, es wird immer schwieriger, das, was ich am nötigsten zum Leben brauche, zu finden. Weise Eule, sage mir Deinen Namen, sage mir, wer Du bist, hilf mir.« Die Eule blickte Sara starr an und ließ sich Zeit mit der Antwort: »Man nennt mich Dhrabon, die Eisgraue, ich kann Dir nichts geben, nur daß es mir ähnlich geht wie Dir, die Mäuse werden weniger, die Umwelt geht kaputt, mein Freiraum wird gekürzt, meine Artgenossen ausgerottet, übel, übel . . ., ich verliere an Leben, kriege nichts mehr mit von der Zeit und dem Menschen, es bleibt kaum mehr Haß, bloß Trauer, eisgrauer Frost. Aber so geht's vielen. Meister Fuchs hat gerade letzte Woche eine Vorlesung darüber gehalten, sehr raffiniert, der Meister, blickt gut durch, er hat zur Revolution aufgerufen, recht link, aber gut. Naja, gestern wurde er von einem Jäger erschossen. Tollwut! Viele Tiere ziehen Flucht vor, andere passen sich an. Und ich bleibe gerade noch stehen, wenig aufrecht.«

So klagten sich die Katze Sara und die weise, eisgraue Eule Dhrabon ihr trotz verschiedener Wesen gemeinsames Leid.

Doch die beiden waren nicht allein. Nebenan im Gebüsch hockte ein ziemlich junger Mensch und lauschte angestrengt. Dieser Mensch hatte sich von seiner Familie abgewendet und war auf der Suche nach dem Leben in dem jungen Wald bei dem steinigen Hügel mit Sara und Dhrabon angekommen. »Hört, ich bin Adrian, auch mir geht es so wie Euch . . .« Und so unterhielten sie sich zu dritt. Noch ein vierter Zuhörer war anwesend. Eine orange-goldene Schlange hatte sich ihnen unmerklich genähert. Sie hörte den dreien noch eine Weile zu, dann schlich sie sich in ihre Mitte. Sie stieß ein leises »Sssshhh« aus, ein sanftes Zischen. Sara, Dhrabon und Adrian fuhr ein eisiger Schreck wie eine

Rasierklinge durch die Gedärme, der den Atem und jegliche Bewegung stocken ließ. Die Schlange mächtig flüsterte ruhig: »Ich habe euren Reden gelauscht. Ich kann Euch, so Ihr wollt, etwas zeigen, etwas geben, wahrlich helfen!« Auf die drei wirkte das, was die Schlange sagte, wie eine zärtliche Bedrohung, ein Windhauch, doch so gewaltig, daß sie umgeweht waren von den Worten, sie lagen flach, doch fühlten sie sich vertraut und lieferten sich der Schlange aus. Die Katze maunzte: »Oh, wir wollen, wir haben nichts zu verlieren, erzähl', was Du meinst.« Die Eule flatterte vom Ast und schwatzte gescheit: »Du Schlange, ich weiß, wer Du bist, ich habe von Dir gehört, man nennt Dich Yardena, was so viel heißt, wie Meister der Achtung und Vergessenheit, auch weiß ich, daß Dich ein Geheimnis umgibt, und mir ist nicht ganz wohl dabei. Doch will ich hören, was Du uns zeigen kannst.«

Adrian gab mit einem Kopfnicken seine Zustimmung. Die Schlange richtete sich auf: »So hört denn. Ihr könnt mir schon vertrauen. Ich sage die Wahrheit, sofern Ihr genau zuhört und Achtung für die Wahrheit habt. Du Dhrabon, Du Sara, auch Du, Menschenjunges Adrian, Ihr alle hattet Vorfahren vor vielen hundert Jahren. Ihr wurdet verehrt und geachtet, es war alles anders. Auch so, wie es bei mir war, wo ich, die Schlange, das erste Mal in Erscheinung trat. Du Sara zum Beispiel, Ihr Katzen, damals in Ägypten wurdet Ihr als Götter verehrt, Euch fragte man um Rat, man achtete und fürchtete Euch . . .« Und so erzählte die Schlange jedem, wie es einmal gewesen war. Dann erklärte sie noch: »Nicht weit von hier steht ein wunderschöner Baum, er heißt La bella donna, die Tollkirsche. Mit ihrer Hilfe unter meiner Führung kann ein jeder zurück in seine Zeit und Welt, wo es so so anders war. So frage ich Euch: Wollt Ihr mit mir kommen?« Die Katze Sara schnurrte »Ja«, Dhrabon und Adrian standen auf, und zu viert machten sie sich auf den Weg zur bella donna.

Inzwischen hatte es kurz geregnet, es war warm, und die Wolken waren weg, und am Nachthimmel wurden Mond und Sterne klar sichtbar. Nach einiger Zeit kamen sie zu einer Lichtung, wo bella donna stand. Nebelwesen lockten sie mit ihren langsamen Spielen. Der Tollkirschenbaum, dessen feuchte Blätter silbrig im Winde glitzerten, streckte seinen glänzenden, schlanken schwarzen Stamm zur Bewegung rhythmisch zu einem Tanz, dem ein leises Ächzen folgte. La bella donna fing leise an zu singen, ganz hoch, der Gesang glich einem Wimmern, einem Weinen, aber sehr schön. Die vier waren kurz überwältigt von diesem Anblick. Die Schlange Yardena sagte La bella donna ihr Anliegen und bat sie um ihre Gunst und damit um vier Tollkirschen. Der Baum hörte auf, sich zu bewegen, schaute lange auf die vier. Die kleinen, runden, schwarzen Früchte waren prall und reif. Adrian starrte ganz verklärt mit halbgeschlossenen Augen und mit halbgeöffnetem Mund und verhaltenem Atem auf den Baum. Er war ganz betört, betrunken von den Geräuschen im Wald um ihn herum. Er ließ sich fallen, weil er's nicht mehr aushielt. Im gleichen Moment hörte er ein Rauschen, La bella donna schüttelte traurig den Kopf, dann warf sie jedem eine Kirsche zu. Sie wiegte sich weiter in Gesang und Tanz. Die vier wußten, daß La bella donna sie jetzt nicht mehr sah, und sie gingen schweigend weiter, zurück an den Hügel, wo sie die Kirschen verspeisten und die Schlange Yardena wieder die Führung übernahm.

Adrian mußte wohl geschlafen haben, denn als er zu sich kam, gewahrte er eine völlig fremde Umgebung, fremde Musik, fremden Geruch. Ägypten – Sara saß auf einem wunderschönen mit Tüchern behängten Thron. Gelbbraune Frauen näherten sich ihr teils tanzend in seidenen Gewändern mit Goldreifen um die Stirn und um den Oberarm, andere verneigten sich mit Speisen und anderen Opfergaben. Adrian schien es, als lebte er schon monatelang im Land der Pyramiden, der Traum wechselte sanft, und Adrian fand sich nachts in einem hohen Turm wieder, der der höchste Teil eines riesigen Schlosses war. In dem Turmzimmer mit Erkern und spitzbögigen Fenstern saß die eisgraue Eule Dhrabon auf einem mit Schnitzereien verzierten Stab. Hinten, in der Ecke, stand ein Regal mit den Büchern, daneben ein Totenkopf, eine Unmenge von Gläsern, Gefäßen, Mörsern, Röhren mit Flüssigkeiten, Pülverchen, daneben wieder Steine und Pflanzenteilchen. Ein riesiges Fernrohr ragte aus dem Fenster. Nicht weit davon stand ein Tisch mit Papieren und Zeichnungen, einer riesigen Kugel. In der Mitte war eine Feuerstelle, über der ein Gefäß hing, aus dem es zischte und brodelte. Nicht weit weg davon, stand noch ein weiterer, hoher kleiner Tisch mit Waagen und allerlei Salben, Kerzen und Gläsern. Ein junger Mann kam die Wendeltreppe hoch mit spitzem Hut und schwarzem Umhang. Er schaute in seine Aufzeichnungen, gleich danach durchs Fernrohr. Er ging auf Dhrabon zu und streichelte sie, murmelte beschwörend auf sie ein.

Dieses Bild verblaßte langsam, ganz langsam. Adrian beschlich eine eisige Kälte. Ein Gefühl sagte ihm, hier stimmt was nicht. Er war leicht aufgeregt. Erst bekam er Gänsehaut, dann spürte er, wie sich ihm jedes Haar einzeln sträubte. Hier stimmt was nicht, sagte er zu sich. Halt, was ist denn los? Die Unruhe wuchs zu Panik, Entsetzen. – Mensch, mach' was, schrie er sich an. Kein Ton kam über seine Lippen, er war wie gelähmt. Da fiel es ihm wie Schuppen von den Augen, die Schlange Yardena, was hatte sie doch gesagt? Auch sie wolle uns dahin führen, wo sie das erste Mal in Erscheinung trat. Wo war das? Im Paradies. Aber dazu muß man doch tot sein. Sie wird uns beißen. Adrian schaute die Schlange an. Sie war doch Meister der Vergessenheit und Achtung, das hatte er vergessen – und die Wahrheit hatte er nicht gehört. Das war's, die Schlange blickte ihn an und nickte ihm zu. Adrian riß seine Augen und seinen Mund auf. Er sah, wie die Schlange Sara biß. Die Katze hauchte ihr Leben aus und gleich darauf tötete die Schlange auch Dhrabon. In Adrian rührte sich ein letztes Aufbegehren, dann ein Schrei, ein lautes »Nein«, das war ein Schrei, der nichts Irdisches mehr an sich hatte – und damit löste er sich aus der Erstarrung und lief los, weg von dem kleinen steinigen Hügel durch den Wald, der unendlich schien. Er lief, rannte, stolperte, torkelte, immer weiter. Er dachte: raus aus dem Wald, weiter. Er biß die Zähne zusammen, schaute weder nach rechts noch nach links, sein Herz rotierte, bis das Klopfen nur noch ein einziger Ton war. Während er lief, hallten ihm Worte durchs Gehirn: Rollschuhe, Möhrensaft, Muttermilch, Tiroler Hut, Whiskas, Zirkus, Ich weiß ein schönes Spiel, Müllhalden, Schweinezucht, Aquarium, Aquarium, und wieder im Echo: Aquarium. Adrian lief weiter, er spürte es nicht, nichts mehr. Er war schon lange heraus aus dem Wald, er war am Meer, am riesigen großen Meer. Er merkte es erst, als kleine Wellen seine Füße umschleckten. Adrian blieb stehen, er wurde ruhig und schaute sich lange um. Vorne waren große Steine, auf einen setzte er sich und blickte in das Wasser, welches die Steine umgab. Er spiegelte sich darin, und da plötzlich sah er es: sein Spiegelbild. Er war im Wasser durchsichtig. Klar sah er, daß in seinem Unterleib eine Eule saß, unter der Brust links lag die Katze, im Kopf ringelte sich die Schlange. Durch den ganzen

Körper von den Zehen bis zu den Haarspitzen streckte sich der Baum bella donna. Zutiefst über diesen seinen Anblick erschreckt, schaute er an sich herunter. Doch er sah aus wie immer. Vielleicht etwas müde, abgekämpft und verkrampft, aber gut.

Adrian spürte, daß ihn ein Blick traf, ohne daß er jemand in die Augen schaute. Der Blick traf wie ein elektrischer Schlag. Der bohrte sich in die Brust, explodierte im Herzen, das Licht und die Funken von dieser Explosion rasten durch die Gedärme, und der Rauch davon machte sich bei erneutem Einatmen in Lunge und Magen breit. Die Knie wurden weich, und Adrian ließ sich fallen. Er fiel, obwohl sein Körper noch stand. Er schaute auf, schaute sich um, der Mensch, dessen Blick ihn getroffen hatte, streckte ihm die Hand entgegen. Da waren noch mehr Menschen. Sie nickten ihm freundlich zu. Bevor Adrian zu dem einen und anderen ging, achtete er nochmal auf sein Spiegelbild. Das zwinkerte ihm mit einem Kopfnicken zu. Adrians Hand hob sich und deutete ein zaghaftes Winken an, ein Wissen, ein Verstehen. Dann drehte er sich um und ging zu den anderen.

Rachel

Eine alte Frau, die blind war, sie hatte die Augen geschlossen, ging auf Adrian zu: »Ich bin die Seherin, bei mir kannst Du sehen lernen ohne Deine Augen. Komm, ich zeige Dir, wie und wo wir leben. Wir leben hier am Meer bei den Steinen, den Felsen, sie sind klar, fest und ewig. Ohne zu bewerten gut, schlecht, viel, wenig. Sie sind ganz einfach.« Sie kamen an einen kleinen Platz, wo sich die anderen ein Feuer gemacht hatten, es war ein großes, wildes Feuer. Um das Feuer tanzten ebenso unruhig und wild ein paar Menschen. Etwas abseits sangen welche und machten Musik. Die Seherin blieb mit Adrian an der Hand stehen: »Komm jetzt, mach Deine Augen zu, daß Du besser sehen kannst.« Adrian flüsterte: »Nein, ich hab' Angst, laß' mich erst schauen.« Die Seherin drückte seine Hand ruhig und fest: »Hab' keine Angst, erinnere Dich Deines Spiegelbildes im Wasser. Zuerst warst Du erschrocken, danach hast Du Dich darüber gefreut, komm', mach' was, willst Du nie wirklich sehen?«

Adrians Stirn wurde leicht feucht. Er schloß die Augen: »Ja« und erwiderte leicht den Druck in seiner Hand. So gingen sie weiter. Vor dem Feuer, wo sie stehenblieben, spürte Adrian die Hitze, die davon ausging. Er fühlte Spannung und Unruhe – Verlangen, sich zu bewegen, er konnte kaum stillstehen. Das Atmen fiel ihm schwer, er wollte die Augen öffnen. Ein erneuter Druck in seiner Hand sagte ihm: Nein, nicht jetzt, hab' Geduld, Geduld ist wichtig zum Sehen. Nimm erst das, was Du jetzt so siehst, richtig an. Und er hörte die Seherin rufen: »Du, Rachel, komm, hier ist jemand, der will Dich kennenlernen.« Es kam jemand näher, flink und leichtfüßig. Adrian wurde es immer heißer und wieder stockte der Atem. Die Seherin flüsterte: »Sei ruhig, schnauf weiter, es passiert gar nichts.« Doch ein Gefühl, wie damals, so »Halt-hier-stimmt-was-nicht«, so wie bei der Schlange damals warnte ihn jetzt, doch beängstigte ihn es nicht mehr. Er fühlte sich sicher und hatte alle Sinne auf Aufpassen eingestellt. Eine Frau sagte nun mit einem Lachen, das so ernst war: »Ich bin Rachel, das Verruchte, die Schlechtigkeit, das Triebhafte, manchmal bin ich auch boshaft und grausam, die, die mich leugnen, die, die mich nicht haben wollen, die mich totschweigen, denen spiele ich übel mit. Sie werden an mir zugrunde gehen, ein Leben ohne mich ist keins. Doch nimmst Du mich, stehst Du zu mir, mußt Du vorsichtig sein, sonst spiele ich auch Dir übel mit, denn ich bin gemein und hinterlistig, hemmungslos, ich will alles, und wenn ich einen Teil von Dir habe, werde ich immer versuchen, Dich ganz zu kriegen, bist Du mir verfallen, ist auch Dein Leben nur noch ein Dasein. Jedoch hast Du mich im Griff, wirst Du Höhen kennenlernen, deren Intensität, Schönheit kein zweiter Dir zu bieten hat.«

Adrian öffnete die Augen und zwei schwarze, halbgeschlossene Augen mit langen Wimpern sahen ihn an. Lange braunschwarze Haare umwehten ein auffallend langes, leicht gelblich-graues Gesicht.

Rachel beugte sich etwas zu Adrian hinunter und lächelte ihn an. Bei diesem Lächeln lernte Adrian erneut das Sich-Fürchten kennen.

Die Seherin bemerkte: »Rachel – hör auf damit.« Rachel warf der Seherin mit dem gleichen süßen Lächeln einen Blick zu, der so gemein wie abschätzend war. Gleichzeitig deutete sie mit der Hand eine obszöne Geste an und sprang leichtfüßig zum Feuer

zurück. Die Seherin ging mit Adrian in ihre Höhle. Er bekam von ihr ein Schüsselchen Hühnersuppe und einen Becher Apfelmost dazu. Hinterher etwas Kuchen. Während des Essens unterhielten sie sich. Adrian erzählte, wie es ihm so ergangen war, bis er zum Meer kam. Die Seherin nickte: »Du kannst bei uns bleiben, aber Du sollst dann auch arbeiten, wo Not an kleinem Finger und kleinem Körper ist. Überleg Dir, was Du willst, aber lege Dich jetzt schlafen. Morgen und im Laufe der Zeit, falls Du bei uns bleiben willst, mache ich Dich mit einigen unserer Leute bekannt. Die sollst Du kennenlernen und lernen . . . Jetzt höre mir gut zu, denn ich wiederhole mich nicht so gerne: Laß Dich nicht mit Rachel ein, geh ihr aus dem Weg oder komm zu mir. Gut, lassen wir das.«
Adrian nickte, schlief dann bald ein.

Herschl Weiden

Am nächsten Morgen, als Adrian aufwachte, war es schon sehr hell. Langsam erinnerte er sich, was er gestern erlebt hatte, und sah sich im Zimmer um. Die Seherin war nicht da, dafür stand dicht vor ihm ein junger Mann. Der hielt den Kopf leicht schräg, lachte ihn an: »Hallo, kleiner Freund.« Er war groß, hatte lange blonde Locken weit bis hinter die Schultern, dunkelblaue Augen. Sein Gesicht schien sehr jung. Er trug ein langes, weißes, schweres Gewand. Er blies Adrian ins Gesicht, wobei dieser sich schüttelte. Darüber mußte der Mann lachen, und beim Lachen bewegten sich seine Haare wie eigene Lebewesen. Ebenso flatterte sein Gewand wie von einem Windhauch bewegt, doch es war kein Wind zu spüren. Adrian schaute ihn verwundert an. »Ich bin Herschl Weiden, komm mit, ich zeige Dir das Lager und ein schönes Spiel.« Und wieder bewegten sich die Haare, ohne daß Herschl Weiden seinen Kopf bewegte. Sie wiegten sich vor und zurück, blähten sich auf, als würden sie atmen. Adrian stand auf, zog sich an, setzte sich an den Tisch auf den einzigen Stuhl und aß das Brot, trank den Saft, der für ihn hergerichtet war. Weiden fing an zu erzählen: »Ich bin schön, nicht wahr, ich gefalle Dir, he? Ja, ich bin einer der Schönsten.« Dabei schaute er Adrian ebenso triumphierend wie unwiderstehlich an. Adrian dachte: Ja, Du bist wirklich schön, und Du gefällst mir, aber etwas alt Anerzogenes verbietet mir, es Dir zu sagen.

Er seufzte und aß weiter. »He«, sagte Weiden, »eben hast Du mich benützt.« Adrian schüttelte unsicher den Kopf: »Wieso?« »Ja, was hast Du denn gerade gemacht?« Adrian, etwas ärgerlich: »Ich habe nachgedacht und gegessen.« »Und, he, und?« »Nichts – und!« »Na gut, ich sag Dir mal was. Schade, wie oberflächlich Du doch bist. Daß ich Herschl Weiden heiße, weißt Du ja schon. Außerdem heiße ich auch kurz: Wind. Ich bin der, der die Natur in Bewegung bringt, ein Windhauch, der Sturm und der Orkan, der viel zerstört. Auch der Wind in Menschen und Tieren. Ich bin Dein erster und letzter Atemzug, Dein Seufzer, Dein Hecheln, das Keuchen, mich hältst Du erschreckt an, und erlöst läßt Du mich raus. Durch mich lebst Du, spürst Du, daß Du lebst. Ich bin Alles, darum bin ich so schön.« Adrian hatte zu essen aufgehört und starrte Weiden mit großen Augen an. Dieser ging auf ihn zu und hauchte ihm leicht ins Gesicht. Adrian atmete langsam tief ein, ganz langsam, bis in die Zehen, in die Fingerspitzen, in den Kopf. Er spürte sich, es war, als würde er Strom in seinen Körper pumpen, und mit jedem Atemzug wurde er größer, riesig. Ihm wurde warm, und er erschrak über seine eigene Größe und Kraft. Er hörte um sich ein Brausen, und in seinem Schädel begann es zu toben. Er meinte, sein Körper würde bersten. Er rief: »Halt ein, halt!« Weiden schüttelte den Kopf. »Aber, aber, schnauf doch aus, das bin doch nicht ich, Du machst das doch, nicht ich. Wenn Du die Luft anhältst, kriegst Du schnell Angst.« Adrian schnaufte aus, erleichtert, erschöpft, er hatte keine Angst mehr. Er schaute auf Weiden. Der stand vor ihm, und nichts an ihm war ruhig. Alles bewegte sich. Es war, als wäre er durchsichtig und man könnte den Körper arbeiten sehen. Diesmal sagte er es laut, und es kostete ihn keine Überwindung; voll Freude über das Wissen sagte er: »Ja, Weiden, Du bist wunderschön.« Weiden nickte: »Ja, und jetzt beeile Dich, ich halte es nicht lange in Räumen aus. Ich lebe im Freien auf der Klippe.« Und er fügte noch sehr ernst hinzu: »Vergiß nicht, halt' nicht so lange die Luft an, das kannst Du noch lange genug, wenn Du tot bist.«

eva schott

eine lange fahrt

endlich hat sie es geschafft.

schwierig war die zeit, bevor susanna endlich abfuhr. zuerst die kündigung im büro, das allgemeine unverständnis. sie, eine frau von immerhin dreißig jahren, die plötzlich versucht, ihr leben umzukrempeln, alles auf den kopf zu stellen. schließlich hatte sie doch alles, was ein mensch braucht, um glücklich zu sein. sie war tüchtig, sah gut aus, hatte zwar keinen mann, keine kinder – aber dafür verdiente sie gut, hatte ein auto, und alle mochten sie. und das wollte sie jetzt einfach so loslassen? das war für die anderen ganz und gar unverständlich.

als dann endlich alles geregelt war, ging sie noch einmal durch die wohnung – ihre wohnung. der abschied tat ihr weh. als sie im wohnzimmer angelangt war, drehte sie sich plötzlich um, seufzte tief auf und lief mit schnellen schritten zur wohnungstür. in der diele nahm sie mit einer handbewegung die koffer auf und eilte aus der wohnung. die tür ließ sie hinter sich offen. im treppenhaus begann sie zu laufen. und mit jedem schritt, den sie schneller lief, unterdrückte sie den wunsch, doch noch umzukehren – die unsicherheit, ob das, was sie jetzt wollte, überhaupt das richtige sei. auf der straße angekommen, fühlte sie die tränen über ihr gesicht laufen. eigentlich hatte sie mit dem eigenen wagen fahren wollen. aber während sie da so die straße entlangstolperte, hielt sie auf einmal den arm raus, um ein taxi anzuhalten. so war sie zum bahnhof gekommen.

da steht sie nun und weiß nicht so recht, wohin und ob sie überhaupt noch will. sie hat sich vorgenommen, eine bahnfahrt von 24 stunden dauer zu machen und dann dort auszusteigen, wo sie nach dieser zeit ankommt. das ganze vergangene jahr hat susanna dafür gespart. am schalter verlangt sie ein kursbuch und sucht. sie findet aber keine entsprechende strecke, darum bringt sie das buch zurück und löst eine fahrkarte nach münchen.

der zug fährt in kürze ab. susanna schiebt sich mit ihren koffern durch die sperre, widersteht der versuchung, sich umzudrehen, zurückzuschauen. auf dem bahnsteig herrscht reges durcheinander. sie findet ihren zug, öffnet eine tür an einem der mittleren wagen. will ihre koffer hineinheben – und stellt fest, daß sie zu schwer sind. ein mann, der ihr schon eine ganze zeit zugesehen hat, greift nach einem der koffer. lächelt ihr zu. susanna hält sich mit einer hand am haltegriff fest. sie blickt zu dem mann hinunter, schüttelt den kopf und gibt ihm zu verstehen, daß er die sachen stehen lassen soll. sie will sie nicht mehr haben. sie will ohne erinnerungen fahren. ganz ohne.

der mann steht da, den mund halb offen in gebückter stellung, und läßt dann den koffer los. susanna beginnt zu weinen und steigt schnell ein. sie will die worte des mannes nicht hören, der versucht, sie von der notwendigkeit zu überzeugen, daß sie die gepäckstücke mitnimmt. er ist ein wenig irritiert, schwankt hin und her zwischen erstauntsein und faszination. er steigt hinter susanna ein und folgt ihr ins abteil. mit beiden händen hält susanna ihre handtasche umklammert, das letzte, was sie mitgenommen hat – ihre tasche mit den papieren, dem geld, den zigaretten und dem feuerzeug. der mann setzt sich ihr schräg gegenüber. endlich fährt der zug los. susanna sieht aus dem fenster und merkt nicht, wie der mann sie unentwegt anstarrt. das gleichmäßige rattern des zuges hat etwas beruhigendes an sich, und sie gibt sich dem rhythmus der räder hin. ihre augen, die starr aus dem fenster blickten, richten sich jetzt auf das innere des wagens. sie befindet sich in einem zugigen abteil und fühlt sich nicht sonderlich wohl darin. aber innerlich singt sie: ich bin frei, ich bin frei, frei, endlich frei!

ihr gesicht entspannt sich. sie lächelt. auf einmal sieht sie dem mann ganz gerade in die augen, merkt, daß sie nicht alleine ist. sie betrachtet ihr gegenüber einen großen, schlanken mann, der eine graue hose und einen ebensolchen pullover trägt, schwarzes haar und einen vollbart hat. der lächelt sie freundlich an. sie erwidert sein lächeln. mit einer im sitzen angedeuteten leichten verbeugung stellt er sich vor. nennt seinen namen, seinen beruf, sein ziel. sie erwidert nichts. blickt ihn nur an. eigentlich interessiert sie ihr gegenüber nicht. er scheint das nicht zu bemerken. und deshalb wohl befragt er sie. ihren namen, ihren beruf, ihr ziel. ihr ziel? sie weiß noch gar nicht, wo sie heute abend ankommen wird. er reagiert – und zwar genauso wie alle anderen, mit denen sie darüber gesprochen hat. er versucht, ihr auseinanderzusetzen, warum es nicht gut sein kann, einfach so ziellos loszufahren. eine gesicherte existenz aufgeben. er, zum beispiel, er wisse jeden morgen ganz genau, was es zu tun gäbe, was zu erreichen sei, zu erledigen. er sei knapp vierzig jahre alt, noch nicht verheiratet – aber das wäre etwas, was er jetzt gerne ändern möchte. sie hört ihm zu, mehr aus höflichkeit denn aus interesse – und sie ahnt seine nächste frage. ob sie denn nicht mit ihm kommen wolle, eine woche in münchen bleiben, ganz unverbindlich natürlich. da sie doch sowieso nicht wisse, wohin sie eigentlich wolle, könne sie doch mit ihm kommen. und falls es ihr nicht gefalle – sie wäre ja schließlich frei. sie schüttelt nur den kopf, lächelt wieder und meint, das sei ja nun wirklich nicht die freiheit, die sie sich vorstelle. der mann möchte sie gerne davon überzeugen, daß es schön für sie sein könne – und da er anscheinend nicht mehr aufhören will auf sie einzureden, steht sie auf, nimmt ihre handtasche, nickt ihm zu und verläßt das abteil. sie hinterläßt ihn sprachlos.

auf dem flur atmet sie erst einmal tief und mit geschlossenen augen durch und geht auf das nächste abteil zu. durch die glasscheibe sieht sie eine frau sitzen. gut – da bin ich wenigstens sicher vor anträgen, denkt sie sich und öffnet die tür. sie setzt sich der frau gegenüber. beim näheren hinsehen stellt sie fest, daß diese etwas schlampig angezogen, sehr dünn ist und ungepflegt wirkt. ihre augen, in denen das weiße gelblich verfärbt ist, wandern unruhig hin und her. susanna zündet sich eine zigarette an, die erste, seit sie von zuhause weggegangen ist. die frau räuspert sich ein paarmal, rutscht auf ihrem sitz hin und her – und bittet susanna schließlich um eine zigarette. susanna hält ihr die schachtel hin, gibt ihr feuer. hastig zieht die frau den rauch in die lungen, schnippt dauernd mit den fingern. susanna merkt, daß sie anfängt, sich in gegenwart dieser frau unwohl zu fühlen. dann doch lieber die gesellschaft eines mannes, der ihr irgendwelche anträge macht, die sie aber letztlich doch nicht sonderlich beunruhigen. die frau ihr gegenüber trägt ein dunkelblaues kleid und hat langes schwarzes haar. sie lächelt susanna an. ihre grünen augen strahlen viel freundlichkeit und wärme aus. susanna kann sich diesem blick nicht entziehen. die frau beginnt von sich zu erzählen. und je länger sie spricht, desto interessierter wird susanna. die frau erzählt von ihrer ungebundenheit, daß sie nichts und niemandem verpflichtet ist, nur sich selbst, daß sie nur ab und zu bestimmte punkte anlaufen muß, damit das leben eben weitergeht. das alles hört sich ganz einfach und schön an und bringt susanna dazu, von sich zu erzählen, zu vergleichen. sie spricht von ihrem bisherigen leben, ihrer vorstellung von zukunft, davon, daß sie unzufrieden ist. sie langt in ihrem bericht bei ihrer kindheit an. sie unterbricht sich plötzlich, weil sie merkt, daß sie der fremden frau soviel anvertraut hat wie noch niemals vorher einem anderen menschen. ein zuhausegefühl umfängt sie. sie sieht nicht mehr aus dem fenster, merkt nicht, wie der zug durch die ersten münchner vororte fährt, am hauptbahnhof hält. die frau hat ihr angeboten, sie mitzunehmen, ein zusammenleben offeriert. und da susanna ganz von den erzählungen der frau gefangen ist, steht sie auf und folgt mit ihrer handtasche der anderen. die steigt vor ihr aus und beginnt, ohne sich noch einmal nach susanna umzusehen, den bahnsteig mit raschen schritten entlangzugehen. susanna steht da und weiß nicht, ob sie einfach hinterherlaufen soll. gerade als sie sich dazu entschließt, sieht sie am ende des perrons zwei männer, die ganz zielstrebig auf die reisegefährtin zugehen, ihr einen ausweis vorzeigen, handschellen um die gelenke befestigen und, indem sie sie rechts und links am arm nehmen, abführen. susanna steht da, versteht nichts mehr von dem, was sie da eben erlebt hat. sie schluckt ein paarmal, um den kloß, der ihr in der kehle sitzt, zu lösen. dann geht sie ganz mechanisch durch die sperre zum fahrkartenschalter und löst eine karte nach hamburg.

inzwischen ist es nachmittag. sie hat noch zwei stunden bis zur abfahrt des zuges. im bahnhofsrestaurant trinkt sie einen kaffee. begibt sich dann wieder auf den bahnsteig, besteigt den zug nach hamburg. im letzten waggon fängt sie an, ein leeres abteil zu suchen, geht nach vorne durch. im wagen hinter der lokomotive findet sie ein weinendes kind alleine am fenster sitzen. sie setzt sich dazu und spürt die trauer des kleinen auf sich übergehen. um ihn zu trösten, öffnet sie ihre handtasche. will irgendetwas finden, um es ihm zu schenken. aber sie hat nichts, was einem kleinen kind freude machen könnte. so streckt sie die hand aus, streicht ihm übers haar, spricht mit ihm, stellt die fragen, die man einem weinenden kind stellt. nimmt ihm die fahrkarte aus der kleinen hand und liest als ziel hamburg ab. um es abzulenken, geht sie mit ihm in den speisewagen. sie trinkt wieder einen kaffee, der kleine bekommt würstchen, kartoffelsalat und anschließend ein eis.

susanna erzählt ein märchen, von einem kleinen mädchen, das

von zuhause weglief, weil es meinte, es könnte in der großen weiten welt etwas besseres, schöneres finden – von hexen, feen und den räubern, unter die es zuletzt fiel, von dem prinzen, der es dann endlich befreite, mit heim in sein reich nahm und es zu seiner frau machte.

susanna hat einen aufmerksamen zuhörer, der sie mit seinen großen müden augen ansieht. gerade als sie die geschichte zuende erzählt hat, ist das kind eingeschlafen. sie nimmt es auf die arme und trägt es ins abteil zurück.

inzwischen ist es abend geworden, dunkel. lichterketten ziehen vorbei. sie träumt. von einem haus mit erwachsenen, kindern, freunden – von menschen – einem zuhause.

das kind schläft unruhig, so daß susanna das licht löscht und sich selbst hinlegt. bald darauf fällt sie in einen tiefen schlaf. sie erwacht erst wieder kurz vor hamburg, wo ein schaffner ins abteil kommt – er soll darauf achten, daß das kind rechtzeitig aussteigt.

susanna möchte das kind, das ihr im laufe dieser nacht lieb geworden ist, nicht mehr aus den augen verlieren. und obwohl sie vorhatte, weiter zu fahren, steigt sie nun ebenfalls aus und folgt ihm in ein paar schritten abstand. mit vom schlaf zerzaustem blondem haar geht das kind den bahnsteig entlang, bleibt stehen und blickt um sich. ein junges paar läuft mit ausgebreiteten armen auf den kleinen zu, der sich ihnen jauchzend entgegenwirft. er hat susanna schon vergessen.

wieder steht sie alleine auf einem fremden bahnhof. die drei menschen verschwinden im gewühl der bahnhofshalle. noch ein paar schritte macht susanna in richtung sperre. doch dann bleibt sie stehen und steigt wieder in den zug – in den, der in nächster reihe steht – ohne darauf zu achten, wohin der fährt. sie sucht sich kein ziel und auch kein abteil mehr aus, hält sich für die dauer der fahrt im flur des waggons auf. der ist dunkel und zugig, aber hier ist sie wenigstens die meiste zeit allein. die beine tun ihr weh, und sie hat nur noch den wunsch, endlich irgendwo anzukommen.

nach langer fahrt hält der zug in einer mittelgroßen stadt. susanna weiß nicht, ob sie aussteigen will, aber für den zug ist hier endstation.

schließlich steht sie doch in der halle, geht über den bahnhofsvorplatz. die stadt ist ihr fremd, und doch geht sie, ohne zu überlegen, durch die dunklen straßen, die engen gassen, die müdigkeit, die sie im zug noch so deutlich spürte, ist weg. sie überläßt sich einfach dem trott, in den sie verfallen ist. die straßen werden immer dunkler, unbelebter.

sie kommt an eine ausfallstraße. von ferne hört sie den motor eines näherkommenden autos. der wagen hält neben ihr, drinnen sitzen mehrere junge leute. susanna hört musik. der mann auf dem beifahrersitz grüßt sie durch das heruntergekurbelte fenster – susanna sieht die lachenden gesichter der menschen. der mann fragt, wohin sie denn will, ob sie ein stück mitgenommen werden möchte. sie spürt den wunsch in sich hochkommen, einfach einzusteigen – aber da sie kein ziel angeben kann, läßt sie es sein. sie möchte lieber zu fuß gehen, antwortet sie. der mann lacht, na, dann eben nicht, guten abend – und gleich darauf ist susanna wieder alleine.

rechts von der straße zweigt ein kleiner weg ab – fast unsichtbar, und susanna bemerkt ihn nur, weil sie mit gesenktem kopf die straße entlanggeht. sie dreht sich ganz automatisch nach rechts und beginnt, den weg entlang zu gehen. sie hebt ihren kopf und sieht am ende des weges ein haus stehen mit erleuchteten fenstern und mehreren menschen dahinter. es scheint, als feierten sie. susanna richtet sich ganz auf, die mutlosigkeit fällt von ihr ab.

sie weiß: endlich hat sie es geschafft.

Rudolf Müller-Schwefe

Die Schöpfung ist anders

Es war einmal eine Stadt, deren Name vergessen sein wird, wenn die schwerbauchigen Wolken weiterziehen werden, jener menschenleeren Ebene zu, die nicht mehr Himmel und Erde scheiden wird.

Es war eine Stadt ganz aus Basalt, aus Behausungen von mehrstöckiger Menschengestalt, erkaltete, ausgehöhlte blauschwarze Riesen, deren dunkle Fensteraugen noch immer jenes Blau hinter den Wolken zu suchen schienen, welches Urheber der unerklärlichen Vorgänge sein mochte, die diese Stadt geboren haben mußten. Schon lange versuchten die Bewohner nicht mehr, das Geheimnis aufzuklären, obgleich die erhobenen Augen, die ausgestreckten Arme, von denen mancher abgebrochen als Stumpf in den Himmel ragte, und der taumelnde Schritt dieser riesigen Wohngestalten Anlaß genug zum Nachdenken gegeben hätten.

Eine fraglose Gleichmut beherrschte das Leben der kleinwüchsigen Bevölkerung. Ein großer gelber Ballon, der hoch über den steinernen Köpfen der Wohnriesen schwebte, spendete Licht und Wärme, mochte es regnen oder schneien.

Es war einmal ein Tag in dieser Stadt, ein ruhiger, eintöniger Tag, der Stunde um Stunde in jenes große Vergessen entließ, das dem Leben der Menschen Zufriedenheit und, ja, eine Art Unverwundbarkeit gab, die keine Träume kennt. Obwohl sonnenlos, füllte doch ein freundliches Licht die Wohnungen, und niemand fühlte sich versucht, in Gedanken einer Vergangenheit oder Zukunft nachzuhängen.

Es hatte Tage gegeben – aber wer wollte sagen, wie viele seitdem verflossen waren –, da waren Tausende von Aufklebern an Hauswänden und Laternenpfählen zu sehen gewesen, die auf dem Bild des gelben Ballons die Aufschrift getragen hatten: »Gestern? Morgen? – Nein danke!« Es gab nicht mehr viele alte Leute, deren Erinnerung der vergangenen Tage wie Blitze eine dämmernde Gegenwart durchzuckten. Einzig ein Tag in der Woche war anders, wenn sich alle Bewohner einer Behausung versammelten und einer von ihnen – der »Trainer deiner Möglichkeiten« – einen wilden Tanz begann, zu fremdartigen und nur zu diesem Anlaß gehörten Rhythmen, die machtvoll in den Körper flossen und bald alle in die wildesten, verzückten Bewegungen trieben, bis sie endlich all ihre Energie ausgeschüttelt hatten und ermattet zu Boden sanken. Dann war Zeit für die tiefe Meditation, welche die vergangene Woche ins undurchdringliche Dunkel des Vergangenen sinken ließ und jede Zukunft jenseits der kommenden Woche entmachtete. Dieser »Einstimmung in das Hier und Jetzt«, die die Gegenwart hell erstrahlen ließ, durfte niemand fernbleiben, es sei denn, er wollte mit dem Tod in den Sümpfen bezahlen, die die Stadt umgaben. Es war das einzige Gesetz der Stadt.

Es war einmal ein Mann in dieser Stadt, der an diesem Tag nach seiner leichten Arbeit der Wohnung zustrebte, die den Kopf einer großen, breitbeinigen Behausungsgestalt ausfüllte. Der Mann war jung und schön und braungebrannt wie jeder hier. Das Gefühl seiner weit ausholenden Schritte, die hohl über den dunklen Basalt-Asphalt klapperten, füllte pochend seinen Körper, und seine Blicke glitten gierig über die engen Straßen, alleingelassen in Regen und Matsch, und der gelbe Ballon wehte hellere Horizonte über die Spiegelbilder der Pfützen. Später saß er im Schaukelstuhl hinter dem Fensterkreuz jener Riesenaugen und hob den Moment auf, den gerade verlebten, von der Straße am Fuß der Behausung:

Regen und Leute gehen vorbei, die alten langsamer und an Stöcken, und die jungen Mädchen mit Regenschirmen und eilig. Ein Mann mit langen Haaren geht vorüber, mit seiner Mutter; er trägt zwei Einkaufstaschen und bleibt stehen, daß sie ihm eine Praline in den Mund schieben kann. Ein alter Mann pausiert mitten auf der Straße, er kann nicht mehr, geht zurück, lehnt sich gegen ein Auto. Regentropfen laufen ihm übers Gesicht. Ein paar Ladenbesitzer rollen die Jalousien ein. Von ferne brechen die Strahlen des großen gelben Ballons durch, ein Regenbogen geht über die Straße. Eine Frau kommt von irgendwo gerannt, schirmlos, stellt sich zwischen die Beine der gegenüberliegenden Behausung, ihr nasses Haar verklebt Augen und Mund.

Der Mann spürt die Traurigkeit des Augenblicks und die Notwendigkeit einer Umarmung. Lautlos gleitet er im Fahrstuhl durch Hals, Brust, Bauch und die unbewohnten Beine, stolpert über die Straße, bis er vor ihr steht und sie keuchend mit

Atemwolken umnebelt.

Endlich erscheint ihm ihr blasses Gesicht mit dem traurigen Mund, der ihm jenes Gefühl gab, das ihn hertrieb. Zitternd wehen ihr seine stotternden, zaghaften Worte entgegen – wo kommst du her – und sein Blick verliert sich in ihren Augen, deren Wunder ihn aufsaugt; denn eingebettet in einer braunen, der Mitte zustrebenden Iris – Kaleidoskop der Erde – warten zwei große Pupillen: ein strahlendes, ziehendes Blau, in das er hineinfährt, schwerelos taumelnd, immer tiefer, bis ihn ein unendlicher Schwindel in jene unbewegliche schwarze Watte sinken läßt, die ihn rettet . . .

Mit schmerzendem, leerem Schädel, dessen Betriebsamkeit ein hoher, gleichbleibender Ton anzeigt, und einem spiraligen Ziehen im Bauch wacht er auf. Der alte Mann steht über ihm, reicht ihm die Hand. »Die Frau . . .« sagt der Mann und deutet dahin, wo sie gestanden, ». . . so blaß.« Der Alte lächelt gutmütig. Er sagt: »Sie hat dich gefällt wie ein Blitz«, und sieht ihm verschmitzt in die Augen. Dahinter kaut der Langhaarige grinsend eine Praline; seine Mutter füllt nach. »Wie lange«, fragt der Mann, »habe ich hier gelegen?« Und der Langhaarige sagt: »Wie lange ist wie lange ist wie lange«, und lacht ihn an. Da spürt der Mann jene Traurigkeit, die ihm die Frau gegeben, und er weiß, daß er nicht mehr fragen darf, weiß, daß er allein die Frau suchen wird, weiß, daß ein Geheimnis ihn berührt hat, das ihn nie loslassen wird. So rafft er sich auf und geht durch die Stadt, sein Blick hängt sich an die Liebespaare, die sich in den Fenstern spiegeln, und als die Glocke vom Gelben Ballon herab tönt, alle zur »Einstimmung in das Hier und Jetzt« zu rufen, steht er einsam auf dem großen Platz in der Mitte der Stadt, während die Menschen in den letzten Strahlen des Ballons ihren Behausungen zustreben.

Zum ersten Mal in seinem Leben – aber was ist schon ein Leben, das sich ständig selbst vergißt – fühlt er Widerstand gegen die »Einstimmung«, denn er müßte die Frau verlieren, sein Erlebnis, das aus seinem ruhelosen Körper eine einzige offene Wunde werden läßt, eine Wunde, die eine Sehnsucht, ein Versprechen und eine Erinnerung freigibt, eine Trauer und Hoffnung, die alles andere kalt und fern erscheinen läßt.

So geht er freiwillig aus der Stadt und den Sümpfen zu, seine Wunde zu lecken. In der Dämmerung gelangt er an den Rand der

Stadt. Hier hören die Wege auf. Röhrende Frösche künden Wasser an, schnell ziehen die Wolken, und ein Wind fährt in den Körper, durch die Ohren und flüstert in fremder Sprache. Langsamen Schritts zieht er weiter, schon schwankt der Boden und wird tief und schwer. Seine Augen folgen den Kreisen eines Vogels bis zum Schwindel. Dunkelheit kriecht empor, faßt ihn beim Arm und führt seine Schritte ins Moor. Sein Blick sucht die haltlosen Füße, starrt lange zur Erde, bis der Morast anfängt zu leuchten; blaue, saugende Lichter ziehen ihn weiter und tiefer, seine halb versunkenen Beine pulsieren im blauen Morast. Panik fährt ihm ans Herz, und vor ihm steht eine Gestalt, deren Augen leuchten, blaue Pupillen wie die Lichter des Moors. Vergangenes bricht auf, ein ungelebtes Leben im Kopf einer steinernen Figur, und die Zukunft weht vage vorüber.

»Dreh dich nicht um und komm weiter«, wird sie leise sagen. Und Ameisen werden seine Blutbahnen hinaufrennen, und er wird seinen Blick zum Himmel heben und die schwerbauchigen Wolken gerötet sehen, und er wird sich in rasender Angst umwenden, der Stadt zu, die da in Feuer und Qualm aufgeht. Und er wird die Traurigkeit und die Sehnsucht aus seinem Körper entlassen und erstarren zu Stein, mit gehobenem Blick und verzweifeltem Arm.

Die Dunkelheit schließt sich. Die Stadt schläft, der Tag auch. Es wird einmal eine Stadt sein, die vergessen war, und es war einmal ein Tag gewesen, der wiederkommen wird. Die Schöpfung ist anders.

Sylvia Rupp

Die Suche

Ich bin ganz unglücklich. Seit ein paar Tagen suche ich, aber ohne Erfolg. Ich habe meine Ideen verloren. Sie sind ganz einfach weg. Spurlos verschwunden. Und ohne meine Ideen bin ich nur ein halber Mensch, so, wie jemand, der seine Brille verloren hat und blind durch die Welt tappt.

Auf meine Vermißtenanzeige kamen einige Anrufe. Es scheinen viele Leute ihre Ideen zu verlieren. Meine allerdings waren nicht darunter. Mir ist auch schon der Gedanke gekommen, ob mir wohl jemand meine Ideen gestohlen hat, vielleicht mein Nachbar. Er ist ohnehin sehr einfallslos. Oder die Frau von der anderen Straßenseite. Aber ich habe es schnell wieder verworfen. Es ist wohl ein wenig zu dreist, andere des Diebstahls zu beschuldigen, obwohl mir das mit Gedanken schon mehrmals passiert ist. Ich bemerkte, daß mir ein Gedanke fehlt, und sehe kurze Zeit später jemanden meinen vermißten Gedanken mit sich herumtragen, als sei es das Natürlichste der Welt. Nunja, es hilft alles nichts. Ich muß meine Ideen wiederfinden. Wo habe ich sie bloß zuletzt gesehen? Ich kann mich nicht erinnern, sie zerbrochen, verbrannt oder zerrissen zu haben. Besuch hatte ich auch keinen, der sie womöglich mitgenommen hätte. Sie müssen also noch hier sein. Aber wo?

Ich könnte mich totärgern, daß Ideen geruchsfrei sind, sonst könnte ich mit Hilfe meiner Nase herausfinden, wo sie liegen, so wie bei faulen Eiern. Ich such noch einmal ganz gründlich, stelle Alles auf den Kopf, stelle mich auf den Kopf, gehe auf den Händen durch sämtliche Zimmer, weil ich hoffe, daß mir die neue Perspektive noch unerschlossene Gebiete auftut. Ich krieche, wälze mich über den Fußboden, klettere über Vorhangstangen und Deckenlampen, wobei ich ein Opernglas zur Vergrößerung benutze.

Es ist alles umsonst. Nach mehrtägiger Suche gebe ich auf, ein körperliches und seelisches Wrack. Ich beginne am Sinn des Lebens zu zweifeln und setze mich schluchzend auf meinen Tisch, wobei meine Tränen wie dicke Regentropfen laut auf den Tisch prasseln.

Und plötzlich fällt mir etwas ein.

Meine verlorenen Ideen waren der Stoff zu einer herzzerreißenden Liebesgeschichte, und ich war von den Ideen so gerührt, daß mir damals die Tränen kamen. Und weil ich kein Taschentuch zur Hand hatte, habe ich mir mit meinen Ideen die Nase geputzt. Ja, genau so war es. Wie unachtsam von mir, die vollgerotzten Ideen einfach wegzuschmeißen. Wenn ich sie abgewaschen hätte, wäre möglicherweise ein Erfolgsroman daraus geworden. Und nur weil ich weinen mußte, bin ich noch genauso unbekannt wie Herr Meier. Schade.

Nunja, aber, warte mal . . . Mir kommt da eine Idee.

V Wenn ich dich retten könnte

eva schott

brief an meine mutter
(den ich geschrieben, aber doch nie abgeschickt habe)

mutter –

ich will endlich
aufhören
zu sagen:
ich verstehe dich –

sonst werde ich
eines tages
im sterben noch
röcheln:
ich verstehe dich!

schon lange wollte ich dir alles sagen, alles, was sich in den knapp
zweiunddreißig jahren meines lebens angesammelt hat – und
doch bin ich mir schon jetzt ziemlich sicher, noch bevor ich
begonnen habe, daß es wieder ein brief der fragen, des verständ-
nisses, der erklärungen werden wird.
du hast mich gut verzogen.
alles habe ich versucht zu verstehen –
aber bei den versuchen, dich zu verstehen, habe ich plötzlich
angefangen, vater zu verstehen. zu dem zeitpunkt, da ich von
zuhause ausgezogen bin, mir meine eigenen überlegungen
machen und mich mit vater wirklich auseinandersetzen konnte.
wenn ich an dich denke, so fallen mir meist als erstes szenen aus
meiner kleinkindzeit ein. du standst am herd, beschäftigt mit
irgendwelchen töpfen. du weintest. und ich, ein kind von drei,
vier oder fünf jahren, weinte mit, ohne zu begreifen warum.
damals stand ich dir wohl sehr nahe, und ich hatte auch noch nicht
das gefühl des überflüssigseins. später, als ich größer, verständi-
ger wurde, habe ich sehr schnell begriffen, daß es dein mann,
mein vater, war, der dich zum weinen brachte. du hast seine
fehler nie verheimlicht – sein trinken, die anderen frauen, sein
fliehen aus der familie, seiner ehe. aber – du hast vergessen, mir

von seinen guten seiten zu erzählen, von den liebenswerten, denn ich weiß, daß er die hatte. ich habe sie später kennengelernt, anders als du sicher, denn ich war ja seine tochter. wenn er wirklich ein solch mieser mensch war, wie du ihn dargestellt hast – warum, frage ich dich dann, warum hast du dann neun kinder von ihm geboren.

du hast mich geblendet – und nicht nur in bezug auf meinen vater. du hast mir vor allen dingen keine möglichkeit gegeben, mir selbst zu begegnen, mich zu sehen, zu erfahren, mich kennenzulernen. es gab deine meinung – sonst nichts – deine erfahrung allein war wichtig – es schien, als sei es nicht von belang für mich als kind eigene erfahrungen zu machen. du wußtest alles, und schon früh hast du mir eingebläut, daß das reicht.

ich hatte verständnis zu haben für dich, deine situation, meine geschwister, für alles und jeden – nur nicht für mich. ein perfekt funktionierendes zahnrad in der maschine, die du familie nanntest – ich. nur funktionieren, nicht reagieren.

deiner empörung über eigene gedanken, wünsche, vorstellungen gabst du in form von prügeln ausdruck. du hast mich im laufe der jahre geschlagen, wenn ich lachte, weinte, gar nichts tat. ich lernte im zusammenleben mit dir, daß es am einfachsten, weil ungefährlichsten war, einfach nur so zu agieren, wie du es dir wünschtest. ich war ein gefühlszwerg, nahe am verhungern. ich kann mich nicht daran erinnern, daß du mich in den arm genommen, mir gesagt hättest, daß du mich lieb hast – und sei's nur deswegen, weil ich ja nun mal eben deine tochter war. du gabst mir das gefühl der unwichtigkeit – ich versuchte mir eine gewisse bedeutung zu verschaffen, indem ich genau deinen anforderungen entsprach. wäschewaschen, kuchenbacken, jüngere geschwister auf-/großziehen, die anderen versorgen, kochen, putzen, die riesige dogge jeden tag mindestens zwei stunden spazierenführen – soviel verantwortung, vernunft von einem kind zwischen zehn und fünfzehn jahren zu verlangen, die mir heute, mit zweiunddreißig jahren zuviel wäre, zuviel ist.

es gab nichts, daß ich irgendwann mal mitbekommen hätte, ein kind zu sein. ich erinnere mich an anforderungen. du hast es geschafft, daß ich immer verschlossener, heimlicher wurde, erwachsener. du wolltest immer nur mein bestes, ich weiß – auch wenn es mir heute so erscheint, daß du immer nur dein bestes wolltest. es ist schön – jede woche zum friseur, masseur, zur kosmetikerin zu gehen – eine riesenwand voll gescheiter bücher zu haben, sich klug unterhalten zu können – während zuhause das chaos herrscht, nichts stimmt oder in ordnung kommt. warum hattest du keine freunde?

und meine angst, die ganzen jahre seit ich von zuhause ausgezogen bin, so zu werden wie du. was für eine vorstellung. du warst so verschlossen, voller vorwürfe für andere. du warst groß darin, mich lebensuntüchtig kleinzuziehen, mich zu verbiegen. mein mißtrauen hast du geschürt, mein mißtrauen anderen menschen gegenüber, für meine männerverachtung den grundstein gelegt. blicke ich heute zurück in meine kindheit – die nie die zeit eines kindes war –, so ist das kein blick zurück im zorn, vielmehr ein überschwemmtwerden von ängsten, angst vor dir, meinem vater, meinen geschwistern, menschen, der dunkelheit, männern, betrunkenen, der sexualität.

ich kann mich nicht erinnern, mich jemals so richtig zu hause und geliebt gefühlt zu haben. schön eingerichtet war unser haus – für den besucher, der ins wohnzimmer kam. gut geheizt. für außenstehende nicht ersichtlich, für mich fühlbar – die wirkliche wärme fehlte. ich hatte in diesem haus keinen raum, in den ich mich zurückziehen konnte. so zog ich mich in mich selbst zurück, versteckte mich in mir und bekam angst vor mir selbst und damit immer mehr vor allen anderen.

es gab ein paar menschen, bei denen ich das gefühl hatte, daß sie mich mochten. mich, diese verschüchterte, angepaßte kleine erwachsene. das war in der schule, waren meine lehrer. endlich ein platz, wo ich mich wohlfühlte. und auch da hast du mich weggerissen. es war wohl wichtiger für mich – meintest du –, geld zu verdienen als abitur zu machen und mein ziel, den beruf der lehrerin zu erreichen. meine lehrer sprachen mit dir, baten dich. du nahmst mich zwei jahre vor dem abitur von der schule. und ich, ich arbeitete im büro meines vaters – weil du, weil ihr es so wolltet.

ich war fast die ganze woche allein, die ganze verantwortung für den bürobetrieb lag auf mir, einer siebzehnjährigen, frisch von der schule. wieder die totale überforderung. was dachtest du eigentlich, wie belastbar ich bin?

als ich mit vater nach frankfurt zog, das büro dorthin verlegt wurde – und er wieder ein verhältnis mit einer anderen frau angefangen hatte, als es dann zum endgültigen bruch zwischen euch beiden kam – da hast du es dir wieder sehr einfach gemacht. bildetest du dir wirklich ein, daß bei einer rechtzeitigen information durch mich du irgendetwas hättest ändern können? du wußtest wohl, daß ich mich gegen deine vorwürfe nicht würde wehren (können). ich bot mich wie üblich als opfer an. später, als wir darüber gesprochen haben, reagiertest du ganz erschrocken. du bestrittst deine vorwürfe von damals. das übliche lief ab: ich habe das nicht gesagt, das war dein vater . . .

siehst du, du warst noch nicht mal ehrlich.

dann, mein zurückkommen nach göppingen. endlich eine arbeit, die mir etwas mehr spaß machte. die forderungen waren erfüllbar. und es gab endlich auch mal was anderes als arbeit.

in frankfurt hatte ich das erste mal valium verschrieben bekommen – »meine nerven seien so angegriffen« – sagte die ärztin.

war ich froh, daß ich mich endlich von dir gelöst hatte – zumindest bildete ich mir das damals ein – so fingst du jetzt an, mir telefonisch irgendwelche aufträge zu geben (kümmere dich mal um deine schwester, fahr mal mit mir da und da hin, usw. usw.), die ich alle prompt erfüllte – wie gehabt.

gleichzeitig hatte ich wieder mal das gefühl, kein zuhause zu haben. wenn auch göppingen meine heimatstadt ist, so kannte ich doch nach diesem jahr in frankfurt fast niemand mehr. ich lernte ein paar leute kennen, die genau das, wovor du mich immer gewarnt hast, praktizierten. sie liefen unordentlich, d. h. ungekämmt und barfuß in den straßen unserer stadt herum, sangen lieder zur gitarre, diskutierten, lebten in einer wohnung zusammen, schliefen miteinander. all das machte mich neugierig. dein erhobener zeigefinger ließ das ungeheuer interessant erscheinen – diese leute akzeptierten mich, gaben mir das gefühl mich zu mögen ohne bedingungen, ohne dauernd zu fordern. im gegenteil. es war das erste mal, daß sich jemand um mich kümmerte, mir ein wenig selbstvertrauen gab.

ich lebte meinen normenalltag weiter im büro. nach arbeitsschluß fuhr ich nach hause, zog mir jeans an und lief barfuß aus dem haus. verbrachte meine abende mit diesen leuten. und die kifften – ich kiffte mit. ich gehörte endlich mal wo dazu, bekam ein zuhausegefühl. und ich entdeckte, daß sexualität, das miteinanderschlafen etwas sehr schönes ist.

mit dir konnte ich über so etwas nie reden. ich erinnere mich, als ich mit zwanzig jahren das erste mal mit einem mann geschlafen hatte und mit dir darüber sprach, war deine reaktion dein zeigefinger: ja bist du denn verrückt, stelle dir mal vor, wenn du jetzt schwanger bist.

spätestens da habe ich es aufgegeben.

das leben auf zwei ebenen machte mir ganz schön zu schaffen. depressionen machten mich fertig, und irgendwann wurde ich in die klapsmühle gesteckt. mein aufenthalt dort sah so aus, psychiatriegemäß tagsüber mit psychopharmaka stillgelegt, nachts mit schlaftabletten betäubt. auf verordnung der ärzte mit chemie fixiert. und das sieben monate lang. in dieser zeit, die mir so endlos lange erschien, hast du mich besucht. anfänglich glaubte ich, du kämst meinetwegen, du schienst mir sehr besorgt. aber du kümmertest dich wieder nur um äußerlichkeiten, nichts von dem, was in mir passierte, kam jemals wirklich an dich ran, interessierte dich.

ich wurde entlassen, ein glücklicher zufall, weil die ärztin, die mich »behandelte« erkrankt war, eine andere meine akte bekam und mich innerhalb von drei wochen entließ. ich beging mehrere selbstmordversuche, wurde wieder in die psychiatrie gesteckt. als du das besuchsverbot von seiten der ärzte bekamst, reagiertest du sehr empört. aber war außer deiner empörung noch etwas, hast du jemals darüber nachgedacht, warum dieses verbot?

nach meiner neuerlichen entlassung wieder terror per telefon (deine schwester verkehrt mit rauschgiftsüchtigen, war seit zwei tagen nicht mehr zu hause, such die – fahr mich – usw. usw.), und wieder erfüllte ich deine wünsche, aufträge. abends nach der arbeit, am wochenende, wann immer ich zeit hatte.

damals wurde mir klar, daß ich mich von dir trennen mußte. innerlich entfernte ich mich immer mehr von dir, äußerlich war ich dir noch näher. dann wurden meine besuche bei dir jedoch seltener. ich wußte, wenn ich endlich ein stück leben, mich selbst mitkriegen wollte, mußte ich mich von dir trennen. ganz.

du hast nie lebenslust in mir hochkommen lassen. ich war ein kind, das in jede x-beliebige erwachsenenschablone gepaßt hat. und ich versuchte – endlich – mit hilfe der harten drogen ein stück leben zu erhaschen. ich glaubte, endlich gefühle ausleben zu können – so ganz anders als du zu werden. erst jetzt habe ich erlebt, daß ich mich selbst kaltstellte, es gab keine wirkliche freude, trauer, angst, lust mehr. das einzige, was ich wirklich spürte, das war die furcht vor bullen. aber endlich kümmerte ich mich nicht mehr um das, was MAN tat oder nicht. immer seltener wurden meine besuche bei dir. (kind, du bist ja so blaß – ja, ich weiß, aber arbeite du mal acht stunden im büro – das war unsere konversation.) eines tages sagtest du zu mir: evi, ich weiß gar nichts von dir – und ich antwortete nichts darauf. wie sollte ich dir denn auch erklären, daß du mir nie das gefühl gegeben hast, daß du dich für mich interessiert hättest, wirklich für mich – und nicht für die ordnung außenherum. und – ich kannte mich ja auch nicht – wußte so gut wie nichts von mir. ich hatte nie gesprächspartner, über die ich etwas über mich hätte erfahren können. nicht als kind und nicht als jugendliche. ich mußte immer alles mit mir selbst abmachen.

ich zog weg von göppingen mit meinem mann – raus aus der stadt, in der du lebtest – fing in münchen an zu drücken. meine zehn jahre heroinabhängigkeit begannen. der kontakt zwischen uns war abgebrochen. ab und zu rücktest du mir bedrohlich nahe, erst über briefe, in denen du mich beschimpftest, versuchtest mit mir abzurechnen, dich schuldfrei zu halten. später dann über meine jüngere schwester, ebenfalls drogenabhängig, die in den knast kam, mehrmals, und die du dann wohl unter deine fittiche nahmst. und jedesmal, wenn du glaubtest, die hätte es geschafft, fiel ich dir ein – du versuchtest, kontakt mit mir aufzunehmen. aber ich wollte nicht, daß irgendjemand und ganz besonders du nicht, sich auf den helfer-trip begibt meinetwegen, daß du mich wieder zuschüttest mit dir. ich wollte endlich frei sein, frei von dir.

kam ins gefängnis, irgendwann, fing eine gesprächstherapie an beim knastpsychologen – und mußte eines tages feststellen, wie ähnlich ich dir doch in vielen dingen geworden bin. ich hatte mich die ganze zeit dagegen gewehrt. ich wußte nicht viel von dem, was ich wollte, ich wußte nur, ich wollte nie so werden wie du. zu neun zehnteln kopf – und der rest? ein mensch, der nie gefühle zeigt. du warst immer mehr eine gebärmaschine als eine mutter. als ich im rahmen dieser therapie begriff, wie ähnlich ich dir doch geworden bin, fing ich an zu schreien: ich könnte dich umbringen, ich hasse dich. warum kann ich nicht endlich ich sein?

es dauerte lange, bis ich mich beruhigt hatte, bis mir klar war, daß ich nicht du, sondern immer noch ich selbst bin. daß es eben viel ähnlichkeit gibt. aber der unterschied zwischen uns beiden der ist, daß ich erkenne und versuche zu ändern.

im rahmen der therapie fand ein rollenspiel statt. ich sollte dir all das sagen. ich weinte: wenn sie jetzt wirklich hier wäre, ich kniete vor dir nieder und fragte nach dem WARUM.

dabei habe ich so viel verständnis für dich und dafür, warum du so und nicht anders bist (ich kenne ansatzweise deine geschichte, du erzähltest mir von deinem aufwachsen ohne mutter, deinem vater). aber ich habe mindestens ebensoviel verständnis inzwischen für mich, und vor allen dingen bin ich interessiert an mir und meinem leben, will wirklich leben, meinen weg gehen, einen weg, der sehr viel freier ist als der, den du mir vorgegeben hast.

ich will nicht mehr dich mit mir herumtragen. du bist mir zu schwer geworden. ich möchte dich höflich aber bestimmt auffordern, mich endlich zu verlassen. du hast nichts, aber auch gar nichts in mir verloren. aber wahrscheinlich werde ich dich nicht so einfach ablegen können. ich bin nur dabei aufzupassen, daß du mich nicht mehr so sehr belastest, meinen rücken beugst und meinen kopf zwischen meine schultern drückst.

du hast versäumt, mir lust am leben beizubringen, mich leben zu lehren. jetzt bin ich dabei, mir diese lust selbst beizubringen, sie zu erleben, meinen kindheitssehnsüchten so weit wie möglich nachzugeben.

ich nehme mir die zeit, die du mir nie gegeben hast. ich bin dabei, deinen erhobenen moralzeigefinger in mir umzuknicken.

endlich habe ich begonnen, mich zu emanzipieren von dir.

und ich wünsche mir, daß du diesen brief, den ich jetzt im april 1981 geschrieben habe, auch wirklich zu lesen bekommst.

deine tochter eva

im namen des volkes

ihr – ihr seid verdächtig –
weil –
ihr niemals ausrutscht, auch nicht mit glattesten sohlen
eure bäuche versteckt und heimlich, verstohlen
euer weinen hinter lachen versteckt
eure armut mit unermeßlichem reichtum bedeckt
eure seele mit mißgunst und haß befleckt
mit plumpen fingern auf menschen weist
und dabei vergeßt, was mensch-sein heißt
ihr euch ausquetscht, zerdrückt und zertretet
und sonntags zum lieben-vater-im-himmel betet
ihr kinder, weil's kinder sind, unterdrückt und schlagt
euren wert in der brieftasche spazieren tragt
eure hunde euch wichtiger sind als jene frau auf der erde –
und ihr – ihr fragt im ernst, was aus dieser welt werde?

ich – ich klage euch an –
weil –
ihr glatt seid –
versteckt – heimlich – verstohlen –
bedeckt – befleckt –
ausgeqetscht – zerdrückt – zertretet –
und *betet* –
ihr unterdrückt und schlagt –
und *fragt*?

ich – ich verurteile euch

Ilona Landsmann

So sind wir im Leben,
indem wir in der Vorbereitung sind,
daß der Tod über uns kommt.
Nicht der Tod der Biene und des Bären,
sondern der Tod der Niedertracht,
Tod der Anmaßung, Tod des Hohns,
Tod der Willkür, Tod der Folter,
Tod der Ausschlachtung,
Tod dessen, welcher meint, ich habe alles,
also hast du nichts.
Wir können aber dem Tod, welcher nicht
der Tod des Hirsches und der Amsel ist,
widerstehen, indem wir die Röcke und
die Hemden teilen,
die Gedanken und die Mitteilungen der
Ehrfurcht, die Meldungen der Liebe und
der Bruderschaft.
Wozu aber notwendig ist, daß wir den (die)
Oberen aus dem metallenen Sessel kippen.

Das Licht im Dunkel wartet darauf,
daß wir uns verbinden.
Indem ich sehe, wohin Du gehst,
sehe ich, wie ich sein werde (sein kann).

Rudolf Müller-Schwefe

Schneemensch

Menschen unter Menschen
begegnen deiner Trauer
mit dem Holzfällerblick

Ameisen rennen die Blutbahnen entlang
verirren sich hoffnungslos
in Gedanken

So kommt deine Eiszeit:
Schneeränder um die Pfützen auf
deinem Bauch
Eisblumen um die Brust und
glitzernde Hagelkörner in den
Augenhöhlen: Schneemensch
über Lavaströmen

Und dann suchst du
Befreiung, Bewußtlosigkeit, den Ozean
das Leben
in seiner Niedermetzelung.

Wie geht es euch, mir geht es so (manchmal)

Wenn nach der morgendlichen Runde um den Teich die Atemwolken einer kleinen Erschöpfung dem hinterm Ufer dämmern-
den Morgen entgegengekeucht sind,
wenn der dampfende Kaffee mit der Notwendigkeit des Lebens-
saftes abgepumpt ist und ein paar freudlose Gedanken an den
auszufüllenden Tag erlaubt hat,
wenn ein endloser, tätiger Vormittag vom stoischen Schloß ohne
Regung verschluckt ist, ein paar stockende Worte mit dem soliden
Mahl in den Bauch gerutscht und die pochenden Ermahnungen,
Anweisungen und Widerreden in den Schläfen verhallt sind,

wenn der ausgetrocknete Tabak wenigstens der Lunge ein betäu-
bendes Gefühl eingeblasen hat,
und wenn wir, die mit dumpfer Spannung akzeptierten Minister
einer vage möglichen und durchaus fraglichen Zukunft einen
kleinen Raum mit Regeln und Reden, mit Fragen nach der Farbe
von Betten und Aktenordnern und mit den Schicksalsentschei-
dungen eines sonnenlosen Tages gefüllt haben,
und wenn du dann in der Mittagspause die verblaßte Gaststube
mit der kleinen Eckbank betrittst, vernehmen sie dein Kommen
durch jenen grauen Vorhang einer lichtlosen Wolke und hassen
den Lauf deiner Schritte, und die Leere ihrer dahingeworfenen
Körper springt dich an, die Leblosigkeit der Gesichter, ein
ausgetrocknetes Moor der Trauer.
Für einen Augenblick kommt da in diesem Erwachen die Betäubung zu ihrem Schmerz, die sehnsüchtige Dämmerung fällt von
den Gliedern und mit ihr jene vage Fülle der Zeit, die nun leer in
ihren Augen steht . . .
Und vor jedem Wort noch spürst du deine Antwort aus dem
Bauch aufsteigen: GOTT willst du sein, ihnen das einhauchen,
was du als LEBEN erahnst, willst jenen Schwindel der Freude,
jene wache Trauer in die leblosen Körper schütteln, vor denen du
dich selber fürchtest . . .
So stehst du vor ihnen, Einbrecher & Schöpfer, und drehst deine
Anweisungen zwischen den Fingern, bis sie wortlos verstanden
werden.
Und immer, wenn ihre Blicke wegtauchen, möchtest du rufen:
He, Mann, bleib da, aufm Teppich, und schau ihn dir erst mal an!
In deinem Paradies, sage ich, da stirbst du einen Tod, der das
Leben nicht verdient hat. Du hast ein schwarzes Loch im Bauch
deines kaum bewohnten Körpers, das wirst du nie stopfen mit
deinen Spielen von Supermann und Jämmerling, nicht mit der
großen Flucht vor der großen Suche, nicht mit den dröhnenden
Watteschwaden – denn deine Musik, die geht in ein Röcheln
über . . .
So möchtest du rufen, wenn wir die grauen Teppiche von Staub
befreien und müde an den Kacheln putzen . . .

Almut Ladisich-Raine

*Mein Weg zu einer kreativen, demokratischen
Therapeutischen Gemeinschaft*

Erster Teil

Vor über zwei Jahren haben mein kanadischer Ehemann Michael
und ich ›unsere‹ Therapeutische Gemeinschaft aufgegeben nach
fast fünf Jahren gemeinsamer Arbeit. Wir hatten zusammen mit
unserem Team von Fachleuten und Exusern und Patientengrup-
pen von 25–30 alkohol-, tabletten- und drogenabhängigen
Frauen und Männern, die eine durchschnittliche Behandlungs-
zeit von sieben Monaten durchmachten, ein altes Wasserschloß
in Oberbayern wieder so hergerichtet, daß aus einer ›Ruine‹ ein
gemütliches Zuhause auf Zeit geworden war. Ein großer Gemü-
segarten und zwei Treibhäuser gehörten auch dazu. Als das Haus
endlich den Stand erreicht hatte, auf den wir fünf Jahre hingear-
beitet hatten, als es florierte und relativ problemlos funktio-
nierte, waren wir müde und ausgepumpt. Abgesehen von einigen
äußeren Umständen, die hier nicht erläutert werden sollen, hatte
der Aufbau dieses ungewöhnlichen und lebendigen Therapiecen-
ters uns völlig erschöpft. Was blieb, war die Gewißheit, vielen
geholfen zu haben, viel gelernt zu haben, und der Trost, daß der
Prozeß wichtiger war als das Endergebnis. Und so beendeten wir
dieses Projekt, um wieder mehr Zeit für uns und unsere Kinder
zu haben, unsere Nerven zu erholen und um etwas Neues zu
beginnen. Sicher war das damals eine richtige Entscheidung, und
doch – trotz der Erleichterung blieb das Gefühl, ›unsere Sache‹
verlassen zu haben, in die wir so viel von uns selber investiert
hatten und die unser Leben so lange ausgefüllt hatte mit Aufregung und Abenteuer.
Wenn ich jetzt zurückschaue, so war es eine Zeit voller Risiko,
Spaß, Experimente, Zuversicht und Fülle, und mit Geschichten,
die mehrere Bände füllen könnten.
Es gab allerdings auch ein gutes Teil Destruktivität, Enttäuschung und Schmerz.
Heute glaube ich, daß die meisten unserer negativen Erfahrungen mit der Tatsache zu tun hatten, daß wir oft unsere eigenen

Bedürfnisse vernachlässigten, um der ›Sache‹ zu dienen, daß wir bisweilen rigide einer Ideologie von Helfen und Heilen folgten anstatt unseren Klienten zuzuhören und mehr Kontakte mit ihnen zuzulassen, die auch uns hätten nähren können, wenn wir autoritär und mißtrauisch unsere Positionen verteidigten, anstatt manchmal unsere eigene Hilflosigkeit einzugestehen.

So oft fühlten wir uns wie in einem heiligen Krieg gegen die Sucht, gegen negatives Verhalten, gegen die Selbstzerstörung, deren Anblick uns ängstigte. Gleichzeitig befanden wir uns in einem dauernden Kampf mit Verwaltung und etablierten Vorstellungen von ›Therapie‹ um Patientenzahlen und Finanzierung. Wir manövrierten uns in Rollenmodelle hinein, die bewiesen, daß wir, die glaubwürdigen ›Guten‹, die Aufgabe wahrnahmen, diese gefallenen und verlorenen Seelen zu retten. Diese Position des Zweifrontenkrieges war natürlich schwer durchzuhalten und zehrte an den Kräften. Wir haben eben auch ein paar unerfreuliche Eigenschaften, und der unermüdliche Versuch, heilig zu sein, ist sehr anstrengend, gelinde gesagt.

So überlebten wir unseren ›Kreuzzug‹, müde und ohne größere Verletzungen, im Großen und Ganzen erfolgreich und eindeutig ernüchtert.

Ich eröffnete eine private psycho-therapeutische Praxis, leitete Fortbildungs- und Therapiegruppen. Lange hatte ich Entzugssymptome, mein neues Leben erschien langweilig und distanziert, verglichen mit meiner Vergangenheit in ›unserem Haus‹. Ich vermißte meine eigene süchtige Totalität, die intensive Auseinandersetzung, die Direktheit und Ehrlichkeit der Gemeinschaft, die ich draußen in der Welt kaum fand.

Mit Hilfe meines Mannes, der viele dieser Gefühle verstand, meiner Kinder und der Gestalttherapie überwand ich meine Depressionen, und viele andauernde private Kontakte mit jetzt lebensfrohen ›Ehemaligen‹ überzeugten mich, daß Resignation nicht nötig war, daß auch für diese Patientin, nämlich mich, gute Chancen für ›Normalisierung‹ bestanden.

In dieser Zeit kamen mir viele Erinnerungen an die Nachkriegszeit, die ich als Kleinkind erlebte. Ich schien noch einmal die Sorgen und die Traurigkeit zu fühlen, die mich damals umgaben, die Enttäuschung und Verletzung meiner Eltern.

So sehr ich mich auch an die Atmosphäre von überstandener Tragödie und hautnaher Not erinnere, so hat diese Zeit doch auch einen bleibenden Glauben an die Hilfsbereitschaft von Menschen, an Gleichheit und Humanität, an das heilende Potential einer Gemeinschaft in mir hinterlassen. Es war da auch eine große Hoffnung auf Demokratie und persönliche Freiheit. Die Leute waren sehr skeptisch gegenüber Ideologien, die endgültige Lösungen für soziale Probleme versprachen, und man hielt sich an das Praktische, Machbare, z. B. die Ruinen wieder aufzubauen und für einen bleibenden Frieden zu sorgen.

Meine ›Sucht‹ nach der Therapeutischen Gemeinschaft hat viel mit diesen ersten Erinnerungen zu tun. Ich lebte mit einem psychischen Programm, das besagte, daß tiefe Gemeinsamkeit nur im Zusammenhang mit Überlebensproblemen und tragischen Umständen möglich sei. Kein Wunder also, daß Liebe und Verbundenheit, Wehmut und Trauer in meinem Leben so nahe beieinanderlagen.

Jetzt, nach einer Zeit der Distanz habe ich eine neue Einstellung gewonnen.

Die Frage ist: Wie kann ich mein Bedürfnis nach Individualität (Gestalttherapie) und mein Interesse an sozialer Verantwortung und Mitgestaltung (Therapeutische Gemeinschaft) zusammenbringen und mir meine Freude und Gesundheit dabei erhalten?

In der Zwischenzeit begann Michael, der viele Jahre seines Lebens als Künstler gearbeitet hatte, bevor er Therapeut wurde, seine eigenen Lösungen zu entwickeln. Er ließ sich mehr auf seine Interessen an Kunst- und kreativer Therapie ein und unterwies Leute, die in sozialen Berufen tätig sind, in den Methoden der Therapeutischen Gemeinschaft. Dabei modifizierte er das ursprünglich sehr streng verhaltenstherapeutisch orientierte amerikanische DAYTOP-Modell, indem er den Trainingskursen einen liberaleren, spielerisch-kreativen Rahmen gab. Eine gute Mischung aus Verpflichtung, Struktur und Disziplin auf der einen Seite und eine Menge Raum für persönliches Wachstum, Humor und Experimentieren auf der anderen wurde vorgegeben. In 5–8tägigen Workshops stellen wir ein Therapiemodell vor, das das gestalttherapeutische Wachstumskonzept mit dem praktisch-konkreten Rahmen einer Therapeutischen Gemeinschaft im ›Hier und Jetzt‹ vereinbart und über das egozentrische ›ich bin ich und du bist du‹ hinaus zu einem lebendigen Gruppenprozeß führt, in dem ›ich und du und wir‹ möglich wird.

Dieser neue Ansatz hat viele Möglichkeiten eröffnet, und es gibt noch viel auszuprobieren.

Für mich haben sich einige grundlegende Einstellungen geändert, zum Beispiel: Ich habe die ›größenwahnsinnige‹ Idee aufgegeben, jemand anderen retten zu können als mich selbst, was immer das heißen mag zu verschiedenen Zeiten. Es soll auch niemand glauben, daß ich diese Macht besitze.

Das bedeutet aber nicht Gleichgültigkeit. Für mich ist Kontakt mit Menschen sehr wichtig, sei es Liebe, Neugierde, Mitgefühl, gemeinsame Ideen und Aktionen.

Ich will versuchen, ehrlich mit mir und anderen zu sein und so unbestechlich wie möglich. Und ich weiß auch, daß mir das nicht immer gelingt, daß ich ein fehlerhaftes menschliches Wesen bin. Das heißt auch, daß ich manchmal weit davon entfernt bin, ein sozial akzeptables Rollenmodell zu sein, und ich finde mich trotzdem ganz in Ordnung.

Und so habe ich gelernt, mir die Geschichten der Leute anzuhören und zu schauen, was die ihren mit meinen zu tun haben.

Ich höre dem Heroinabhängigen zu, seiner Sehnsucht nach der vollkommenen, heilen Welt, seiner Angst vor Langeweile, Impotenz, Einsamkeit, Trauer und Hilflosigkeit.

Manchmal sehe ich ein unschuldiges Kind in ihm, oder einen leidenschaftlichen Jugendlichen, der nach Sinn und lohnendem Inhalt in seinem Leben sucht, und oft sehe ich einen Erwachsenen mit Fähigkeiten, Lebenserfahrung und Bedürfnissen, die meinen sehr ähnlich sind.

Ich sehe seine Bereitschaft, sich in unbekannte Tiefen fallen zu lassen, seine Abhängigkeit von dem mächtigen und mörderischen Verführer. Ich bin fasziniert von seiner Kompromißlosigkeit, seiner Irrationalität und seiner grenzenlosen Fantasie, von seiner Bereitschaft, die grausamsten Lebensbedingungen auf sich zu nehmen, um seinen Impulsen zu folgen und sich über alle Regeln hinwegzusetzen. Und ich erkenne Anteile von mir in diesem Spiegel . . . Ich bin manchmal ›angeturnt‹ von dem Einfallsreichtum, mit dem er seine verschiedenen Rollen als Antagonist spielt und staune über die Kraft seiner Verachtung. Während ich versuche, ihn nicht zu verurteilen, sehe ich doch die Verzweiflung, wenn er den Kontakt zur Realität verliert und den Sinn fürs eigene Überleben, wenn er sich selbst abstumpft für sein Bedürfnis nach Liebe und Freundschaft, wenn er seine Seele mit der Rolle verwechselt, die er im Leben spielt, etwas, das, wie ich glaube, Leute tun, wenn sie sich zu Opfern oder ›Patienten‹ machen.

Ich begegne auch einigen, die ich einfach nicht mag, die mir schaden und vor denen ich Angst habe. Ich habe kein Interesse daran, Opfer zu werden, und ich vermeide, was für mich zu gefährlich oder giftig ist.

Die meiste Zeit bin ich jedoch interessiert.

Außerdem: wenn ich meine eigenen Rollen im Leben betrachte: Ehefrau, Mutter, Therapeutin, Lehrerin, dann weiß ich, wie leicht ich den Kontakt zu mir selbst verliere, wenn ich mich mit den Stereotypen, die mit diesen Rollen verbunden sind, identifiziere. Also vermeide ich auch, meine Klienten auf irgendwelche Kategorien und Rollen festzulegen.

Als Therapeut brauche ich meine Klienten und umgekehrt, das ist das vorgegebene Spiel.

Für mich ist es immer interessant zu sehen, was passiert, wenn ich beide Rollen als Seiten von mir betrachte.

Zum Beispiel:

Therapeutin: Du bist wirklich zu viel, ich muß Dich besser kontrollieren.

Süchtige: Du bist 'ne selbstgerechte, eingebildete Ziege, laß mich in Ruh!

T: He, sei nicht so aggressiv, ich interessier mich für Dich.

S: Ja klar, Du willst, daß ich so werde wie Du, genauso langweilig und angepaßt! Du hast nur Angst, den Weg ganz zu gehen. Du findest mich interessant, weil ich exotisch und verrückt bin und weil ich Dinge tue, über die Du nur gelesen hast. Du bist feige und bequem.

T: Richtig, aber ich will mich nicht umbringen, lieber mit 85 ruhig im Bett entschlafen und zufrieden sein, und das wünsch ich Dir und meinen Kindern und Enkeln auch.

S: Schon mal was von einem kurzen, wahnsinnigen, intensiven Leben mit dramatischem Abschluß gehört? Bild und Artikel in der Zeitung, und alle fühlen sich schuldig und sagen: die Besten erwischt es immer zuerst?

T: Nicht meine Art, berühmt zu werden. Vielleicht kann ich Dir doch was besseres zeigen, und ich kann etwas von Dir lernen.

Wie gewöhnlich gewinnt die Psychologin in mir – sie hat auf jeden Fall die bessere Position. So erzähle ich der Süchtigen, wie viel erstrebenswerter mein Leben ist als ihres, und wenn sie doch nur so sein könnte wie ich, die Vernünftige, dann wäre die Welt in Ordnung. Und doch – sie erinnert mich an ein anderes Leben – Chaos, Ungebundenheit, Extreme, Mut zum Anders-, zum Zu-viel-Sein. Gott sei Dank erinnert sich die Therapeutin in mir, daß es nun mal nicht so romantisch ist, und bleibt maßvoll . . .

rudolf klehr

gedanken zu einer frau

wenn ich dich retten könnte mit all meiner kraft
dir meine liebe geben, die du nie so recht verstanden hast
mit dir leben in deiner welt, die es nicht gibt

ich kann es nicht ertragen, dich dahinschmelzen zu sehen
wie blütenreiner frühlingsschnee im märz

die todessehnsucht als weg zur vollendung
aller unbefriedigten gefühle ist nur eine entschuldigung
für deine totale kapitulation gegenüber dem dschungel
des lebens

der paradiesvogel in der eiswüste

aber du mußt leben in deiner vollendeten schönheit
deine naive traumwelt ist für mich der garten eden
auf erden

du bist eine vision, ein wunschbild

und ich der ritter von der traurigen gestalt

du bist der balsam für meine wundgeschlagene seele

mit jedem gedanken an dich werde ich erschüttert
von todestraurigkeit und abgrundtiefer hilflosigkeit
aber auch von einer endlosen sehnsucht, die keine
normen und keine maßstäbe kennt
so wenig, wie du irgendwelche dogmen in deiner welt-
anschauung unterbringen kannst

oder vielleicht anders gesagt
mit der gleichen energie, die du dazu verwendest, dich
hinzurichten, weil diese welt für dich nicht die wahre
ist.

Almut Ladisich-Raine

Mein Weg zu einer kreativen, demokratischen
Therapeutischen Gemeinschaft

Zweiter Teil

Was ist nun noch übrig von meiner Sucht nach der Therapeutischen Gemeinschaft?
Ich glaube, daß eine Gemeinschaft eine wunderbare Sache ist. Ich mag Nachbarn und Freunde in der Nähe, mit denen ich meine Probleme und meine Freuden teilen kann, wo meine Talente erkannt werden, wo ich meine Hände und meinen Verstand benutzen kann, nicht nur für mich, sondern auch, um zu den Bedürfnissen der Gemeinschaft beizutragen.
Ich möchte als jemand gesehen werden, der führen und Entscheidungen treffen kann, und ich teile auch gerne die Verantwortung mit anderen guten Leuten, denen ich trauen kann.
Ich möchte meine Geschichten erzählen, meine Musik, meine Liebe zur Kunst, meine Begeisterung für wissenschaftliche und soziale Theorien, meine Ideen über Utopia teilen.
Ich liebe energische, produktive Leute, die lachen können, die manchmal ein bißchen verrückt und unkonventionell sind und die auch in der Lage sind, Traurigkeit und Verletzung zu zeigen.
Sex und physische Nähe halte ich für eine große und wichtige Quelle zur Befriedigung – das ist und bleibt auf jeden Fall förderungswürdig. Aber ich weiß auch, daß ich in sexuelle Begegnungen ausweichen kann, wenn ich andere Kontaktmöglichkeiten vermeiden will, wie Zärtlichkeiten, miteinander reden, Konflikte austragen oder einen eigenen Standpunkt einnehmen.
Ich finde auch eine Menge Freude in einem wohlgelungenen Stück Arbeit, sei es eine Handarbeit oder eine Therapiestunde – in Kreieren einer geschmackvollen und persönlichen Umgebung für mich, beim Kochen und guten Essen, in dem Gefühl von Stolz, wenn ich einen Artikel geschrieben, eine Prüfung bestanden habe – wenn eine neue Idee in die Tat umgesetzt wird, wenn jemand mich anlächelt und wir uns verstehn, in einem befreienden Lachen, wenn wir ein neues Spiel aufgedeckt haben, das wir

miteinander gespielt haben, wenn ich mit jemandem tanze, der sich ganz mit seinem Körper ausdrücken kann, oder ein Bild anschaue, das von meinem Herzen spricht, Filme oder Theaterstücke sehe, die von unserer gemeinsamen Geschichte erzählen, oder Radfahren und Spazierengehen. Ich liebe die Augenblicke, wenn mir mein Sohn ein Bild zeigt, das er in der Schule gemalt hat, seine leuchtenden Augen, wenn er mir begeistert von dem Fußballspiel erzählt, das sie gewonnen haben – und ich bin berührt von der Anhänglichkeit meiner kleinen Tochter, wenn sie weint, weil ich wieder mal zu einer Konferenz fahre.

Ich möchte meine Familie viel um mich haben, aber ich bin auch immer daran interessiert, diese kleine Einheit zu erweitern.
So ist also die Therapeutische Gemeinschaft meiner Wahl eine Fortsetzung meines privaten Selbst, und sie kann nur so gut oder schlecht, so wohlfunktionierend oder chaotisch sein wie ich bin. Und ich bin nicht perfekt – noch kann es die Gemeinschaft meiner Träume sein. Und doch, je mehr ich bereit bin zu zeigen, wer ich bin, desto besser sind die Chancen, daß die Leute um mich herum mich korrigieren können, diejenigen, die ich als meine Kollegen betrachte wie die, die ich Klienten nenne.
Manchmal brauche ich auch das Gefühl von Eingebettetsein in einen größeren Zusammenhang, und ich weiß, ich kann das in magischen Momenten von intensiver Gemeinsamkeit in einer Gruppe finden, wenn wir zusammen die Gewißheit einer anderen Realität, einer anderen Ebene des Wissens erfahren.
Wenn ich all dies berücksichtige, so kann ich leicht den Wert persönlicher Opfer akzeptieren, wo sie notwendig sind, um das Wohl der Gemeinschaft zu garantieren.
Ich kann großzügig und mitfühlend sein mit Leuten, die wirklich in Schwierigkeiten stecken und alleine nicht herausfinden, mit denjenigen, die jemanden verloren haben durch Trennung oder Tod, den Schwerkranken, mit denen, die offensichtlicher Ungerechtigkeit ausgesetzt sind.
Ich kann für sie da sein, solange ich auf mich selbst aufpasse. Ich kann auch Regeln und Normen annehmen, die dem Funktionieren der Gemeinschaft dienen und solange sie mir sinnvoll erscheinen. Ich hoffe, daß Freunde da sein werden, wenn ich einmal Hilfe brauchen sollte, wobei ich mit Respekt und Aufrichtigkeit behandelt werden möchte.

Als ›Helfer‹ will und muß ich meine Grenzen setzen, und ich erwarte ein vernünftiges Maß an Ehrlichkeit und Ernst von meinen Klienten. Zusammen, so meine ich, können wir alle unsere Probleme, kleine und große, individuelle und kosmische, handhaben lernen, d. h. sie überschaubar und lösbar machen. Zuerst jedoch wollen wir mit uns selbst beginnen, unserem eigenen Recht auf Glück.

Was mich betrifft, so hoffe ich, daß ich einige von Euch anstecken kann mit meiner süchtigen Liebe zum Leben.

Ich möchte Michael danken für seine Freundschaft, für seinen Pioniergeist und Optimismus.

Nachwort

Liebe Eva –

Natürlich bin ich froh, daß alles soweit fertig ist. Aber es stört mich auch ein wenig, daß nun etwas in den Druck gehen soll, was doch eigentlich weitergeht. Trotzdem ist es an der Zeit, einmal zu überdenken, wie »das alles« entstanden ist.

Sicher hat es viel mit unserem Aufbau von Pichl zu tun. Als ich angefangen habe mit dem »Freizeitkurs Schreiben«, dachte ich gar nicht an den Prozeß, der dann daraus wurde. Vielmehr bin ich zunächst von meinen eigenen Bedürfnissen ausgegangen: Ich konnte mich als Nicht-Süchtiger nicht mit dem gelernten psychologischen Verständnis von Sucht und Abhängigkeit zufrieden geben, war auch ein wenig hilflos, wenn ihr in Formeln wie »ich hab so'n komisches feeling« geredet habt, suchte nach einer anderen Ebene zu verstehen und verstanden zu werden, und zwar ohne den Anspruch, etwas leisten zu müssen. Und plötzlich kamen da in diesem Kurs und dann darüber hinaus »Antworten«, auf deren Intensität ich gar nicht vorbereitet war. Und wenn ich einmal uns beide nehme: erst über das Schreiben, über das Buch haben wir uns doch anders kennengelernt denn als Betreuer und »Klient« oder Bewohner eines Therapiezentrums. Ich weiß noch, wie ich dir einmal sagte, ich verstünde gar nicht, wieso »gerade du« süchtig geworden bist, und ich meinte dies nicht aus jenem psychologischen Verständnis heraus, welches ja doch alles erklären kann. Und wir haben darüber geredet, wie du, wie überhaupt jemand dazu kommt. Aber ich glaube, ich habe mehr verstanden, als ich dann deine Gedichte und Geschichten las, weil ich plötzlich meine Betroffenheit anders zulassen konnte als der Therapeut, der unter Handlungsdruck steht. Und wir haben auch darüber gesprochen, warum nun gerade ich nicht süchtig geworden bin, nicht den Schritt in die harten Drogen getan habe. Aber viel wichtiger als die Frage nach dem Warum scheint mir zunächst, daß wir Gemeinsamkeiten entdeckt haben, wie wir uns in dieser Welt und ihr gegenüber fühlen. Und seitdem wird mir auch klarer, wie in dieser Gesellschaft Sucht produziert wird. Es ist ja nicht nur unsere Erziehung, die uns vitale Bedürfnisse »untersagt« und keine wirklichen »Lösungen« mehr anbieten kann, sondern darüber hinaus fördern gerade die unzulänglichen »Ersatzlösungen« die Sucht. Das heißt, es ist verdammt schwer geworden, ein befriedigendes Leben zu führen, ich denke es wird viel gegen-den-Strom-Schwimmen nötig sein. – Da fällt mir manchmal die Frage ein, ob ich, ob wir Mitarbeiter euch vermitteln können, daß es sich »lohnt«?

Mir fällt da noch ein anderer Gedanke ein, der mich beschäftigt hat während unserer Arbeit für dieses Buch, den ich dir aber noch gar nicht mitgeteilt habe. In vielen Gedichten von euch, besonders am Anfang des Schreibkurses, fiel mir die Gegenüberstellung von der Sehnsucht nach einem Paradies einerseits (alles Schöne und Gute) und dem irdischen Jammertal andererseits auf, und das Paradies erscheint oft als eigentlich »natürlich«, wie das Leben der Tiere. Parallel dazu sehe ich meinen Zweifel an dieser Gesellschaft und die Beschäftigung mit sogenannten Naturvölkern. Dabei habe ich aber gelernt, daß das »paradiesische Leben der Wilden« eines ist, das neben Freude, Liebe usw. gerade auch einen viel intensiveren Schmerz kennt, Ängste und Aggressionen, die ausgelebt werden. Ich glaube, daß ihr den »paradiesischen Zustand«, der übrigens für mich unendlich langweilig erscheint, radikal und stellvertretend für die Sehnsucht vieler Menschen in dieser Gesellschaft angestrebt und vielleicht dann gemerkt habt, daß wir nicht wirklich Liebe empfinden können, wenn wir vor unserer Wut fliehen, nicht Freude ohne Schmerz, nicht Vertrauen ohne Angst. Es wird aber schon den Kindern vorgemacht, daß es gegen Schmerz und Angst Mittel gibt, die dann auch die Fähigkeit zu Freude und Vertrauen dämpfen (du kennst das ja gut, wie es – am extremsten – in der Psychiatrie läuft: da wird jemand »eingestellt« wie ein Motor), und es wird den Kindern vorgemacht, daß Wut runtergeschluckt oder z. B. allein im Auto »abgebrüllt« wird.

Das ist eine wichtige Erkenntnis, aber sie ändert noch nichts. Denn dazu gehört die andere, nämlich daß wir letztendlich allein verantwortlich sind. Das klingt vielleicht banal, aber es ist eine Erfahrung, die vielleicht auch wieder ihr intensiver macht als andere: Wenn es stimmt, daß die Gesellschaft wie auch immer »Sucht« produziert, müßt ihr ein Stück weit *gegen* diese Umwelt leben, gegen ihre Sucht- und Abhängigkeitsmechanismen, die ihr (und auch wir) in euch spürt. Und das ist eine gemeinsame Erfahrung von uns, nur glaube ich, daß wir euch da einen Schritt voraus sind, wenn ihr zu einer Einrichtung wie Pichl kommt.

Ich habe junkies zum erstenmal in Chikago getroffen, während meiner Zeit als community worker dort, und ich habe sie gehaßt –

238

nicht nur, weil sie mir wegen 5 Dollar die Pistole auf die Brust setzten, sondern weil sie gegen die sehr emotionale Solidarität der Armen, die versucht haben, sich gegenseitig zu helfen und gemeinsam für Veränderungen eingetreten sind, weil sie dagegen ihre maskenhafte Gleichgültigkeit, ihr unmenschliches Suchen nach dem Gift und das Mißtrauen und die Linkereien ihrer »scene« (härter als der schlimmste kapitalistische »Markt«) setzten und den Zynismus besaßen zu behaupten, sie wären »gegen« die Gesellschaft! Es ist dann sehr wichtig für mich gewesen, junkies auch clean zu erleben, und unser Schreiben hat mir unsere Gemeinsamkeiten gezeigt. Was das ist, was uns auch trennt, hat, glaube ich, die Almut sehr gut in ihrem Text ausgedrückt.

Und doch birgt auch dieses Schreiben seine Gefahren, die aber etwas eben zu jener Verständigung beitragen. Als wir, die ex-user aus Pichl, Gerhard aus Berlin, Almut, Annette und Roswitha aus München und ich uns zum ersten Mal trafen und uns unsere Texte vorlasen, entstand schnell eine fast beängstigend intensive Atmosphäre und wir tauchten ein in jene kraftvolle Romantik, die das Buch durchzieht. Es war eine Atmosphäre, in der die Alltagsrollen von Ex-fixer und Therapeut aufgelöst schienen, eine Atmosphäre, die getragen wurde von einem gemeinsamen Gefühl der Sehnsucht nach »Glück« oder Selbstverwirklichung und der Bewunderung, ja Begeisterung über unsere Stärke des Ausdrucks auch da, wo wir zusammen traurig wurden. Wir wurden überrannt von der Kraft der Texte, von ihrer emotionalen Direktheit, und bezeichnenderweise fiel einigen von uns hinterher der Begriff »Rausch« ein, der gefolgt wurde von der Ernüchterung, die bei manchem einem Schreck gleichkam. Und wir haben uns dann ja lange darüber auseinandergesetzt, was für eine Art von Verständigung wir objektiv bewirken. Denn wiederholen wir nicht auf eine viel direktere, unter die Haut gehende Art die zynische Darstellungsart der Sensationspresse, die mit moralisch erhobenem Zeigefinger gleichwohl eine Drogenfaszination vermittelt (komplett mit Anleitung), die vermutlich vielen nahelegt, »es doch mal zu versuchen«, da ja doch einiges »dran sein« muß? Legen wir, mit anderen Worten, nicht den Lesern nahe, was Roswitha so beschrieben hat: »Leute, fangt das Fixen an – dann könnt ihr auch so schreiben und so intensiv erleben!« Oder wird, und das glaube ich, deutlich, daß viele Texte eine Verzweiflung ausdrükken und bewältigen wollen, die existenziell ist? Warum diese Verzweiflung, diese Infragestellung des Lebens in dieser Gesellschaft, diese Suche nach einem Sinn, dieses Leiden unter Lebensumständen so faszinierend sein können, haben wir, glaube ich, bei unseren zwei Treffen erlebt: weil hier gleichzeitig ein Bedürfnis nach »Leben« spürbar wird, das sich auf jeden übertragen wird, der sich noch nicht ganz in die gesellschaftlich zugeordnete Realität hat einmauern lassen. Ich denke, daß gerade ihr Ex-Fixer dies Verlangen nach »mehr leben« so intensiv ausdrücken könnt, weil ihr beides extrem gelebt habt: die Suche nach dem Rausch wie auch das extrem abgestumpfte Leben des Abhängigen, der ja gerade keinen Rausch mehr erlebt und ein Modell für das maskenhafte, leblose Dasein jener Konsumhülsen darstellt, deren Abhängigkeiten eben nur legalisiert und legitimiert wurden (vermutlich würde z. B. das »Verlangen nach Leben« bei allen Fernsehabhängigen ohne Fernsehen vehement durchbrechen).

Ich merke, daß ich die Verständigung, die über diese Texte passiert, noch gar nicht so genau benennen kann, ich »lebe« noch zu stark in unseren Texten. Deshalb bin ich gespannt, wie es anderen ergeht, die sozusagen von außen nun diese Texte lesen. Aber, was ich dir geschrieben habe, umreißt doch, denke ich, das, was wir denen zu sagen haben, die fasziniert sind von Drogen, die darunter leiden und denen, die Drogenabhängige isolieren wollen, um ein »lästiges« Problem loszuwerden.

Ich bin gespannt, wie es weitergeht.

Dein Rudolf

lieber rudolf,

alle deine gedanken zu diesem buch, diesen texten, die gefahren, die durch die bunte vielfalt der gedichte, erzählungen, geschichten auftreten könnten, sind meinen sehr ähnlich, und wir haben auch des öfteren darüber gesprochen. ich hätte es nie für möglich gehalten, daß mit meinem ersten besuch in deiner »deutschschreib-stunde« etwas anläuft, das in form dieses buches jetzt vorliegt. ich erinnere mich an meine ersten wieder-schreibversuche, mein vortragen, veröffentlichen der texte und gedichte in pichl, und wie ich von mal zu mal sicherer wurde und es mir immer mehr spaß machte. ich habe hier für mich eine möglichkeit gefunden, meine probleme, ängste, aber auch meine freude zum teil »loszuwerden«. und ich bemerkte schon damals, daß eine verständigung über das schreiben möglich war, ganz anders, als dies im rahmen der therapie – so glaube ich zumindest – möglich gewesen wäre.
anfänglich hatte ich angst vor der distanz therapeut – klient, vor diesen leuten, die mich in pichl »leben lehren« wollten. ich war mißtrauisch – anfänglich. irgendwann hörte ich deine texte, erfuhr etwas über deine einstellung zum leben, deine ängste und sehnsüchte gegenüber der welt »da draußen« – und ich konnte mich als ex-userin voll damit identifizieren. das verblüffte mich im ersten moment. ebenso wie bei den beiden treffen aller autoren. nichtsüchtige schreiben sehr ähnlich wie süchtige, das war mein erster gedanke. und ich fragte dich – ein wenig verunsichert –, wie du, der du solche texte schreibst, die welt ganz ähnlich siehst und empfindest wie ich, wieso gerade du mir »beibringen« wolltest, daß das leben in dieser gesellschaft lebenswert sei? und wir haben darüber gesprochen. mehrere male. und mir wurde klar, daß da unsere gemeinsamkeit liegt, nämlich in der art, wie wir diese gesellschaft erleben – nur, daß du eben nicht drogenabhängig geworden bist. ich habe inzwischen gelernt, daß es möglich ist, trotzdem zu leben, so schwer das oft auch ist, aber nicht nur zu über-leben, sondern auch wirklich zu leben. daß es sehr viel energie kostet und mut, sich ein leben so aufzubauen, daß es ein einigermaßen zufriedenstellendes ist. sehr viele gespräche, gute und wichtige gespräche sind durch die arbeit am buch entstanden. wir sind uns ein ganzes stück nähergekommen,

haben viele gemeinsamkeiten festgestellt und auch, was ebenso wichtig ist, wo die trennung liegt.

lieber rudolf – auch ich bin ein wenig traurig, daß wir das buch jetzt abgeliefert haben. ich habe dich gefragt: »wann machen wir das nächste?« und ich glaube, diese frage sagt genug über die freude an der arbeit aus.

ich habe erfahren, daß die rollen fixer – therapeut in den stunden, in denen wir uns zusammensetzten und uns unsere texte vorlasen, nicht nur aufgelöst schienen, für mich waren sie aufgelöst. ich empfand, wie gut es ist, wirklich für eine sache zu arbeiten, das gleichstarke interesse an einem bestimmten ziel – hier das endprodukt buch – zu haben.

ich wünsche mir, daß durch dieses buch wirklich eine verständigung zustande kommt, auch mit denen »da draußen«, die glauben, nicht betroffen zu sein. ich wollte keine sensationen verbreiten. ich wünsche mir, daß alle, die dieses buch lesen, begreifen, daß es nicht darum geht, die süchtigen, solche, die es mal waren, und die, die es noch sind, mit großen augen als paradiesvögel zu bestaunen. und es geht nicht darum, mich (oder uns ex-user) in einer woge von mitleid zu ertränken, zu ersticken, sich unseretwegen auf den helfer-trip zu begeben. das macht mir angst. ich habe gerade bei dir, lieber rudolf, erfahren, daß hilfe in form eines austausches möglich ist – und nur die bringt mich als ex-userin und dich als therapeuten weiter. keine »hilfe« von oben herab.

auch ich bin gespannt auf reaktionen!

deine eva

Die Autoren

Bettina von Wrangel.

Kurt Blesinger, geb. 28. 03. 61, Landau, seit 7 Jahren Drogen, 4 Jahre Heroin, Glaser- und Schreinerlehre abgebrochen, Realschule abgebrochen, Pichl seit 13. 03. 80.

Regina Bouzon, geb. 30. 10. 53, 2 Jahre Buchhändlerlehre, abgebrochen, ab 1972 harte Drogen, 1978 1 1/2 Jahre Knast, seit 6. Mai 1980 in Pichl.

Petra Burger, geb. 09. 02. 1954.

Walter Herzensfroh, geb. 24. 05. 54 in München, drogensüchtig 1974 – Ende 1979, seither Therapie und clean. Berufe und Tätigkeiten: Maurer, Fliesenleger, Hilfsarbeiter, Zeitungsausfahrer, Schlittschuhmacher, Straßenreiniger, Fensterputzer und freischaffender Künstler.
Ziel – natürlich clean zu bleiben, Konsequenz – ich hab eine verdammt gute Chance und werde sie nutzen.

Almut Ladisich-Raine, geb. 06. 08. 44, Dipl.-Psychologin, Gestalttherapeutin. 7 Jahre Erfahrung in der Suchtkrankenarbeit, u. a. mehrjährige Leitung einer Fachklinik für Alkohol- und Tablettenabhängige. Ich habe in meiner therapeutischen Arbeit immer mehr den Wert des kreativen Ausdrucks als heilendes Element erfahren und setze künstlerische Darstellungsformen bewußt ein heute.
Der Text wurde vorgetragen auf der v. Weltkonferenz für Therapeutische Gemeinschaften, Den Haag 1980.

Ilona Landsmann, geb. 30. 08. 54 in Mannheim, Hauptschulabschluß – Lehre als Friseuse. 1971 das erste Mal mit Drogen konfrontiert worden, seitdem abhängig. Der Anfang vom Ende! 1975 das erste Mal verhaftet und zu 12 Monaten Knast verurteilt worden. Sämtliche Versuche, alleine vom Gift wegzukommen, scheiterten. Knast – rückfällig – Knast – rückfällig, Psychiatrie – Knast – rückfällig . . . ein Kreislauf.
Jetzt seit 6 Monaten Langzeitzentrum Schloß Pichl. Ein Versuch mehr; wird es nur ein Versuch bleiben?

Rudolf Klehr, geb. 26. 07. 1957.

Anette Raabe, geb. 30. 04. 57. Arbeitet in einer Drogenberatungsstelle in München (Con-Drobs).

Sylvia Rupp, geb. 31. 07. 1958.

Karin Schiwik, geb. 27. 01. 1955. Ich komme aus Wolfsburg und habe 9 Jahre Volksschule, anschließend eine Lehre als Einzelhandelskaufmann gemacht. 1975 habe ich angefangen, Heroin zu spritzen. Seit dem Tag bin ich abhängig. März 1980 habe ich eine Therapie in Pichl gemacht, und bis heute bin ich clean. Bin während der Therapie zum Schreiben gekommen – und das Schönste, ich werde Anfang April Mutter. (Am 03. 04. 81 kam mein Sohn Marco zur Welt, yeahhhh!)

Gerhard Schneider, geboren 1947, 1967–69 Hilfspfleger in der Psychiatrie, 1969–72 Studium der Sozialarbeit, seitdem Sozialarbeiter in Berlin, u. a. im Strafvollzug mit drogenabhängigen Frauen, zur Zeit in der Jugendgerichtshilfe Kreuzberg tätig.

Eva Schott, geb. 07. 05. 49, Göppingen, Mittlere Reife, Sekretärin, Sachbearbeiterin, Drogenabhängigkeit seit 1970, trotzdem einen Sohn mit 3 Jahren und Ausbildung zur Heilerzieherin bis zum mündlichen Staatsexamen, abgebrochen, weitergedrückt. 8 Monate Knast, irgendwann 7 Monate Psychiatrie und kürzere Aufenthalte in der Klapse, seit Mai 80 in Pichl zur Therapie – bislang erfolgreich.

Rudolf Müller-Schwefe, geb. 19. 03. 51. Mitarbeiter von Schloß Pichl (Dipl.-Päd.). Vorher Studium auch der Ethnologie und verschiedene Tätigkeiten im Sozialbereich. Stark beeinflußt hat mich die Friedensbewegung und Wilhelm Reich: »Liebe, Arbeit und Wissen sind die Quellen unseres Lebens – sie sollen es auch bestimmen.«

Gabriela Wolf, geb. 10. 12. 57, z. Zt. in Pichl.

Michael Vogel, geb. 24. 03. 52, lebt z. Zt. in Pichl.

Verständigungstexte
in der edition suhrkamp

Plötzlich brach der Schulrat in Tränen aus
Verständigungstexte von Schülern und Lehrern
Herausgegeben von Ulrich Zimmermann und
Christine Eigel
edition suhrkamp 429.

In irrer Gesellschaft
Verständigungstexte über Psychotherapie und
Psychiatrie
Herausgegeben von Kurt Kreiler, Claudia Reinhardt,
Peter Sloterdijk
edition suhrkamp 435.

Innen-Welt
Verständigungstexte Gefangener
Herausgegeben von Kurt Kreiler
edition suhrkamp 716.

Männersachen
Verständigungstexte
Herausgegeben von Hans-Ulrich Müller-Schwefe
edition suhrkamp 717.

Frauen, die pfeifen
Verständigungstexte
Herausgegeben von Ruth Geiger, Hilke Holinka,
Claudia Rosenkranz, Sigrid Weigel
edition suhrkamp 968.

st 688 Judith Offenbach
Sonja – Eine Melancholie für Fortgeschrittene
Erstausgabe
392 Seiten
Die Geschichte der Liebe zwischen Sonja und Judith
1965–1976. Sie studieren an der Hamburger Universität,
wohnen in einem Studentenwohnheim, später in einer
eigenen Wohnung, sie probieren ein »normales« Leben zu
zweit, das doch von vornherein ausgeschlossen ist. Die
gelähmte Sonja bringt sich um. *Eine Melancholie für
Fortgeschrittene* ist das Protokoll einer Trauer. Der nicht
spektakuläre, sehr detaillierte Bericht über den verborgenen Alltag lesbischer Paare und über das Leben mit
einem behinderten Menschen.

st 695 Siegfried Wollseiffen
König Laurin
Eine Erzählung
Erstausgabe
138 Seiten
Frankfurt am Main. Ein heimatlos gewordener Linker
sucht Geborgenheit in der Normalwelt von Schleiflack
und Bürowitz, bei einer Frau; wird Vater und trifft auf
eine Generation, die ihre Kinder wie Standarten vor sich
herträgt. Anziehend/abstoßend – so läßt Wollseiffen an
der Radikalisierung ganz gewöhnlichen Lebens teilhaben.

st 704 Jochen Link
Das goldene Zeitalter
Erzählung
Erstausgabe
184 Seiten
Zwischen Schreibtisch und Kneipe im Sumpf einer mittleren Universitätsstadt – bewegter Stillstand. Über Max
und Max' Freunden hängt die Sehnsucht nach dem goldenen Zeitalter. Um nichts anderes als das goldene Zeitalter der Jugend geht es in Links Erzählung – in seinem
Mangel, in der Ungewißheit, im hilflosen Lachen, in der
verpaßten Nähe.

Achternbusch, Alexanderschlacht 61
– Die Stunde des Todes 449
– Happy oder Der Tag wird kommen 262
Adorno, Erziehung zur Mündigkeit 11
– Studien zum autoritären Charakter 107
– Versuch, das ›Endspiel‹ zu verstehen 72
– Versuch über Wagner 177
– Zur Dialektik des Engagements 134
Aitmatow, Der weiße Dampfer 51
Alegría, Die hungrigen Hunde 447
Alfvén, Atome, Mensch und Universum 139
– M 70 – Die Menschheit der siebziger Jahre 34
Allerleirauh 19
Alsheimer, Eine Reise nach Vietnam 628
– Vietnamesische Lehrjahre 73
Alter als Stigma 468
Anders, Kosmologische Humoreske 432
v. Ardenne, Ein glückliches Leben für Technik und Forschung 310
Arendt, Die verborgene Tradition 303
Arlt, Die sieben Irren 399
Arguedas, Die tiefen Flüsse 588
Artmann, Grünverschlossene Botschaft 82
– How much, schatzi? 136
– Lilienweißer Brief 498
– The Best of H. C. Artmann 275
– Unter der Bedeckung eines Hutes 337
Augustin, Raumlicht 660
Bachmann, Malina 641
v. Baeyer, Angst 118
Bahlow, Deutsches Namenlexikon 65
Balint, Fünf Minuten pro Patient 446
Ball, Hermann Hesse 385
Barnet (Hrsg.), Der Cimarrón 346
Basis 5, Jahrbuch für deutsche Gegenwartsliteratur 276
Basis 6, Jahrbuch für deutsche Gegenwartsliteratur 340
Basis 7, Jahrbuch für deutsche Gegenwartsliteratur 420
Basis 8, Jahrbuch für deutsche Gegenwartsliteratur 457
Basis 9, Jahrbuch für deutsche Gegenwartsliteratur 553
Basis 10, Jahrbuch für deutsche Gegenwartsliteratur 589
Beaucamp, Das Dilemma der Avantgarde 329
Becker, Jürgen, Eine Zeit ohne Wörter 20
Becker, Jurek, Irreführung der Behörden 271
– Der Boxer 526
– Schlaflose Tage 626
Beckett, Das letzte Band (dreisprachig) 200
– Der Namenlose 536
– Endspiel (dreisprachig) 171
– Glückliche Tage (dreisprachig) 248
– Malone stirbt 407
– Molloy 229
– Warten auf Godot (dreisprachig) 1
– Watt 46
Das Werk von Beckett. Berliner Colloquium 225
Materialien zu Becketts »Der Verwaiser« 605
Materialien zu Becketts »Godot« 104
Materialien zu Becketts »Godot« 2 475
Materialien zu Becketts Romanen 315
Behrens, Die weiße Frau 655
Benjamin, Der Stratege im Literaturkampf 176
– Illuminationen 345

– Über Haschisch 21
– Ursprung des deutschen Trauerspiels 69
Zur Aktualität Walter Benjamins 150
Bernhard, Das Kalkwerk 128
– Der Kulterer 306
– Frost 47
– Gehen 5
– Salzburger Stücke 257
Bertaux, Mutation der Menschheit 555
Beti, Perpétue und die Gewöhnung ans Unglück 677
Bierce, Das Spukhaus 365
Bingel, Lied für Zement 287
Bioy Casares, Fluchtplan 378
– Schweinekrieg 469
Blackwood, Besuch von Drüben 411
– Das leere Haus 30
– Der Griff aus dem Dunkel 518
Blatter, Zunehmendes Heimweh 649
Bloch, Spuren 451
– Atheismus im Christentum 144
Börne, Spiegelbild des Lebens 408
Bond, Bingo 283
– Die See 160
Brasch, Kargo 541
Braun, Johanna, Unheimliche Erscheinungsformen auf Omega XI 646
Braun, Das ungezwungne Leben Kasts 546
– Gedichte 499
– Stücke 1 198
– Stücke 2 680
Brecht, Frühe Stücke 201
– Gedichte 251
– Gedichte für Städtebewohner 640
– Geschichten vom Herrn Keuner 16
– Schriften zur Gesellschaft 199
Brecht in Augsburg 297
Bertolt Brechts Dreigroschenbuch 87
Brentano, Berliner Novellen 568
– Prozeß ohne Richter 427
Broch, Barbara 151
– Dramen 538
– Gedichte 572
– Massenwahntheorie 502
– Novellen 621
– Philosophische Schriften 1 u. 2 2 Bde. 375
– Politische Schriften 445
– Schlafwandler 472
– Schriften zur Literatur 1 246
– Schriften zur Literatur 2 247
– Schuldlosen 209
– Tod des Vergil 296
– Unbekannte Größe 393
– Verzauberung 350
Materialien zu »Der Tod des Vergil« 317
Brod, Der Prager Kreis 547
– Tycho Brahes Weg zu Gott 490
Broszat, 200 Jahre deutsche Polenpolitik 74
Brude-Firnau (Hrsg.), Aus den Tagebüchern Th. Herzls 374
Büßerinnen aus dem Gnadenkloster, Die 632
Bulwer-Lytton, Das kommende Geschlecht 609
Buono, Zur Prosa Brechts. Aufsätze 88
Butor, Paris–Rom oder Die Modifikation 89
Campbell, Der Heros in tausend Gestalten 424
Carossa, Ungleiche Welten 521
Über Hans Carossa 497

Carpentier, Explosion in der Kathedrale 370
– Krieg der Zeit 552
Celan, Mohn und Gedächtnis 231
– Von Schwelle zu Schwelle 301
Chomsky, Indochina und die amerikanische
   Krise 32
– Kambodscha Laos Nordvietnam 103
– Über Erkenntnis und Freiheit 91
Cioran, Die verfehlte Schöpfung 550
– Vom Nachteil geboren zu sein 549
– Syllogismen der Bitterkeit 607
Claes, Flachskopf 524
Condrau, Angst und Schuld als Grundprobleme in
   der Psychotherapie 305
Conrady, Literatur und Germanistik als Herausfor-
   derung 214
Cortázar, Bestiarium 543
– Das Feuer aller Feuer 298
– Ende des Spiels 373
Dahrendorf, Die neue Freiheit 623
– Lebenschancen 559
Dedecius, Überall ist Polen 195
Degner, Graugrün und Kastanienbraun 529
Der andere Hölderlin. Materialien zum »Hölderlin«-
   Stück von Peter Weiss 42
Dick, LSD-Astronauten 732
– UBIK 440
Doctorow, Das Buch Daniel 366
Döblin, Materialien zu »Alexanderplatz« 268
Dolto, Der Fall Dominique 140
Döring, Perspektiven einer Architektur 109
Donoso, Ort ohne Grenzen 515
Dorst, Dorothea Merz 511
– Stücke 1 437
– Stücke 2 438
Duddington, Baupläne der Pflanzen 45
Duke, Akupunktur 180
Duras, Hiroshima mon amour 112
Durzak, Gespräche über den Roman 318
Edschmidt, Georg Büchner 610
Ehrenburg, Das bewegte Leben des Lasik
   Roitschwantz 307
– 13 Pfeifen 405
Eich, Fünfzehn Hörspiele 120
Eliade, Bei den Zigeunerinnen 615
Eliot, Die Dramen 191
Zur Aktualität T. S. Eliots 222
Ellmann, James Joyce 2 Bde. 473
Enzensberger, Gedichte 1955–1970 4
– Der kurze Sommer der Anarchie 395
– Museum der modernen Poesie, 2 Bde. 476
– Politik und Verbrechen 442
Enzensberger (Hrsg.), Freisprüche. Revolutionäre
   vor Gericht 111
Eppendorfer, Der Ledermann spricht mit Hubert
   Fichte 580
Eschenburg, Über Autorität 178
Ewald, Innere Medizin in Stichworten I 97
– Innere Medizin in Stichworten II 98
Ewen, Bertolt Brecht 141
Fallada/Dorst, Kleiner Mann – was nun? 127
Feldenkrais, Abenteuer im Dschungel des Gehirns
   663
– Bewußtheit durch Bewegung 429
Feuchtwanger (Hrsg.), Deutschland – Wandel und
   Bestand 335
Fischer, Von Grillparzer zu Kafka 284
Fleißer, Der Tiefseefisch 683
– Eine Zierde für den Verein 294
– Ingolstädter Stücke 403

Fletcher, Die Kunst des Samuel Beckett 272
Franke, Einsteins Erben 603
– Schule für Übermenschen 730
– Sirius Transit 535
– Ypsilon minus 358
– Zarathustra kehrt zurück 410
– Zone Null 585
v. Franz, Zahl und Zeit 602
Friede und die Unruhestifter, Der 145
Fries, Das nackte Mädchen auf der Straße 577
– Der Weg nach Oobliadooh 265
Frijling-Schreuder, Was sind das – Kinder? 119
Frisch, Andorra 277
– Dienstbüchlein 205
– Herr Biedermann / Rip van Winkle 599
– Homo faber 354
– Mein Name sei Gantenbein 286
– Stiller 105
– Stücke 1 70
– Stücke 2 81
– Tagebuch 1966–1971 256
– Wilhelm Tell für die Schule 2
Materialien zu Frischs »Biedermann und die
   Brandstifter« 503
– »Stiller« 2 Bde. 419
Frischmuth, Amoralische Kinderklapper 224
Froese, Zehn Gebote für Erwachsene 593
Fromm/Suzuki/de Martino, Zen-Buddhismus und
   Psychoanalyse 37
Fuchs, Todesbilder in der modernen Gesellschaft
   102
Fuentes, Nichts als das Leben 343
Fühmann, Bagatelle, rundum positiv 426
– Erfahrungen und Widersprüche 338
– 22 Tage oder Die Hälfte des Lebens 463
Gadamer/Habermas, Das Erbe Hegels 596
Gall, Deleatur 639
García Lorca, Über Dichtung und Theater 196
Gibson, Lorcas Tod 197
Gilbert, Das Rätsel Ulysses 367
Glozer, Kunstkritiken 193
Goldstein, A. Freud, Solnit, Jenseits des Kindes-
   wohls 212
Goma, Ostinato 138
Gorkij, Unzeitgemäße Gedanken über Kultur und
   Revolution 210
Grabiński, Abstellgleis 478
Griaule, Schwarze Genesis 624
Grossmann, Ossietzky. Ein deutscher Patriot 83
Habermas, Theorie und Praxis 9
– Kultur und Kritik 125
Habermas/Henrich, Zwei Reden 202
Hammel, Unsere Zukunft – die Stadt 59
Han Suyin, Die Morgenflut 234
Handke, Als das Wünschen noch geholfen hat 208
– Begrüßung des Aufsichtsrats 654
– Chronik der laufenden Ereignisse 3
– Das Ende des Flanierens 679
– Das Gewicht der Welt 500
– Die Angst des Tormanns beim Elfmeter 27
– Die Stunde der wahren Empfindung 452
– Die Unvernünftigen sterben aus 168
– Der kurze Brief 172
– Falsche Bewegung 258
– Hornissen 416
– Ich bin ein Bewohner des Elfenbeinturms 56
– Stücke 1 43
– Stücke 2 101
– Wunschloses Unglück 146
Hart Nibbrig, Ästhetik 491

Heiderich, Mit geschlossenen Augen 638
Heilbroner, Die Zukunft der Menschheit 280
Heller, Die Wiederkehr der Unschuld 396
– Nirgends wird Welt sein als innen 288
– Thomas Mann 243
Hellman, Eine unfertige Frau 292
Henle, Der neue Nahe Osten 24
v. Hentig, Die Sache und die Demokratie 245
– Magier oder Magister? 207
Herding (Hrsg.), Realismus als Widerspruch 493
Hermlin, Lektüre 1960–1971 215
Herzl, Aus den Tagebüchern 374
Hesse, Aus Indien 562
– Aus Kinderzeiten. Erzählungen Bd. 1 347
– Ausgewählte Briefe 211
– Briefe an Freunde 380
– Demian 206
– Der Europäer. Erzählungen Bd. 3 384
– Der Steppenwolf 175
– Die Gedichte. 2 Bde. 381
– Die Kunst des Müßiggangs 100
– Die Märchen 291
– Die Nürnberger Reise 227
– Die Verlobung. Erzählungen Bd. 2 368
– Die Welt der Bücher 415
– Eine Literaturgeschichte in Rezensionen 252
– Glasperlenspiel 79
– Innen und Außen. Erzählungen Bd. 4 413
– Klein und Wagner 116
– Kleine Freuden 360
– Kurgast 383
– Lektüre für Minuten 7
– Lektüre für Minuten. Neue Folge 240
– Narziß und Goldmund 274
– Peter Camenzind 161
– Politik des Gewissens, 2 Bde. 656
– Roßhalde 312
– Siddhartha 182
– Unterm Rad 52
– Von Wesen und Herkunft des Glasperlenspiels 382
Materialien zu Hesses »Demian« 1 166
Materialien zu Hesses »Demian« 2 316
Materialien zu Hesses »Glasperlenspiel« 1 80
Materialien zu Hesses »Glasperlenspiel« 2 108
Materialien zu Hesses »Siddhartha« 1 129
Materialien zu Hesses »Siddhartha« 2 282
Materialien zu Hesses »Steppenwolf« 53
Über Hermann Hesse 1 331
Über Hermann Hesse 2 332
Hermann Hesse – Eine Werkgeschichte von Siegfried Unseld 143
Hermann Hesses weltweite Wirkung 386
Hildesheimer, Hörspiele 363
– Mozart 598
– Paradies der falschen Vögel 295
– Stücke 362
Hinck, Von Heine zu Brecht 481
Hobsbawm, Die Banditen 66
Hofmann (Hrsg.), Schwangerschaftsunterbrechung 238
Hofmann, Werner, Gegenstimmen 554
Höllerer, Die Elephantenuhr 266
Holmqvist (Hrsg.), Das Buch der Nelly Sachs 398
Hortleder, Fußball 170
Horváth, Der ewige Spießer 131
– Die stille Revolution 254
– Ein Kind unserer Zeit 99
– Jugend ohne Gott 17
– Leben und Werk in Dokumenten und Bildern 67
– Sladek 163
Horváth/Schell, Geschichten aus dem Wienerwald 595
Hudelot, Der Lange Marsch 54
Hughes, Hurrikan im Karibischen Meer 394
Huizinga, Holländische Kultur im siebzehnten Jahrhundert 401
Ibragimbekow, Es gab einen besseren Bruder 479
Ingold, Literatur und Aviatik 576
Innerhofer, Die großen Wörter 563
– Schattseite 542
– Schöne Tage 349
Inoue, Die Eiswand 551
Jakir, Kindheit in Gefangenschaft 152
James, Der Schatz des Abtes Thomas 540
Jens, Republikanische Reden 512
Johnson, Berliner Sachen 249
– Das dritte Buch über Achim 169
– Eine Reise nach Klagenfurt 235
– Mutmassungen über Jakob 147
– Zwei Ansichten 326
Jonke, Im Inland und im Ausland auch 156
Joyce, Ausgewählte Briefe 253
Joyce, Stanislaus, Meines Bruders Hüter 273
Junker/Link, Ein Mann ohne Klasse 528
Kappacher, Morgen 339
Kästner, Der Hund in der Sonne 270
– Offener Brief an die Königin von Griechenland. Beschreibungen, Bewunderungen 106
Kardiner/Preble, Wegbereiter der modernen Anthropologie 165
Kasack, Fälschungen 264
Kaschnitz, Der alte Garten 387
– Ein Lesebuch 647
– Steht noch dahin 57
– Zwischen Immer und Nie 425
Katharina II. in ihren Memoiren 25
Keen, Stimmen und Visionen 545
Kerr (Hrsg.), Über Robert Walser 1 483
– Über Robert Walser 2 484
– Über Robert Walser 3 556
Kessel, Herrn Brechers Fiasko 453
Kirde (Hrsg.), Das unsichtbare Auge 477
Kluge, Lebensläufe. Anwesenheitsliste für eine Beerdigung 186
Koch, Anton, Symbiose – Partnerschaft fürs Leben 304
Koch, Werner, Pilatus 650
– See-Leben I 132
– Wechseljahre oder See-Leben II 412
Koehler, Hinter den Bergen 456
Koeppen, Das Treibhaus 78
– Der Tod in Rom 241
– Eine unglückliche Liebe 392
– Nach Rußland und anderswohin 115
– Reise nach Frankreich 530
– Romanisches Café 71
– Tauben im Gras 601
Koestler, Der Yogi und der Kommissar 158
– Die Nachtwandler 579
– Die Wurzeln des Zufalls 181
Kolleritsch, Die grüne Seite 323
Konrád, Der Stadtgründer 633
– Besucher 492
Korff, Kernenergie und Moraltheologie 597
Kracauer, Das Ornament der Masse 371
– Die Angestellten 13
– Kino 126
Kraus, Magie der Sprache 204

Kroetz, Stücke 259
Krolow, Ein Gedicht entsteht 95
Kücker, Architektur zwischen Kunst und Konsum 309
Kühn, Josephine 587
– Ludwigslust 421
– N 93
– Siam-Siam 187
– Stanislaw der Schweiger 496
Kundera, Abschiedswalzer 591
– Das Leben ist anderswo 377
– Der Scherz 514
Lagercrantz, China-Report 8
Lander, Ein Sommer in der Woche der Itke K. 155
Laxness, Islandglocke 228
le Fanu, Der besessene Baronet 731
le Fort, Das Tochter Jephthas und andere Erzählungen 351
Lem, Astronauten 441
– Der futurologische Kongreß 534
– Der Schnupfen 570
– Die Jagd 302
– Die Untersuchung 435
– Imaginäre Größe 658
– Memoiren, gefunden in der Badewanne 508
– Mondnacht 729
– Nacht und Schimmel 356
– Solaris 226
– Sterntagebücher 459
– Summa technologiae 678
– Transfer 324
Lenz, Hermann, Andere Tage 461
– Der russische Regenbogen 531
– Der Tintenfisch in der Garage 620
– Die Augen eines Dieners 348
– Neue Zeit 505
– Tagebuch vom Überleben 659
– Verlassene Zimmer 436
Lepenies, Melancholie und Gesellschaft 63
Lese-Erlebnisse 2 458
Leutenegger, Vorabend 642
Lévi-Strauss, Rasse und Geschichte 62
– Strukturale Anthropologie 15
Lidz, Das menschliche Leben 162
Literatur aus der Schweiz 450
Lovecraft, Cthulhu 29
– Berge des Wahnsinns 220
– Das Ding auf der Schwelle 357
– Die Katzen von Ulthar 625
– Der Fall Charles Dexter Ward 391
MacLeish, Spiel um Job 422
Mächler, Das Leben Robert Walsers 321
Mädchen am Abhang, Das 630
Machado de Assis, Posthume Erinnerungen 494
Malson, Die wilden Kinder 55
Martinson, Die Nesseln blühen 279
– Der Weg hinaus 281
Mautner, Nestroy 465
Mayer, Georg Büchner und seine Zeit 58
– Wagner in Bayreuth 480
Materialien zu Hans Mayer, »Außenseiter« 448
Mayröcker. Ein Lesebuch 548
Maximovič, Die Erforschung des Omega Planeten 509
McHale, Der ökologische Kontext 90
Melchinger, Geschichte des politischen Theaters 153, 154
Meyer, Die Rückfahrt 578
– Eine entfernte Ähnlichkeit 242

– In Trubschachen 501
Miłosz, Verführtes Denken 278
Minder, Dichter in der Gesellschaft 33
– Kultur und Literatur in Deutschland und Frankreich 397
Mitscherlich, Massenpsychologie ohne Ressentiment 76
– Thesen zur Stadt der Zukunft 10
– Toleranz – Überprüfung eines Begriffs 213
Mitscherlich (Hrsg.), Bis hierher und nicht weiter 239
Molière, Drei Stücke 486
Mommsen, Kleists Kampf mit Goethe 513
Morselli, Licht am Ende des Tunnels 627
Moser, Gottesvergiftung 533
– Lehrjahre auf der Couch 352
Muschg, Albissers Grund 334
– Entfernte Bekannte 510
– Gottfried Keller 617
– Im Sommer des Hasen 263
– Liebesgeschichten 164
Myrdal, Asiatisches Drama 634
– Politisches Manifest 40
Nachtigall, Völkerkunde 184
Nizon, Canto 319
– Im Hause enden die Geschichten. Untertauchen 431
Norén, Die Bienenväter 117
Nossack, Das kennt man 336
– Der jüngere Bruder 133
– Die gestohlene Melodie 219
– Nach dem letzten Aufstand 653
– Spirale 50
– Um es kurz zu machen 255
Nossal, Antikörper und Immunität 44
Olvedi, LSD-Report 38
Onetti, Das kurze Leben 661
Painter, Marcel Proust, 2 Bde. 561
Paus (Hrsg.), Grenzerfahrung Tod 430
Payne, Der große Charlie 569
Pedretti, Harmloses, bitte 558
Penzoldts schönste Erzählungen 216
– Der arme Chatterton 462
– Die Kunst das Leben zu lieben 267
– Die Powenzbande 372
Pfeifer, Hesses weltweite Wirkung 506
Phaïcon 3 443
Phaïcon 4 636
Plenzdorf, Die Legende von Paul & Paula 173
– Die neuen Leiden des jungen W. 300
Pleticha (Hrsg.), Lese-Erlebnisse 2 458
Plessner, Diesseits der Utopie 148
– Die Frage nach der Conditio humana 361
– Zwischen Philosophie und Gesellschaft 544
Poe, Der Fall des Hauses Ascher 517
Politzer, Franz Kafka. Der Künstler 433
Portmann, Biologie und Geist 124
– Das Tier als soziales Wesen 444
Prangel (Hrsg.), Materialien zu Döblins »Alexanderplatz« 268
Proust, Briefe zum Leben, 2 Bde. 464
– Briefe zum Werk 404
– In Swanns Welt 644
Psychoanalyse und Justiz 167
Puig, Der schönste Tango 474
– Verraten von Rita Hayworth 344
Raddatz, Traditionen und Tendenzen 269
– ZEIT-Bibliothek der 100 Bücher 645
– ZEIT-Gespräche 520

Rathscheck, Konfliktstoff Arzneimittel 189

Regler, Das große Beispiel 439

– Das Ohr des Malchus 293

Reik (Hrsg.), Der eigene und der fremde Gott 221

Reinisch (Hrsg.), Jenseits der Erkenntnis 418

Reinshagen, Das Frühlingsfest 637

Reiwald, Die Gesellschaft und ihre Verbrecher 130

Riedel, Die Kontrolle des Luftverkehrs 203

Riesman, Wohlstand wofür? 113

– Wohlstand für wen? 114

Rilke, Materialien zu »Cornet« 190

– Materialien zu »Duineser Elegien« 574

– Materialien zu »Malte« 174

– Rilke heute 1 290

– Rilke heute 2 355

Rochefort, Eine Rose für Morrison 575

– Frühling für Anfänger 532

– Kinder unserer Zeit 487

– Mein Mann hat immer recht 428

– Ruhekissen 379

– Zum Glück gehts dem Sommer entgegen 523

Rosei, Landstriche 232

– Wege 311

Roth, Der große Horizont 327

– die autobiographie des albert einstein. Künstl. Der Wille zur Krankheit 230

Rottensteiner (Hrsg.), Blick vom anderen Ufer 359

– Polaris 4 460

– Quarber Merkur 571

Rüegg, Antike Geisteswelt 619

Rühle, Theater in unserer Zeit 325

Russell, Autobiographie I 22

– Autobiographie II 84

– Autobiographie III 192

– Eroberung des Glücks 389

v. Salis, Rilkes Schweizer Jahre 289

Sames, Die Zukunft der Metalle 157

Sarraute, Zeitalter des Mißtrauens 223

Schäfer, Erziehung im Ernstfall 557

Scheel/Apel, Die Bundeswehr und wir. Zwei Reden 522

Schickel, Große Mauer, Große Methode 314

Schimmang, Der schöne Vogel Phönix 527

Schneider, Der Balkon 455

– Die Hohenzollern 590

– Macht und Gnade 423

Über Reinhold Schneider 504

Schulte (Hrsg.), Spiele und Vorspiele 485

Schultz (Hrsg.), Der Friede und die Unruhestifter 145

– Politik ohne Gewalt? 330

– Wer ist das eigentlich – Gott? 135

Scorza, Trommelwirbel für Rancas 584

Semprun, Der zweite Tod 564

Shaw, Der Aufstand gegen die Ehe 328

– Der Sozialismus und die Natur des Menschen 121

– Die Aussichten des Christentums 18

– Politik für jedermann 643

Simpson, Biologie und Mensch 36

Sperr, Bayrische Trilogie 28

Spiele und Vorspiele 485

Steiner, George, In Blaubarts Burg 77

Steiner, Jörg, Ein Messer für den ehrlichen Finder 583

– Sprache und Schweigen 123

– Strafarbeit 471

Sternberger, Panorama oder Ansichten vom 19. Jahrhundert 179

– Gerechtigkeit für das 19. Jahrhundert 244

– Heinrich Heine und die Abschaffung der Sünde 308

Stierlin, Adolf Hitler 236

– Das Tun des Einen ist das Tun des Anderen 313

– Eltern und Kinder 618

Strausfeld (Hrsg.), Materialien zur lateinamerikanischen Literatur 341

– Aspekte zu Lezama Lima »Paradiso« 482

Strehler, Für ein menschlicheres Theater 417

Strindberg, Ein Lesebuch für die niederen Stände 402

Struck, Die Mutter 489

– Lieben 567

– Trennung 613

Strugatzki, Die Schnecke am Hang 434

Stuckenschmidt, Schöpfer der neuen Musik 183

– Maurice Ravel 353

– Neue Musik 657

Suvin, Poetik der Science Fiction 539

Swoboda, Die Qualität des Lebens 188

Szabó, I. Moses 22 142

Szczepański, Vor dem unbekannten Tribunal 594

Terkel, Der Große Krach 23

Timmermans, Pallieter 400

Trocchi, Die Kinder Kains 581

Ueding (Hrsg.), Materialien zu Hans Mayer, »Außenseiter« 448

Ulbrich, Der unsichtbare Kreis 652

Unseld, Hermann Hesse – Eine Werkgeschichte 143

– Begegnungen mit Hermann Hesse 218

– Peter Suhrkamp 260

Unseld (Hrsg.), Wie, warum und zu welchem Ende wurde ich Literaturhistoriker? 60

– Bertolt Brechts Dreigroschenbuch 87

– Zur Aktualität Walter Benjamins 150

– Mein erstes Lese-Erlebnis 250

Unterbrochene Schulstunde. Schriftsteller und Schule 48

Utschick, Die Veränderung der Sehnsucht 566

Vargas Llosa, Das grüne Haus 342

– Die Stadt und die Hunde 622

Vidal, Messias 390

Waggerl, Brot 299

Waley, Lebensweisheit im Alten China 217

Walser, Martin, Das Einhorn 159

– Der Sturz 322

– Ein fliehendes Pferd 600

– Ein Flugzeug über dem Haus 612

– Gesammelte Stücke 6

– Halbzeit 94

– Jenseits der Liebe 525

Walser, Robert, Briefe 488

– Der »Räuber«-Roman 320

– Poetenleben 388

Über Robert Walser 1 483

Über Robert Walser 2 484

Über Robert Walser 3 556

Weber-Kellermann, Die deutsche Familie 185

Weg der großen Yogis, Der 409

Weill, Ausgewählte Schriften 285

Über Kurt Weill 237

Weischedel, Skeptische Ethik 635

Weiss, Peter, Das Duell 41

Weiß, Ernst, Georg Letham 648

– Rekonvaleszenz 31

Materialien zu Weiss' »Hölderlin« 42

Weissberg-Cybulski, Hexensabbat 369

Weltraumfriseur, Der 631

Wendt, Moder
Wer ist das eig
Werner, Fritz,
  drücke in de
Wie der Teufe
Wiese, Das Ge
Wilson, Auf d
  194